TELE CUISINE

Dépot légal:
Bibliothèque nationale du Québec, 3 ième trimestre 1980
Bibliothèque nationale du Canada, 3 ième trimestre 1980

ISBN 2-920183-00-1

Les meilleures recettes du Chef Pol Martin

Volume 1

LES ENTREPRISES TELEDITION INC.

3585 rue Berri, suite 170, Montréal, Québec,
Canada H2L 4G3

Ce nouveau livre, l'encyclopédie de Télé Cuisine vous offre des techniques et des recettes faciles à préparer.
À l'aide des techniques, même les recettes les plus difficiles n'auront plus de secret pour vous. Cette encyclopédie vous permettra de varier vos menus et d'offrir des recettes toutes nouvelles à vos amis. Vous deviendrez rapidement un "Cordon Bleu" et cuisiner sera un plaisir.

Bon appétit!

Avec mes amitiés,

Pol Martin

INDEX

POISSONS ET CRUSTACÉS

RIZ

POMMES DE TERRE

SALADES

DÉCORATIONS

HORS D'OEUVRE

DIVERS

DESSERTS

BREUVAGES

ENTRÉES

NOTES

a poêle à crêpes la plus atique est celle fabriuée d'acier bleu, d'un amètre de 7 à 8 poues. Cette poêle à prix isonnable est en vente ans la plupart des rands magasins et bouques spécialisées.

our nettoyer la poêle à êpes, verser une couhe de sel dans le fond e la poêle, et la placer u-dessus d'un feu oyen. Lorsque le sel ommence à brunir, le ter et essuyer la poêle ec un chiffon.

Les Herbes

L'origan
Le persil: Il est toujours préférable d'utiliser le persil frais en cuisine. Afin de le conserver pendant 1 à 2 semaines, le nettoyer à l'eau froide courante, l'assécher, ou en l'essorant dans une essoreuse à laitue, ou en le secouant, et le placer au réfrigérateur dans un sac de plastique scellé hermétiquement. Cette technique pour conserver le persil s'applique aussi au cresson et à la laitue.

Les légumes

L'oignon vert: On ne doit pas confondre l'oignon vert et l'échalote.

L'oignon vert ressemble à un petit poireau, tandis que l'échalote paraît être un petit oignon, à pelure beige. L'échalote a une saveur beaucoup plus forte que l'oignon vert.

Les champignons: Les champignons frais sont très blancs, à surface lisse. Les nettoyer à l'eau courante, en les frottant délicatement; ne pas les peler.

Les crêpes: Une fois cuites, les crêpes se conservent jusqu'à 2 mois au congélateur. En plaçant une feuille de papier ciré entre chaque crêpe, vous pouvez facilement retirer la quantité désirée de crêpes du congélateur, pour ensuite les farcir.

1

Recette:

Pâte à crêpes (donne environ 20 crêpes)
1 tasse de farine tout usage tamisée
1/2 c. à thé de sel *
4 gros oeufs
1 1/4 tasse de lait
5 c. à soupe d'huile de maïs
1 c. à thé de persil frais *

* Pour préparer des crêpes à dessert, éliminer le sel et le persil, et mélanger 2 c. à soupe de sucre à la pâte.

Préparer la pâte à crêpes, tel qu'indiqué à la page 5. Faire cuire les crêpes à feu élevé.

1: Assembler les ingrédients

Recette:

Garniture aux champignons
3/4 lb de champignons ne toyés et émincés
2 c. à soupe d'huile de maïs
sel et poivre
2 échalotes sèches hachée fin
1/3 tasse de vin blanc
1 1/4 tasse de sauce bécha mel, chaude
1/2 tasse de fromage parme san ou mozzarella, râpé
2 c. à soupe de persil frai haché

Préchauffer le four à 400º F.

2: Verser les ingrédients secs et les mélanger dans un bol

3: Casser les oeufs dans un bol séparé

4: Battre les oeufs

5: Mélanger le lait aux oeufs

6: Ajouter les ingrédients secs au liquide, en fouettant

7: Mélanger l'huile à la pâte

8: Huiler la poêle seulement une fois, pour la première crêpe

9: Verser la pâte dans la poêle

10: Retourner la crêpe

Crêpes farcies aux champignons

(Pour 4 personnes)

re chauffer l'huile de maïs dans une poêle à frire. Ajouter les champignons et les faire
re pendant 3 minutes, à feu élevé, en remuant. Ajouter les échalotes et le persil, et faire
re 1 à 2 minutes. Ajouter le vin blanc et le faire évaporer à feu élevé pendant 3 à 4
nutes. Mélanger la sauce béchamel aux champignons et rectifier l'assaisonnement.

ttre la moitié du mélange
côté. Farcir 4 crêpes
ec la demie du mélange
les disposer dans un plat.
rser le reste du mélange
r les crêpes et les parse-
r de fromage. Faire cuire
crêpes au four pendant
minutes. Ensuite, faire
ire les crêpes à «broil»
squ'à ce que le fromage
it doré.

Préparation des crêpes farcies aux champignons

11: Faire sauter les champignons

12: Déglacer la poêle au vin
blanc

13: Ajouter la sauce aux
champignons

14: Farcir la crêpe et la rouler

15: Parsemer de fromage et
mettre au four

Crêpes aux champignons et jambon (pour 4 personnes)

Crêpes (20 crêpes)

1 tasse de farine tout usage tamisée
1/2 c. à thé de sel*
4 gros oeufs
1 1/4 tasse de liquide
   (1/2 lait, 1/2 eau)
5 c. à soupe de beurre clarifié fondu, tiède
1 c. à thé de persil frais haché fin

Mélanger la farine et le sel dans un bol.

Dans un deuxième bol, battre légèrement les oeufs avec un fouet et ajouter le liquide. Bien mélanger.

Incorporer la farine au liquide à l'aide d'un fouet. La pâte devrait avoir la consistance de la crème épaisse.

Ajouter le beurre clarifié et un filet mince en fouettant constamment.

Passer la pâte à la passoire fine ou au tamis et ajouter le persil haché.

* Pour préparer des crêpes à dessert, éliminer le sel et le persil, et mélanger 2 c. à soupe de sucre à la pâte.

Faire cuire les crêpes dans une poêle d'acier de 8'' de diamètre à feu élevé. Dorer les crêpes de chaque côté.

Garniture aux champignons et jambon

4 crêpes
1/2 lb. de champignons, émincés
4 grandes tranches de jambon, minces
2 c. à soupe de beurre
1 oignon vert, émincé
3 c. à soupe de farine
1 1/4 tasses de lait
1/4 c. à thé de muscade
Sel et poivre
1/2 tasse de fromage Gruyère, râpé

Placer 1 tranche de jambon sur chaque crêpe et mettre côté.

Faire fondre le beurre dans une casserole à feu moyen, ju qu'à l'apparition d'écume. Ajouter l'oignon, sel et poivre faire cuire 2 minutes.

Ajouter les champignons, sel et poivre au goût et faire cu les ingrédients pendant 3 minutes.

Saupoudrer avec la farine; mélanger bien et faire cuire minutes.

Verser le lait dans la casserole. Ajouter la muscade et fa cuire 3 minutes. Rectifier l'assaisonnement.

Placer 2 c. à soupe du mélange aux champignons au mili de chaque tranche de jambon.

Rouler les crêpes et disposer les dans un plat à gra beurré. Verser le reste du mélange aux champignons sur l crêpes.

Parsemer les crêpes farcies av le fromage râpé.

Faire chauffer l'éléme supérieur ''broil'' du four faire gratiner les crêp jusqu'à ce que fromage soit légè ment do

Quiche Lorraine

pour 4 à 6 personnes/Recette en deux parties

âte
 croûtes à tarte de 9'')

3/4 tasses de farine tout
   usage, tamisée
'2 c. à thé de sel
   tasse de shortening,
   à la température
   de la pièce
'2 tasse d'eau
   oeuf battu pour badi-
   geonner la pâte

acer la farine dans un bol à
élanger. Faire un puits au cen-
e de la farine.
outer le sel et le shortening
ans le puits. A l'aide d'un cou-
au à pâte ou de deux couteaux,
corporer la moitié de la farine
x ingrédients dans le puits.
outer l'eau au centre. Incor-
orer jusqu'à ce que tous les
grédients soient mélangés.
ncer la pâte avec le pouce et
dex jusqu'à ce que vous ayez
rmé une boule. Pétrir la pâte.
aupoudrer légèrement de fa-
ne la boule de pâte et l'enve-
oper d'un papier ciré. Placer la
te au réfrigérateur 3 à 4
ures avant l'usage. Couper la

pâte en deux.
La pâte devrait reprendre la
température de la pièce avant
d'être abaissée.
Préchauffer le four à 450°F.
Fariner votre rouleau à pâte et
votre table de travail. Rouler la
pâte. Tourner la pâte et rouler la
de nouveau.
Enrouler la pâte autour de votre
rouleau à pâte et dérouler la pâte
sur un moule à tarte de 9''. Tailler
la pâte et pincer le bord de la
pâte au moule à l'aide de votre
pouce.
Piquer la pâte avec une fourchette et la badigeonner avec
l'oeuf battu.
Faire cuire la croûte au four à
450°F pendant 15 à 17 minutes.

Quiche

5   tranches de lard mai-
      gre salé (bacon)
      (facultatif)
1/2   tasse de fromage
      gruyère, râpé
4   gros oeufs, ou 5 oeufs
      moyens
1   c. à soupe de persil
      frais, haché
      fin

1 1/2 tasse de crème à 35%
      sel
      poivre du moulin
1   pincée de muscade

Retirer la croûte à tarte du four et
la laisser refroidir.
Préchauffer le four à 375°F.
Faire blanchir le bacon dans une
casserole remplie d'eau bouillante, 3 à 4 minutes. Egoutter le
bacon et le couper en dés.
Placer le bacon dans une sauteuse et faire cuire 3 minutes, à
feu très vif. Egoutter le bacon sur
des serviettes de papier.
Placer le bacon dans la croûte à
tarte et saupoudrer avec le fromage râpé.
Battre les oeufs, le persil, la crème, le sel, le poivre et la muscade dans un bol à mélange, à
l'aide d'un fouet.
Verser le mélange dans la croûte
à tarte. Compléter avec de la
crème ou du lait, si nécessaire.
Faire cuire la quiche 30 à 35
minutes au four à 375°F. Insérer
la pointe d'un couteau au milieu
de la quiche; si rien n'adhère au
couteau, la quiche est cuite.

SOUPES ET BOUILLONS

NOTES

Bisque de crevettes

(pour 4 personnes)

onces de crevettes fraîches
. à soupe de beurre
etit oignon, haché
. à thé de paprika
c. à thé de fenouil
ges de persil
. à soupe de farine
asse de vin blanc sec
asses de court-bouillon,
haud
. à soupe de crème à 35%
et poivre
pincée de persil ou de
iboulette

ortiquer les crevettes et met-
les carapaces de côté. Enle-
les veines et bien nettoyer
crevettes.
e fondre 1 c. à soupe de
rre dans une casserole, à feu
. A l'apparition d'écume,
ire à feu moyen, ajouter l'oi-
n et le faire cuire jusqu'à ce
devienne transparent.

Ajouter les carapaces et la moitié des crevettes à l'oignon. Assaisonner avec le paprika, le fenouil et les tiges de persil.
Saler et poivrer au goût.
Couvrir la casserole et faire cuire à feu doux pendant 15 minutes.
Retirer la casserole du feu et incorporer 3 c. à soupe de beurre
au mélange.
Remettre la casserole à feu
doux et laisser mijoter pendant 5
minutes.
Saupoudrer avec la farine; bien
mélanger et faire cuire 3 minutes.
Ajouter le vin et le faire réduire à
feu vif pendant 4 minutes.
Verser le court-bouillon dans la
casserole, rectifier l'assaisonnement et faire cuire à feu moyen
pendant 25 minutes.
Passer la bisque à la passoire fi-

ne*; assurez-vous qu'aucune
parcelle de carapace tombe
dans la bisque.
Si vous trouvez le mélange trop
épais, ajouter 2 à 3 c. à soupe de
court-bouillon.
Incorporer la crème et parsemer
de persil ou de ciboulette.
Faire sauter le reste des crevettes dans du beurre chaud à feu
vif pendant 2 à 3 minutes.
Garnir la bisque des crevettes
sautées.
Cette recette peut-être préparée
une journée à l'avance.

* Vous pouvez réduire la bisque
  en purée dans votre robot culinaire ou "blender", mais vous
  devrez néanmoins passer la
  bisque à la passoire afin d'extraire toutes les parcelles de
  carapace.

Crevettes crues

Crème de carottes

pour 4 personnes

5 carottes moyennes, pelées
3 petites pommes de terre, pelées
2 c. à soupe de beurre
1 oignon d'Espagne, pelé et haché
1 feuille de laurier
Une pincée de thym
1 c. à thé d'herbes de Provence
6 tasses de bouillon de poulet, léger
3 à 4 c. à soupe de crème à 35% (facultatif)

Sel et poivre
Persil

Emincer les carottes et les pommes de terre.

Faire fondre le beurre dans une casserole de grandeur moyenne, à feu vif. A l'apparition d'écume, ajouter l'oignon, réduire à feu doux et faire cuire 3 à 4 minutes avec un couvercle.

Ajouter tous les autres ingrédients, sauf la crème. Saler et poivrer au goût.

Amener la soupe à ébullition, à feu vif. Ensuite, réduire à feu doux et faire mijoter environ 30 minutes.

Corriger l'assaisonnement et passer la soupe au passe-vite.

Avant de servir, incorporer la crème. Garnir la crème de carottes de persil frais.

Crème de courgettes

(pour 4 personnes)

4   courgettes de grosseur moyenne, lavées
6   tasses de bouillon de poulet préparé, chaud
3   c. à soupe de margarine
3   c. à soupe de farine
1   oignon de grosseur moyenne, émincé
1   pincée de thym
1   feuille de laurier
1   c. à soupe de persil, haché
3   c. à soupe de crème sure
     jus d'1/2 citron
     sel et poivre

garniture: 2 échalotes vertes, hachées

Amener le bouillon de poulet à ébullition et ensuite le garder chaud.

Faire fondre la margarine dans une casserole de grosseur moyenne, à feu moyen. Ajouter l'oignon émincé, couvrir et faire cuire 4 à 5 minutes.

Durant ce temps, couper les courgettes en deux et retirer les pépins. Conserver la pelure des courgettes et les émincer le plus fin possible.

Ajouter les courgettes à l'oignon, saler, poivrer et assaisonner avec le thym et le persil. Ajouter la feuille de laurier, couvrir et faire cuire 15 minutes, à feu moyen.

Retirer le couvercle, ajouter la farine et bien mélanger avec une cuillère en bois. Faire cuire les ingrédients 2 à 3 minutes, à feu vif.

Verser le bouillon de poulet chaud dans la casserole, rectifier l'assaisonnement et faire cuire 15 minutes à feu moyen, sans couvercle.

Retirer du feu et passer le tout au passe-légumes.

Avant de servir, ajouter la crème sure et le jus de citron. Rectifier l'assaisonnement et parsemer d'échalotes vertes hachées.

La crème de courgettes peut également être servie froide.

(pour 4 personnes)

1	lb. de pois cassés
1	oignon, haché fin
2	c. à soupe de margarine
1	c. à thé de cerfeuil
1	feuille de laurier
1/4	c. à thé de basilic
1/4	c. à thé de thym
	sel
	poivre du moulin
8	tasses d'eau froide
2	c. à soupe de crème épaisse (facultatif)

Faire tremper les pois dans l'eau froide pendant 12 heures. Egoutter et rincer à l'eau froide.

Faire fondre la margarine dans une casserole à feu vif, jusqu'à l'apparition d'écume. Ajouter l'oignon haché et faire cuire 2 à 3 minutes.

Ajouter les pois, mélanger et faire cuire 2 minutes.

Ajouter les épices et couvrir avec l'eau. Amener le liquide à ébullition.

Réduire le feu et faire mijoter la soupe, partiellement couverte, pendant 30 minutes.

Passer la soupe au passe-légumes et si désiré, incorporer la crème.

Servir.

Crème de Tomate

(pour 4 personnes)

Recette:

- boîtes de 28 onces de tomates égouttées et hachées
- c. à soupe de beurre ou margarine
  petit oignon pelé et émincé
- c. à soupe de farine
- tasses de bouillon de poulet léger, chaud
- c. à thé de purée de tomate (facultatif)
- c. à soupe de sucre, sel et poivre
- /4 c. à thé de thym
  feuille de laurier
- /2 c. à thé de cerfeuil
- /2 c. à thé d'origan
- /4 c. à thé de basilic

Garniture:

- à soupe de crème 35% (facultatif)
- à soupe de persil frais haché

Faire fondre le beurre ou la margarine dans une casserole moyenne. Ajouter l'oignon émincé et le faire cuire à feu doux, couvert, pendant quelques minutes. Ajouter les tomates, couvrir et faire mijoter 15 minutes, en remuant à l'occasion.

Ajouter la farine et les herbes aux légumes et faire cuire 3 minutes, sans couvercle, en remuant constamment. Verser graduellement le bouillon de poulet dans la casserole, en remuant constamment. Saler, poivrer et ajouter la purée de tomate et le sucre.

Porter le liquide au point d'ébullition, à feu vif, réduire à feu doux et faire mijoter 40 minutes, sans couvercle, en remuant à l'occasion.

Si la soupe est trop épaisse, y incorporer un peu de bouillon de poulet. Ensuite, la réduire en purée au passe-vite.

Avant de servir, incorporer la crème à la soupe et garnir de persil haché.

Gazpacho

(pour 6 personnes)

1	concombre, pelé et évidé
1	petit oignon, coupé en dés
2	gousses d'ail, hachées
3	échalotes vertes, hachées
4	tomates, pelées*
1	piment vert, haché
1	c. à soupe de vinaigre de vin
1	c. à soupe d'huile d'olive
1	tasse d'eau
	sel et poivre
1	c. à soupe de jus de citron

garniture: **ciboulette fraîche, hachée et une rondelle de citron**

* Pour peler facilement les tomates, les plonger dans une casserole remplie d'eau bouillante et les faire blanchir pendant 1 minute.

Mettre tous les ingrédients de la soupe dans un blender et bien mélanger pendant 2 à 3 minutes ou jusqu'à ce que tous les ingrédients soient réduits en purée.

Rectifier l'assaisonnement et f refroidir la soupe avant de la ser Garnir avec la ciboulette et la delle de citron.
Accompagner la Gazpacho de c tons à l'ail.

— Cette soupe peut être prépar l'avance, couverte d'un papier elle se conservera 2 jours au r gérateur.

Potage Crécy

(pour 4 personnes)

1	oignon, émincé
4	grosses carottes, émincées
2	petites pommes de terre, émincées
6	tasses de bouillon de poulet, chaud
1/4	c. à thé de thym
1/8	c. à thé de basilic
1	c. à thé de persil
1	c. à soupe de beurre
1	feuille de laurier
	sel et poivre
2	c. à soupe de crème à 35% (facultatif)

Faire fondre le beurre dans une casserole à feu moyen/élevé jusqu'à l'apparition d'écume. Ajouter l'oignon et faire cuire 3 minutes.

Ajouter les carottes et les pommes de terre. Ajouter toutes les épices, sauf le persil, saler et poivrer au goût; couvrir et faire cuire 15 minutes à feu moyen/doux.

Verser le bouillon de poulet dans la casserole et faire cuire 8 minutes, sans couvercle. Rectifier l'assaisonnement.

Passer le potage à la passoire.

Si désiré, incorporer la crème. Saupoudrer avec le persil et servir avec des croutons.

15

Potage Parmentier

Recette:

2 c. à soupe de beurre ou margarine
2 poireaux émincés (le blanc seulement)
1 oignon d'Espagne pelé et émincé
1 1/2 lb ou 4 grosses pommes de terre crues, pelées et émincées
6 tasses de bouillon de poulet léger, chaud
1/2 c. à thé de thym et de cerfeuil
2 feuilles de laurier
2 c. à thé de persil frais haché sel et poivre au goût

Garniture:

2 c. à soupe de crème 35%
2 c. à soupe de persil frais haché

Faire fondre le beurre (ou la margarine) dans une casserole moyenne. Ajouter les poiraux et l'oignon et couvrir. Faire mijoter 15 minutes, à feu doux, en remuant à l'occasion.

Ajouter les pommes de terre, le bouillon de poulet et les herbes; saler et poivrer.

Porter le liquide au point d'ébullition, à feu vif, réduire à feu moyen et faire mijoter 40 min tes, sans couvercle, remuant à l'occasio

Corriger l'assaisonr ment et passer le p tage au passe.vite le potage est trop épa y ajouter un peu bouillon de poulet.

Avant de servir, inc porer la crème au p tage et garnir de per haché.

Ce potage, sans l'ad tion de la crème, conserve 2 à 3 jours réfrigérateur. Couvrir surface du potage d' papier ciré.

Purée paysanne

(pour 4 personnes)

2	carottes, émincées
1	oignon, émincé
1	petit navet, en dés
2	c. à soupe de beurre
1	feuille de laurier
1/4	c. à thé de thym
1/2	c. à thé de basilic
3	branches de persil
	sel et poivre
6	tasses de bouillon de poulet, chaud
2	c. à soupe de crème épaisse (facultatif)
1	c. à soupe de persil haché comme garniture

Faire fondre le beurre dans une casserole à feu moyen. Ajouter l'oignon, couvrir la casserole et faire cuire 2 à 3 minutes.

Ajouter le navet, les carottes et les épices; saler et poivrer au goût, couvrir et faire cuire 15 minutes à feu moyen/doux.

Verser le bouillon de poulet dans la casserole, couvrir partiellement la casserole et faire cuire 15 minutes à feu moyen/élevé.

Rectifier l'assaisonnement et passer la soupe à la passoire.

Si désiré, incorporer la crème.

Pour servir, garnir la purée avec le persil haché.

Soupe à l'oignon

(pour 4 personnes)

Recette:

3 oignons d'Espagne, moyens, pelés et émincés
2 c. à soupe de beurre
1/4 tasse de vin blanc sec
2 c. à soupe de farine
6 tasses de bouillon de boeuf léger, chaud
1 feuille de laurier
sel et poivre
1 goutte de sauce Tabasco
1 1/2 tasses de fromage râpé *
4 tranches de pain français grillé

* fromage gruyère importé, ou cheddar canadien, ou, à l'occasion, certains fromages italiens.

Faire fondre le beurre dans une casserole moyenne.

Ajouter les oignons et les faire mijoter 20 minutes, à feu doux, sans couvercle; remuer à l'occasion et ajouter un peu de beurre durant la cuisson, si nécessaire.

Ajouter le vin aux oignons et faire réduire le liquide de deux tiers, à feu vif. Réduire à feu moyen et saupoudrer les oignons de farine. Incorporer le bouillon de boeuf graduellement aux oignons, saler, poivrer et ajouter la feuille de laurier.

Porter le liquide au po d'ébullition. Faire mi ter la soupe 30 minut à feu doux.

Ajouter la sauce Taba co et rectifier l'assaiso nement. Retirer la feu de laurier.

Faire chauffer le four «broil».

Placer 1 c. à soupe fromage au fond de ch que bol. Verser la sou dans les bols. Couvrir soupe d'une tranche pain grillé et saupoud de fromage. Faire gril la soupe, au milieu four, 15 à 20 minutes

Soupe au chou

(pour 4 personnes)

1	**petit chou, émincé**
2	**pommes de terre, émincées**
	sel et poivre
7	**tasses de bouillon de poulet, chaud**
2	**onces de bacon, en dés**
1/2	**c. à thé de persil frais, haché**

Faire fondre le bacon dans une casserole à feu moyen élevé.

Ajouter le chou et les pommes de terre au bacon fondu. Saler et poivrer au goût.

Parsemer de persil et faire cuire le mélange 4 à 5 minutes à feu vif.

Verser le bouillon de poulet dans la casserole, rectifier l'assaisonnement et faire mijoter la soupe 15 minutes.

Soupe aux cressons

(pour 4 personnes)

4	**paquets de cressons, lavés et hachés**
1	**oignon rouge, émincé**
3	**c. à soupe de beurre**
8	**tiges de persil**
1	**feuille de laurier**
6	**tasses de bouillon de poulet, chaud**
2	**c. à soupe de crème épaisse**
	sel et poivre
3	**c. à soupe de farine**

Faire fondre 1 c. à soupe de beurre dans une casserole jusqu'à l'apparition d'écume. Ajouter l'oignon, couvrir et faire cuire 5 à 6 minutes à feu moyen.

Ajouter les cressons hachés, le persil, la feuille de laurier, le sel et le poivre. Couvrir et faire cuire le mélange 15 minutes, à feu doux.

Ajouter le reste du beurre. Lorsque le beurre est fondu, saupoudrer les ingrédients avec la farine et faire cuire 5 minutes à feu doux; remuer à l'occasion.

Ajouter le bouillon de poulet et rectifier l'assaisonnement. Amener le liquide au point d'ébullition et réduire à feu doux; laisser mijoter la soupe 30 minutes.

Vérifier l'assaisonnement et passer la soupe à la passoire.

Au moment de servir, incorporer la crème.

Accompagner la soupe aux cressons de croûtons.

Soupe aux légumes

pour 4 à 6 personnes

1	morceau (4 onces) de lard salé, en dés
4	grosses carottes
1	petit oignon rouge
2	branches de céleri
1/4 d'un navet	
1/2 oignon d'espagne	
2	pommes de terre moyennes
1	tasse de chou, râpé
6	tasses de bouillon de boeuf, chaud
1	feuille de laurier
1	c. à thé de cerfeuil
1	c. à thé de persil
	sel et poivre

Couper tous les légumes en dés d'1/2".

Faire fondre le lard dans une grande casserole. Ajouter les oignons au lard fondu et faire cuire 5 minutes à feu moyen.

Ajouter tous les ingrédients, sauf le chou et le bouillon de boeuf, et faire cuire 10 minutes, à feu moyen, avec un couvercle.

Ajouter le bouillon de boeuf et rectifier l'assaisonnement.

Ajouter le chou râpé, couvrir partiellement et faire cuire 10 minutes, à feu doux.

Servir avec du pain français.

Soupe aux pois

(pour 4 personnes)

1 tasse de pois jaunes
1 oignon d'Espagne, coupé en
   deux et piqué de 2 clous
   de girofle
1 bouquet garni composé de
   1/4 c. à thé de thym
   1/4 c. à thé de basilic
   1 feuille de laurier
   1 bouquet de persil
sel et poivre
4 onces de jambon de
   Virginie, coupé en cubes
2 carottes, tranchées mince
1 c. à soupe de persil, haché fin
4 c. à soupe de beurre

Placer les pois dans un bol, recouvrir d'eau et laisser tremper pendant 12 heures.

Egoutter les pois et les placer dans une casserole. Couvrir avec de l'eau jusqu'à 3'' au-dessus des pois.

Assaisonner avec le sel et poivre.

Ajouter tous les autres ingrédients, sauf le beurre.

Porter le liquide à ébullition, réduire à feu doux et laisser mijoter 1 heure 30 minutes.

Retirer du feu. Mélanger le beurre à la soupe et servir.

Note: cette soupe se conserve au réfrigérateur pendant 3 à 4 jours. De plus, elle se congèle très bien.

Soupe de laitue froide

(pour 4 personnes)

1	pomme de laitue iceberg, nettoyée et grossièrement hachée
1	branche de céleri, grossièrement hachée
2	c. à soupe de beurre
2	c. à soupe de farine
1	oignon, pelé et émincé
6	tasses de bouillon de poulet, chaud sel et poivre au goût
3	c. à soupe de crème sure

Garniture: de la ciboulette fraîche, hachée

Faire fondre le beurre dans une casserole, a feu vif. A l'apparition d'écumé, ajouter l'oignon, couvrir et faire cuire 2 minutes, à feu doux.

Ajouter la laitue et le céleri hachés, assaisonner au goût et couvrir. Faire cuire les légumes 15 minutes à feu doux; remuer à l'occasion.

Saupoudrer les légumes avec la farine et faire cuire 2 minutes en remuant constamment.

Graduellement incorporer le bouillon de poulet chaud, rectifier l'assaisonnement et amener le liquide à ébullition.

Ensuite, réduire à feu doux et faire mijoter la soupe, sans couvercle, pendant 30 minutes.

Passer la soupe au passe-légumes. Verser la soupe dans une soupière et faire refroidir.

Au moment de servir, incorporer la crème sure et garnir avec la ciboulette. Accompagner la soupe de croûtons.

Soupe de palourdes d'Halifax

pour 4 personnes

2	tasses de court-bouillon de poisson, chaud		1	tasse du liquide des palourdes
4	tranches de bacon, en dés		2	tasses d'eau
1	boîte de palourdes			sel et poivre
1	oignon, en dés		2	pommes de terre, en dés
2	c. à soupe de farine		3	tomates, pelées et coupées en 8 quartiers
1/4	c. à thé de thym			quelques gouttes de jus de citron
1	feuille de laurier			

Egoutter les palourdes et placer le liquide en réserve.

Mettre le bacon dans une casserole et faire cuire jusqu'à ce que la plus grande partie du gras de bacon soit fondu, à feu moyen.

Ajouter l'oignon au bacon et faire cuire jusqu'à ce qu'il devienne transparent.

Ajouter la farine, le thym et la feuille de laurier et faire cuire 4 minutes en remuant constamment.

Verser graduellement la tasse de liquide des palourdes, le court-bouillon et l'eau dans la casserole. Ajouter les pommes de terre et saler et poivrer légèrement.

Porter le liquide à ébullition et ensuite faire mijoter la soupe jusqu'à ce que les pommes de terre soient tendres.

Cinq minutes avant que les pommes de terre soient cuites, saler et poivrer les quartiers de tomates et les ajouter à la soupe.

Incorporer les palourdes et le jus de citron.

Réchauffer la soupe de palourdes quelques minutes, rectifier l'assaisonnement et servir garnie de persil haché.

Soupe froide au yogourt

(pour 6 personnes)

	tasses de yogourt nature
	tasse de bouillon de poulet, froid
	cubes de glace
1/2	concombre, pelé et sans pépins
1/4	tasse de radis
1/4	c. à thé d'aneth en herbe
1/4	c. à thé de persil, haché
	sel et poivre blanc au goût

Garniture: tranches de concombre et des tranches de radis

Mettre en purée les concombres, les radis et les épices dans un blender.

Disposer la purée dans un bol à mélanger et incorporer le yogourt et le bouillon de poulet. Assaisonner au goût et mélanger.

Ajouter les cubes de glace et verser la soupe dans un bol de service.

Garnir avec les tranches de concombre et de radis.

Servir froid.

25

Soupe julienne

(pour 4 personnes)

1 petit navet
2 carottes
1 oignon d'Espagne
1/4 de chou
1 feuille de laurier
1 c. à thé de persil, haché
sel et poivre
8 tasses de bouillon de poulet, chaud
2 c. à soupe de beurre

Peler, nettoyer et émincer les légumes en julienne; Faire fondre le beurre dans une casserole, à feu vif.
A l'apparition d'écume, a-jouter le persil, la feuille de laurier et les légumes. Saler et poivrer au goût, couvrir et faire cuire 15 minutes, à feu moyen.
Verser le bouillon de poulet dans la casserole, rectifier l'assaisonnement et faire mijoter la soupe 15 minu-tes.
Servir la soupe très chaude.

Soupe savoyarde

(pour 4 personnes)

2 poireaux, parés
1 petit navet, pelé
2 branches de céleri
5 onces d'oignons
2 grosses pommes de
   terre, pelées
2 c. à soupe de beurre
sel et poivre
4 tasses de bouillon de
   poulet, chaud
2 tasses de lait
6 onces de fromage
   suisse, râpé

Laver les légumes et les trancher mince.

Faire fondre le beurre dans une casserole d'environ (3 pintes). Ajouter les oignons et faire cuire 3 minutes à feu moyen ou jusqu'à ce qu'ils soient légèrement dorés.

Ajouter les poireaux, le navet et le céleri; assaisonner avec le sel et le poivre. Couvrir et cuire les légumes à feu moyen pendant 15 minutes.

Remuer occassionnellement.

Ajouter les pommes de terres et le bouillon de poulet. Saler et poivrer au goût.

Porter le liquide à ébullition, à feu vif. Ensuite, réduire l'intensité du feu et laisser mijoter la soupe approximativement 20 minutes ou jusqu'à ce que les pommes de terre soient cuites.

Mélanger le lait à la soupe, corriger l'assaisonnement et mijoter pour 10 minutes.

Servir parsemé de fromage râpé ou, si vous le désirez, gratiner le fromage au four à "broil" avant de servir.

Vichyssoise

(pour 4 personnes)

Recette:

2 c. à soupe de beurre
2 poireaux émincés (le blanc seulement)
1 gros oignon pelé et émincé
1 1/2 lb ou 4 grosses pommes de terre crues, pelées et émincées
6 tasses de bouillon de poulet chaud
1/4 c. à thé de thym
1 feuille de laurier
1/4 c. à thé de basilic
1/2 c. à thé de cerfeuil
1 c. à soupe de persil frais
sel et poivre au goût

Garniture:

1/2 à 1 tasse de crème 35%
1 c. à soupe de persil haché fin

Faire fondre le beurre dans une casserol moyenne. Ajouter les poireaux, l'oignon e les herbes. Couvrir et faire mijoter 15 minu tes, en remuant à l'occasion.

Ajouter les pommes de terre, le bouillon d poulet, saler et poivrer. Porter le liquide ébullition et faire mijoter la soupe pendan 40 minutes, à feu doux, sans couvercle remuer à l'occasion.

Retirer la feuille de laurier. Corriger l'assa sonnement et passer la soupe au passe légumes.

Réfrigérer la soupe au moins 4 à 5 heures Avant de servir, incorporer la crème à l vichyssoise et garnir de persil frais.

Court-bouillon

à soupe de beurre
d'os de poisson à chair blanche, maigre
arottes moyennes, émincées
oireau émincé
ignons émincés
ranche de céleri émincée
champignons émincés (facultatif)
c. à thé de thym
u 3 feuilles de laurier
grains de poivre
lous de girofle
à thé de cerfeuil
lques branches de persil frais
c. à thé d'estragon
c. à thé de graines de fenouil
/2 tasse de vin blanc sec ou jus de 1 citron,
u 3 c. à soupe de vinaigre blanc
/2 pintes d'eau froide

vre du moulin

ns une grande casserole, faire fondre le beurre à feu
jusqu'à l'apparition d'écume. Réduire à feu doux.
uter les os de poisson, les légumes et les épices.
uvrir et laisser mijoter 10 minutes.

uter le vin blanc et l'eau. Saler et poivrer.

rter le liquide au point d'ébullition et laisser mijoter
ns couvercle, 35 à 40 minutes. Passer à la passoire.

1. *Les ingrédients du court-bouillon. Deux livres d'os de poisson sont également requises pour préparer cette recette.*

2. *Emincer tous les légumes.*

3. *Mettre les légumes dans une casserole contenant du beurre chaud. Couvrir la casserole et faire cuire pendant 10 minutes.*

BOEUF

NOTES

Boeuf à la chinoise

(pour 2 personnes)

1/2 lb. de surlonge, coupée en lanières
1 tige de brocoli
1/4 piment rouge, en gros dés
1/4 piment vert, en gros dés
 sel
 poivre du moulin
 une pincée de gingembre
 sauce soya au goût (facultatif)
1 c. à soupe d'huile de maïs
1 c. à thé de persil frais haché

Séparer la tête du brocoli en bouquets et couper la tige en lamelles; couper chaque lamelle en 2 ou 3 morceaux.

Faire chauffer l'huile de maïs dans un wok placer à feu vif. Lorsque l'huile deviendra fumante, ajouter le boeuf; saler, poivrer et faire cuire 1 à 2 minutes en remuant.

Ajouter tous les autres ingrédients, sauf le persil et la sauce soya, et faire cuire 3 à 4 minutes; remuer constamment.

Rectifier l'assaisonnement et si désiré incorporer la sauce soya. Saupoudrer avec le persil et disposer le tout dans un plat de service.

Servir le boeuf à la chinoise avec du riz blanc.

Principaux ingrédients

les petits conseils du chef

Deux groupes de cuisson:

par ébullition, avec une perte des sucs.

par rôtissage: en faisant saisir les viandes afin que se forme une croûte pour empêcher les sucs de s'échapper.

Bifteck à la Gasconne

(pour 4 personnes)

4	biftecks, coupe New York, 1'' d'épaisseur
1/2	livre de champignons, têtes seulement
15	petits oignons blancs
2	c. à soupe de beurre par sauteuse
1	échalote, hachée
1	c. à soupe de persil, haché
1/4	tasse de vin rouge, tel que Côte du Rhône
	sel
	poivre du moulin
1	recette de beurre manié (1 c. à soupe de beurre mélangé à 1 c. à soupe de farine)

Faire blanchir les oignons 5 minutes. Les égoutter et les mettre de côté.

Faire fondre le beurre dans une sauteuse à feu vif jusqu'à l'apparition d'écume.

Ajouter les biftecks et les faire saisir 4 minutes de chaque côté, à feu moyen/élevé (voir technique). Eviter de surcharger la sauteuse, il est préférable d'utiliser deux sauteuses, car autrement la viande risque de bouillir.

Assaisonner au goût avec le sel et le poivre.

Disposer les biftecks dans un plat de service chaud.

Ajouter les oignons, les champignons et l'échalote à la poêle et faire cuire 4 à 5 minutes, à feu vif. Parsemer avec le persil, saler et poivrer au goût.

Verser les légumes sur les biftecks.

Verser le vin dans la sauteuse et faire réduire de 2/3.

Epaissir la sauce avec le beurre manié et la verser sur les biftecks à la Gasconne.

Garnir de persil frais et servir.

Technique du Biffeck à la Gasconne

2. Faire fondre le beurre dans une sauteuse, à feu vif. Ajouter les biftecks (attention de ne pas surcharger la sauteuse, il serait préférable alors de prendre deux sauteuses) et les faire saisir:
- 4 minutes de chaque côté: saignant
- 5 minutes de chaque côté: médium
- 6 minutes de chaque côté: bien cuit

▼ **1.** Principaux ingrédients

▼

3. Assaisonner au goût avec le sel et poivre.

4. Disposer les biftecks sur un plat de service chaud.

5. Ajouter les oignons blanchis, les têtes de champignons, l'échalote, le persil, sel et poivre à la sauteuse et faire cuire 4 à 5 minutes, à feu vif.

6. Verser les légumes sur les biftecks.

7. Déglacer la sauteuse avec le vin rouge.

8. Epaissir la sauce avec le beurre manié. Verser la sauce sur les biftecks et servir.

Boeuf à la Hongroise

pour 4 personnes

3 lb de hautes côtes
3 c. à soupe d'huile de maïs
1 oignon d'Espagne, émincé
1 gousse d'ail, écrasée et hachée
1 feuille de laurier
sel
poivre du moulin
paprika
1 boîte (28 onces) de tomates, égouttées
1 tasse de bouillon de boeuf chaud

Préchauffer le four à 350°F. Verser 2 c. à soupe d'huile de maïs dans une sauteuse, à feu vif. Ajouter les cubes de boeuf à l'huile chaude et faire saisir la viande. Eviter de surcharger la sauteuse, il est préférable de faire saisir les cubes de boeuf en 2 ou 3 étapes.

Mettre les cubes de boeuf dans une casserole allant au four. Saler et poivrer les cubes de boeuf et mettre la casserole de côté.

Faire chauffer le reste de l'huile dans la sauteuse. Ajouter l'oignon et faire cuire pendant 3 à 4 minutes. Saler et poivrer.

Parsemer de paprika et ajouter l'ail à l'oignon. Ajouter les tomates et bien mélanger. Faire cuire le mélange 2 minutes, à feu vif.

Ajouter le bouillon de boeuf et verser le mélange sur les cubes de boeuf.

Ajouter la feuille de laurier et rectifier l'assaisonnement.

Couvrir et faire cuire le boeuf à la hongroise au four à 350°F pendant 1 heure 30 minutes.

Préparation du Boeuf à la Hongroise

ncipaux ingrédients.

2. Parer et tailler les hautes côtes.

3. Couper le boeuf en cubes de 1''.

erser l'huile de maïs dans une êle à frire.

5. Faire brunir les cubes de boeuf dans l'huile chaude.

6. Disposer le boeuf dans une casserole allant au four.

jouter l'oignon émincé à la poê-

8. Parsemer de paprika et ajouter les autres épices.

9. Ajouter les tomates et le bouillon de boeuf. Verser le mélange dans la casserole, couvrir et faire cuire au four à 350°F pendant 1 heure 30 minutes.

(pour 4 personnes)

3	livres de hautes côtes
1	c. à thé de paprika
2	c. à soupe d'huile de maïs
1/2	oignon d'Espagne, coupé en dés
2	gousses d'ail, écrasées et hachées
2	pommes de terre, pelées et coupées en dés
1	c. à soupe de persil, haché
1	boîte (28 onces) de tomates, égouttées et hachées
1 1/2	tasse de bouillon de poulet, chaud sel et poivre
3	échalotes vertes, hachées comme garniture
1	feuille de laurier

Parer et couper la viande en cubes tel qu'indiqué dans la technique.

Préchauffer le four à 350ºF.

Faire chauffer l'huile dans une sauteuse ou une casserole allant au four. Faire saisir u partie de la viande à feu vif. Disposer cubes saisis dans un plateau.

Eviter de surcharger la casserole, il est pré rable de faire saisir la viande en deux ou tr étapes.

Remettre la viande une fois saisie dans casserole et saupoudrer de paprika.

Ajouter les oignons et faire cuire deux mi tes. Saler et poivrer les ingrédients.

Ajouter l'ail et les pommes de terre. Saupe drer de persil et faire cuire deux minutes.

Ajouter les tomates, le bouillon de poulet e feuille de laurier.

Rectifier l'assaisonnement, couvrir et fa cuire la goulash au four à 350ºF. pendar heure 30 minutes.

Au moment de servir, incorporer les éc lotes hachées.

Technique du Boeuf Goulash

Principaux ingrédients.

2. Parer la viande d'excès de gras.

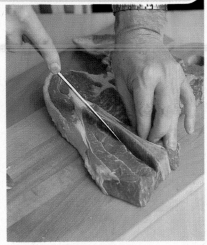

3. Couper le long de l'os.

Couper le boeuf en cubes d'un pouce.

5. Faire saisir les cubes de boeuf dans l'huile chaude.

6. Disposer les premiers cubes de boeuf dans un plateau.

Faire saisir le reste du boeuf. Il est important de ne pas surcharger la poêle; il est préférable de faire saisir la viande en deux ou trois étapes.

8. Remettre la viande dans la poêle. Saupoudrer avec le paprika.

9. Ajouter les oignons. Ensuite, ajouter le reste des ingrédients, couvrir et faire cuire au four.

Boeuf Bouilli

pour 4 personnes

3 lb. de haut de côtes
1 chou, coupé en quatre
3 pommes de terre, pelées et coupées en deux
1 navet, pelé et coupé en quatre
2 carottes, pelées
4 oignons rouges, pelés et coupés en deux
1 poireau, nettoyé et coupé en deux (facultatif)
 sel et poivre
1 bouquet garni composé de:
  1 feuille de laurier
  1/2 c. à thé de persil
  1/4 c. à thé de basilic
  1/4 c. à thé de thym
1 c. à soupe de persil, haché
2 oignons verts, hachés

Placer le boeuf dans une grosse casserole. Couvrir le boeuf d'eau froide et porter le liquide au point d'ébullition, à feu vif.

Ecumer. Mettre le boeuf de côté. Rinser la casserole et replacer la viande dans la casserole. Couvrir à nouveau d'eau froide; ajouter le bouquet garni, sel et poivre, et porter le liquide au point d'ébullition, à feu vif.

Réduire à feu moyen et laisser mijoter 2 heures et 15 minutes.

Une demi-heure avant que le boeuf soit cuit, ajouter les légumes, sauf les oignons verts. Assaisonner au goût.

Au fur et à mesure que les légumes deviennent cuits, les retirer et les placer dans un plat de service; couvrir les légumes avec une petite quantité du liquide de cuisson afi de les garder chauds.

Lorsque tous les légumes sont cuits, jeter le bouquet garni et ajo ter le boeuf et le liquide de cuisso au plat de service.

Garnir le boeuf bouilli avec la c. à soupe de persil et les oignons ve hachés.

Note: Le boeuf bouilli est un de mes plats préférés, par cor j'y ajoute quelques gouttes d'huile de maïs et de vinaig de vin au moment de servi Essayez-le à l'occasion.

▼ Ingrédients de la recette

Boeuf lyonnaise

pour 4 personnes)

/2 lb de surlonge, paré
oignon d'Espagne, émincé
c. à soupe d'huile de maïs
l et poivre
c. à soupe de persil, haché fin
c. à soupe de vinaigre de vin
4 de tasse de vin rouge sec

Émincer la surlonge en lanières d'1/4'' d'épaisseur et les poivrer. Faire chauffer l'huile de maïs dans une poêle à frire, à feu vif. Lorsque l'huile sera très chaude, y ajouter les lanières et les faire brunir pendant 2 minutes de chaque côté, pour médium-saignant. Assaisonner avec le sel et le poivre et mettre le boeuf de côté.
Ajouter l'oignon dans la poêle, assaisonner au goût et cuire à feu moyennement élevé pendant 5 minutes.
Saupoudrer l'oignon avec le persil et ajouter le vinaigre de vin. Remettre la viande dans la poêle et rectifier l'assaisonnement. Mélanger bien et ensuite disposer les ingrédients sur un plat de service.
Verser le vin dans la poêle et le réduire de 2/3. Arroser le Boeuf lyonnaise avec le liquide et servir.

2: Détailler les hautes côtes, ou "blade steak" en cubes

3: Saisir la viande

4· Parsemer la viande de farine

Bo
(po

Recette:
3 1/2 lb de hautes côt
parées, et coupées en cul
de 1 1/2"
2 c. à soupe d'huile de ma
1 c. à soupe de beurre
sel et poivre au goût
1 1/2 tasses de vin rouge ;
1 1/2 tasses de bouillon
boeuf chaud
2 c. à soupe de margarine
beurre
1 oignon d'Espagne, pelé
émincé
3 gousses d'ail écrasées
hachées fin
1/2 c. à thé de thym
2 ou 3 feuilles de laurier
4 c. à soupe de farine
1/2 lb de champigno
couper en deux
1 c. à soupe de persil fr
haché fin
Préchauffer le four à 350
Faire chauffer l'huile de m
et le beurre dans une poê
frire, à feu vif. Lorsque l'h
et le beurre sont très chau
y ajouter les cubes de bo
quelques uns à la fois, et
faire brunir à feu moyer
ment élevé.
Mettre le boeuf saisi de c
et l'assaisonner.
Pendant ce temps, faire
dre 1 c. à soupe de marga

1: Assembler les

42

non

es)

eurre) dans une deuxiè-
oêle à frire. Ajouter l'oi-
et le faire cuire 2 à 3 mi-
s. Ajouter l'ail, le thym et
urier à l'oignon et faire
 pendant 2 à 3 minutes,
muant à l'occasion.
que toute la viande est
e, la remettre dans la
à frire et la parsemer de
e. Faire cuire le tout à
noyennement élevé, en
ant, pendant 4 à 5 minu-
Ajouter le vin et le bouil-
le boeuf à la viande, et
mijoter pendant 5 minu-
Saler et poivrer au goût.
er le boeuf bourguignon
 une casserole allant au
 Couvrir et faire cuire
ant environ 1 1/4 heures,
squ'à ce que la viande
tendre.
 fondre le beurre et
er les champignons 4 mi-
. Ajouter le persil, saler
ivrer et ajouter le tout au
f bourguignon.
fier l'assaisonnement.
euf bourguignon se con-
 au réfrigérateur pen-
4 à 5 jours. Il peut aussi
 congelé pour une
de de 1 mois.

5: Faire cuire le "roux" à feu moyennement élevé

6: Incorporer les oignons sautés á la viande et la sauce

Boeuf bourguignon

7: Verser le boeuf dans une casserole et faire cuire au four

Le Sandwich exécutif
(pour 1 personne)

4	crevettes cuites, décortiquées, nettoyées et hachées
1	échalote verte, émincée
1	c. à soupe de céleri, haché
1	c. à thé de mayonnaise
	sel et poivre au goût
1/4	pomme, pelée et coupée en 8 tranches
2	tranches de pain français, 1/2'' d'épaisseur

Faire griller et beurrer le pain.
Mélanger tous les autres ingrédients, sauf les ches de pomme. Rectifier l'assaisonnement.
Etendre le mélange de crevettes sur le pain gri disposer les pommes sur le mélange. Couvrir l'autre tranche de pain et couper le sandwic deux.
Accompagner le sandwich avec des petites tom et des olives noires.

Amuse-gueule
(pour 6 personnes)

1/2	lb. de fromage cheddar, râpé
1/4	lb. de margarine
	quelques gouttes de sauce Tabasco
	paprika au goût
3	tranches de bacon (facultatif)
12	tranches de pain français en baguette, grillées
	persil et radis comme garniture

Incorporer la margarine et le fromage râpé.
Assaisonner le mélange avec la sauce Tabasco et le paprika.
Etendre le mélange sur les tranches de pain grillées. Placer les tranches sous le broil et faire brunir.
Hacher le bacon et le faire sauter jusqu'à ce qu'il devienne croustillant. Parsemer les miettes de bacon sur les amuse-gueule et garnir de persil et radis. Servir.

Boeuf mariné (pour 4 personnes)

12	tranches des restes d'un rôti de boeuf		émincé
1	baguette de pain français, 14" de long	1	tasse de choucroute
		1	c. à soupe d'huile de
4	cornichons, tranchés en trois	2	c. à soupe de jus de choucroute
1	c. à soupe de persil haché		sel et poivre
1/4	d'oignon d'Espagne,		beurre

garniture: tranches de tomates et
tranches d'oignons rouges

Couper la baguette en deux et chaque moitié en deux s longueur. Faire griller le pain sous le broil et le beurrer.
Rouler les tranches de rôti de boeuf et placer une tranch cornichon à l'intérieur de chaque tranche. Disposer les ches de boeuf roulées sur les moitiés de pain.
Faire chauffer l'huile dans une poêle à frire, à feu vif. Ajc l'oignon et faire cuire 2 à 3 minutes. Réduire à feu moye ajouter la choucroute; mélanger. Assaisonner au goû ajouter le jus de choucroute; faire cuire le mélange 2 minu Parsemer avec le persil et verser le mélange sur les sandv au rôti de boeuf. Garnir avec les tomates et oignons.
Accompagner de bière froide ou de liqueur douce.

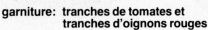

Boeuf vinaigrette

(pour 4 personnes)

lb. de boeuf cuit, froid et émincé
oignon rouge, émincé
petit piment rouge, émincé
petit piment vert, émincé
échalotes vertes, émincées
champignons blancs, lavés et émincés
sel et poivre
c. à soupe de persil, haché
c. à soupe de vinaigre de vin
c. à soupe d'huile d'olive

Mettre tous les légumes et le boeuf dans un bol à mélanger.
Mélanger, le vinaigre de vin, l'huile d'olive, le persil, le sel et poivre.
Verser la vinaigrette sur le boeuf et les légumes et bien mélanger. Rectifier l'assaisonnement.
Servir le boeuf vinaigrette sur des feuilles de laitue.

les petits conseils du **chef**

Une poêle à frire avec un manche en bois peut supporter la chaleur du four jusqu'à 325°F sans en être endommagée.

Boeuf Strogonoff

(pour 4 personnes)

Pasta au beurre

(pour 4 personnes)

1 paquet (10 onces) de nouilles aux oeufs et épinards
1 c. à soupe de beurre
sel et poivre au goût

Amener une quantité suffisante d'eau salée contenant 1 c. à soupe d'huile de maïs au point d'ébullition.
Ajouter les nouilles à l'eau bouillante, couvrir et faire cuire 5 à 7 minutes à feu vif.
Egoutter et rafraîchir les nouilles à l'eau froide.
Faire fondre le beurre dans une sauteuse. A l'apparition d'écume, ajouter les nouilles et les faire réchauffer pendant 1 minute, à feu vif.
Saler et poivrer au goût.

1 1/2 lb de ronde, coupée en lanières
sel et poivre
2 c. à soupe d'huile de maïs
1/2 lb de champignons, émincés
1 petit oignon, émincé
1 c. à soupe de persil, haché
une pincée de paprika
1 1/2 tasse de sauce brune préparée, chaude
1 c. à thé de sauce tomate
4 c. à soupe de crème sure
1 c. à soupe de beurre

Faire
grand
à l'hu
chaqu
Dispo
chaud
Ajoute
prika.
Mélan
minut
feu m
ner au
Verser
rer la
Retire

uile de maïs dans une
à feu vif. Ajouter le boeuf
faire saisir 3 minutes de

dans une plat à service

poêle et parsemer de pa-

à l'oignon et faire cuire 2
s champignons, réduire à
uire 2 minutes. Assaison-

les ingrédients. Incorpo-
et faire cuire 1 minute.
feu et ajouter le boeuf.
er la crème sure au boeuf
ctifier l'assaisonnement.
oudrer de persil et servir.

Technique du
Boeuf Strogonoff

1. Les ingrédients

2. Faire sauter le boeuf dans l'huile de maïs chaude

3. Disposer le boeuf dans un plat de service chaud

4. Dorer les oignons et ajouter les champignons à la poêle.

5. Verser la sauce dans la poêle.

6. Incorporer la sauce tomate.

7. Retirer la poêle du feu et ajouter le boeuf.

8. Ajouter la crème sure.

Carbonnade de flanc

(pour 4 personnes)

1	flanc
1	oignon d'Espagne, émincé
1	gousse d'ail, coupée en 4
2	c. à soupe d'huile de maïs
1	tasse de vin blanc sec, tel que Macon Village
1	tasse de bouillon de poulet, chaud
	sel
	poivre du moulin
1	c. à soupe de basilic
1	c. à soupe de persil, haché
1	feuille de laurier
1	c. à soupe de farine

Préchauffer le four à 350ºF.
Ouvrir le flanc à plat sur votre surface de travail.
Faire de petites incisions dans le flanc et y insérer les morceaux d'ail. Saler et poivrer.
Rouler le flanc et le ficeler.
Faire chauffer l'huile dans une sauteuse à feu vif. Ajouter le flanc à l'huile très chaude et faire saisir sur tou-

tes les s
dans une
Ajouter l'
cuire 2 à
gnon ave
assaison
5 minute
Verser le
cuire 1 m
poulet et
et verser
l'assaiso
   Couvri
      au fo
         30

sposer le flanc
llant au four.
auteuse et faire
Saupoudrer l'oi-
bien mélanger,
et faire cuire 4 à
n/élevé.

auteuse et faire
r le bouillon de
ices; mélanger
flanc. Rectifier

le et faire cuire
endant 1 heure
nlever la feuille

la carbonnade
c dans un plat
rvice et accom-
gner de fèves
e Lima ou de
champignons
sautés.

1. Faire des petites incisions dans le flanc et y insérer des lanières d'ail. Saler et poivrer.

2. Rouler et ficeler le flanc.

3. Faire saisir le flanc dans l'huile de maïs chaude à feu vif. Disposer la viande dans une casserole allant au four.

4. Ajouter l'oignon d'Espagne à la sauteuse et faire cuire 2 à 3 minutes.

5. Saupoudrer l'oignon avec la farine; bien mélanger, assaisonner et faire cuire 4 à 5 minutes à feu moyen/élevé.

6. Verser le vin et ensuite le bouillon de poulet dans la sauteuse. Ajouter les épices, mélanger et verser le tout sur le flanc. Couvrir la casserole et faire cuire au four.

Côtes braisées au vin rouge

pour 6 personnes

5	lb. de côtes
2	onces de bacon, en dés
3	c. à soupe d'huile de maïs
1	oignon d'espagne, en dés
2	c. à soupe de farine
1	tasse de vin rouge, sec
4	tasses de bouillon de boeuf, chaud
6	tomates, en quartiers
2	gousses d'ail, écrasées et hachées
1/4	c. à thé d'estragon sel et poivre

Préchauffer le four à 350ºF.

Parer et tailler les côtes tel qu'indiqué dans la technique.

Faire chauffer 2 c. à soupe d'huile de maïs dans une poêle à frire, à feu vif. Ajouter les côtes et les faire saisir 5 minutes de chaque côté. Assaisonner et les mettre de côté.

Faire fondre le bacon dans une casserole allant au four, à feu moyen/élevé. Ajouter le gras qui s'est accumulé dans la poêle à frire au bacon. Ajouter l'oignon et faire dorer l'oignon pendant 5 minutes.

Saupoudrer l'oignon et le bacon de farine et bien mélanger. Faire cuire 1 minute et ajouter le vin à la casserole. Faire réduire le vin 3 à 4 minutes, à feu vif. Ajouter le bouillon de boeuf. Saler et poivrer.

Faire chauffer le reste de l'huile dans une sauteuse, à feu vif. Ajouter les tomates, l'ail, le sel et poivre et faire cuire 2 à 3 minutes. Ajouter l'estragon.

Mettre les tomates et les côtes dans la casserole. Rectifier l'assaisonnement.

Couvrir la casserole et faire cuire les côtes au four à 350ºF pendant 1 heure 30 minutes.

Technique
des
côtes braisées

1. *Les principaux ingrédients.* ▶

Parer la viande.

3. Tailler les côtes en morceaux de 3" de longueur.

4. Faire chauffer l'huile de maïs dans une poêle à frire.

Faire saisir les côtes dans l'huile pendant 5 minutes de chaque côté.

6. Faire fondre le bacon dans une casserole allant au four et ajouter l'oignon.

7. Saupoudrer l'oignon avec la farine et bien mélanger.

Verser le vin et le bouillon dans la casserole.

9. Faire sauter les quartiers de tomates 2 à 3 minutes et les ajouter à la casserole.

10. Mettre les côtes dans la casserole, couvrir et faire cuire au four pendant 1 heure 30 minutes.

Boulettes de viande avec sauce Brasserie

Recette expresse

(pour 4 personnes)

1 lb. de boeuf, haché
1 oeuf
   sel et poivre
   une pincée de cayenne
1 c. à thé de paprika
1 c. à thé de moutarde sèche
2 c. à soupe d'huile de maïs

Mélanger tous les ingrédients, sauf l'huile, et former des petites boulettes de viande.

Faire chauffer l'huile de maïs dans une grande poêle à frire, à feu moyen/élevé. Ajouter les boulettes et les fai[re] brunir dans l'huile cha[u]de, à feu moyen, jusqu[e] ce qu'elles soient [à] point.

Servir les canapés [de] boulettes de viand[e] avec la sauce Brasseri[e]

Tableau de cuisson pour les fours

	FAHRENHEIT	CELSIUS
Très Doux	250ºF à 275ºF	120ºC à 140ºC
Doux	300ºF à 325ºF	150ºC à 160ºC
Modéré	350ºF à 375ºF	180ºC à 190ºC
Chaud	400ºF à 425ºF	200ºC à 220ºC
Très Chaud	450ºF à 475ºF	230ºC à 240ºC
Extrêmement Chaud	500ºF à 525ºF	260ºC à 270ºC

"Broil" grill(e): La distance de l'élément chauffant supérieur détermine l'intensité de la chaleur.

Sauce Brasserie

3   c. à soupe de sauce Chil[i]
1   c. à soupe de sauce HP
1   c. à thé de raifort
   le jus d'1/4 de citron
   sel et poivre au goût

Mélanger tous les ingrédien[ts] et servir dans un petit bol [de] service.

Entrecôte à l'aioli

Les ingrédients

ɔur 4 personnes)

entrecôtes de 1''
 d'épaisseur, désossées
c. à soupe d'huile de
 maïs
ɔl
ɔivre du moulin
c. à thé de persil, haché

ɅRINADE

échalote sèche, émincée
gousses d'ail, écrasées
 et hachées
ɔelques gouttes de
 vinaigre de vin

Mélanger les ingrédients de la marinade et badigeonner les entrecôtes de ce mélange.
Laisser mariner pendant 2 heures.
Faire chauffer l'huile dans une sauteuse épaisse, à feu vif, jusqu'à ce qu'elle soit très chaude.
Jeter l'huile, réduire à feu moyen et ajouter immédiatement les entrecôtes.
Faire cuire les entrecôtes:
5 minutes de chaque côté: médium-saignant
6 minutes de chaque côté: médium

8 minutes de chaque côté: bien cuit
Saler, poivrer et disposer les entrecôtes sur un plat de service chaud. Garnir avec le persil.
Servir avec la sauce Aïoli.

Préparation des Entrecôtes Bordelaise

1 Les ingrédients.

2 Faire fondre le beurre dans la sauteuse.

3 Ajouter les entrecôtes au beurre chaud et les faire saisir 4 minutes de chaque côté.

4 Assaisonner les entrecôtes. Enlever le gras de la sauteuse.

5 Verser le cognac sur les entrecôtes et faire flambé.

6 Disposer les entrecôtes sur un plat de service.

7 Remettre le gras dans la sauteuse et faire sauter les champignons et les échalotes. Assaisonner au goût.

8 Verser le vin dans la sauteuse et faire réduire de 2/3.

9 Ajouter la sauce brune, le persil et bien mélanger. Verser la sauce sur les entrecôtes.

Entrecôtes Borc

(pour 4 personnes)

4 entrecôtes 3/4" d'épaisseur
sel
poivre du moulin
1 c. à soupe de per-sil
1 c. à soupe de beur-re
2 onces de cognac
1/2 lb de champi-gnons, coupés en deux
2 échalotes sèches, émincées (si dis-nibles) ou échalo-tes vertes, émin-cées
1/4 tasse de vin rou-ge, sec
1/2 tasse de sauce brune, chaude (voir recette page 2)

Faire fondre le beurre dans une sauteu à feu vif. A l'apparition d'écume, ajou les entrecôtes et les faire saisir 4 minu de chaque côté. Assaisonner.

Extraire le gras de la sauteuse et le met de côté.

Verser le cognac sur les entrecôtes et faire flamber. Dès que la flamme me disposer les entrecôtes dans un plat service chaud.

Remettre le gras dans la sauteuse et aj

54

5

6

7

8

9

...s champignons, les échalotes et as-
...onner au goût. Faire cuire 3 à 4 minu-
... feu vif.

...er le vin sur les légumes et le réduire
...'3.

...ter la sauce brune, corriger l'assai-
...ement et verser sur les entrecôtes.

...oudrer de persil et servir.

Entrecôte
en brochettes

(pour 4 personnes)

1	lb. de filet de boeuf ou de ronde	2	oignons rouges quartiers
1/4	d'aubergine		sel
1	petit zucchini		poivre du mouli
1	petit piment rouge, en gros dés		de l'huile de ma

1. *Les ingrédients*

2. *Couper le boeuf en cubes d'un pouce.*

3. *Couper le zucchini en tranches d*

4. *Couper le piment rouge en gros dés.*

5. *Couper l'aubergine en tranche de 3/4'' d'épaisseur.*

6. *Couper les tranches d'aubergi deux.*

7. *Couper les oignons en quartiers.*

8. *Insérer les ingrédients dans les brochettes. Un cube de boeuf, un quartier d'oignon, un morceau d'aubergine, de piment rouge, de zucchini et suivi d'un morceau de boeuf.*

9. *Ensuite, un morceau de piment r d'oignon, etc…jusqu'à ce que to ingrédients aient été répartis sur brochettes.*

Badigeonner les ingrédients avec l'huile de maïs, saler, poivrer au goût et faire cuire 10 à 12 minutes sur le barbecue ou sous le broil.
Servir sur un lit de riz blanc et garnir de persil frais.

Fondue

Un dîner "fondue" a l'avantage de réunir tous les convives, y compris l'hôtesse, autour de la table et permet à chacun de faire cuire les aliments à son goût.
Ceci est accompli à l'aide d'une longue fourchette avec laquelle chaque convive pique l'ingrédient choisi et le trempe dans un plat à fondue contenant de l'huile chaude.
Une fondue est généralement accompagnée de trois sauce, entre autres: sauce béarnaise, sauce bourguignonne, sauce aïoli.
Pour servir, vous n'avez qu'à préparer une assiette pour chaque invité contenant une portion de:

    surlonge (8 onces), en cubes de 1"
    petits oignons blancs, pelés
    champignons frais, nettoyés et,
    les 3 sauces

Sauce aioli (pour 6 personnes)

4 gousses d'ail, écrasées
  et hachées fin
2 jaunes d'oeufs
3/4 tasse d'huile d'olive
sel
  poivre du moulin
    jus de citron au goût
    1 goutte de sauce
    Tabasco

Fouetter l'ail et les jaunes d'oeufs dans un petit bol à mélanger jusqu'à ce que les oeufs épaississent et deviennent crémeux.
Ajouter l'huile d'olive, goutte par goutte, en fouettant constamment.
Ajouter le sel, le poivre, le jus de citron et la sauce Tabasco; rectifier l'assaisonnement.

Sauce bourguignonne

(1/2 tasses de sauce)

c. à soupe de beurre
c. à soupe de ciboulette fraîche, hachée fin ou poivre du moulin
c. à soupe d'échalotes sèches, hachées fin
tasses de vin rouge, sec
feuille de laurier
tasses de sauce brune épaisse, chaude ou de sauce brune préparée
c. à soupe de persil frais, haché fin

Faire fondre le beurre dans une casserole moyenne, épaisse, à feu vif jusqu'à l'apparition d'écume.
Réduire à feu moyen, ajouter les échalotes et faire cuire 2 minutes sans couvercle en remuant à l'occasion.
Ajouter le vin rouge, le poivre (ou la ciboulette) et la feuille de laurier.
Faire réduire le vin de deux tiers, à feu vif.
Ajouter la sauce brune au vin, porter la sauce au point d'ébullition et laisser mijoter la sauce, à feu doux, 20 minutes sans couvercle en remuant à l'occasion.
Retirer la feuille de laurier et garnir de persil haché.

Cette sauce se conserve 2 à 3 jours au réfrigérateur. Couvrir d'un papier beurré, en pressant le papier ciré sur la surface de la sauce.

Sauce béarnaise

(3/4 tasse)

3/4 tasse de beurre fondu, clarifié
2 échalotes sèches, hachées fin
10 grains de poivre écrasés
3 c. à soupe de vin blanc sec
1 c. à thé d'estragon
2 c. à soupe de vinaigre de vin
2 jaunes d'oeufs
1 c. à soupe d'eau froide
Sel
Poivre du moulin
1 pincée de poivre de cayenne
1 c. à soupe de persil frais, haché fin
jus de citron au goût

Mélanger les échalotes, les grains de poivre, le vin blanc, l'estragon et le vinaigre de vin dans un bol en acier inoxydable ou dans la casserole supérieure d'un bain-marie. Faire cuire à feu moyen pour permettre l'évaporation du liquide. Retirer du feu. Laisser refroidir quelques minutes. Incorporer les jaunes d'oeufs et l'eau froide au contenu du récipient avec un fouet. Placer le récipient sur une casserole à demi remplie d'eau presque bouillante et fouetter sans arrêt jusqu'à ce que les jaunes d'oeufs épaississent. Lorsque la sauce est très épaisse, ajouter le beurre clarifié en filets, en fouettant constamment. Saler, poivrer et ajouter le poivre de cayenne. Passer la sauce à la passoire et ajouter le persil haché et le jus de citron.
Couvrir la sauce d'un papier ciré, beurré.

Hamburger steak à la lyonnais

(pour 4 personnes)

28	onces de viande à hamburger
	sel
	poivre du moulin
1	oeuf
1	gousse d'ail, écrasée et hachée
1	petit oignon, haché
1	oignon d'Espagne, émincé
1	c. à soupe de vinaigre de vin
2	c. à soupe d'huile de maïs

garniture: persil

Mettre la viande, l'ail, l'oeuf, l'oignon haché, sel et poivre au goût dans un bol à mélanger; bien mélanger.

Former des boulettes avec le mélange de viande.

Faire chauffer 1 c. à soupe d'huile de maïs dans une grande poêle à frire, à feu vif. Ajouter les boulettes, réduire à feu moyen/élevé et faire cuire 3 minutes.

Saler, poivrer généreusement et tourner les hamburger steaks. Continuer de faire cuire pendant 9 minutes; tourner les boulettes viron toutes les 2 minutes afin les faire brunir uniformément.

Dans une autre poêle, faire cha fer le reste de l'huile. Ajouter gnon d'Espagne, assaisonner goût et faire cuire 5 minutes à vif/moyen; remuer occasionn lement.

Disposer les hamburger steaks un plat de service chaud. Ensu verser l'oignon d'Espagne dans poêle à frire. Ajouter le vinaigre vin et laisser évaporer pendant 2 minutes, à feu moyen/éle Verser le mélange d'oignon sur hamburger steaks.

Garnir de persil et accompag d'une sauce épicée à steak, p parée.

les petits conseils du chef

Le passe-purée ou passe-légume peut parfois remplacer le tamis. La plupart des presse-purée sont munis de trois disques. Vous pouvez employer le presse-purée pour les crèmes de légumes et la purée de pommes de terre.

Lasagne

(pour 6 personnes)

1 lb. de pâtes à lasagne
1 c. à soupe d'huile d'olive
1 oignon
1/2 lb. de porc, haché
   sel et poivre
7 onces de fromage riccota
1 c. à soupe de persil frais, haché
9 c. à soupe de fromage parmesan, râpé
   beurre
1 feuille de papier aluminium
1 plat à lasagne

sauce

1 c. à soupe d'huile de maïs
1 oignon moyen, en dés
1 lb. de boeuf maigre, haché
1 branche de céleri, en dés
2 gousses d'ail, écrasées
1 c. à thé d'origan et de basilic
1 c. à soupe de persil, haché
   tasse de bouillon de poulet
1 boîte (5 1/2 onces) de pâte à tomate
1 feuille de laurier
1 c. à thé de sucre
1 boîte (28 onces) de tomates
   sel et poivre

Préparez votre sauce. Faire chauffer l'huile de maïs dans une casserole. Ajouter l'oignon et faire cuire 1 minute, à feu vif.

Ajouter le boeuf et assaisonner avec l'origan, le basilic, le persil, le sel et poivre au goût; mélanger et faire cuire le mélange 3 à 4 minutes.

Ajouter tous les autres ingrédients de la sauce et rectifier l'assaisonnement. Couvrir partiellement la casserole et faire mijoter la sauce tomate pendant 1 heure. Préchauffer le four à 375°F.

Amener 3 pintes d'eau salée à ébullition. Ensuite, ajouter les pâtes à lasagne et faire cuire 12 minutes; si vous ajoutez quelques gouttes d'huile de maïs à l'eau les pâtes ne colleront pas ensemble durant la cuisson.

Passer les pâtes à l'eau froide, égoutter et bien assécher.

Faire chauffer l'huile d'olive dans une poêle à frire, à feu vif. Ajouter l'oignon haché et faire cuire 2 minutes.

Ajouter le porc haché, saler, poivrer et faire cuire 7 à 8 minutes, à feu moyen/élevé.

Placer le fromage riccota et le persil haché dans un grand bol à mélanger; bien mélanger.

Incorporer le porc cuit, assaisonner au goût et bien mélanger.

Beurrer légèrement le plat à la-sagne et badigeonner le fond du plat avec une petite quantité de sauce tomate.

Tapisser le plat à lasagne avec une rangée de pâtes à lasagne.

Ensuite, couvrir les pâtes d'une épaisseur du mélange riccota/porc.

Etendre une couche de sauce tomate sur le mélange de fromage et parsemer avec 3 c. à soupe de fromage parmesan, râpé.

Couvrir d'une rangée de pâtes. Ajouter une autre épaisseur de mélange riccota/porc et ajouter une autre couche de sauce tomate. Saupoudrer avec 3 c. à soupe de parmesan, râpé.

Couvrir d'une rangée de pâtes et les badigeonner d'une petite quantité de beurre.

Couvrir d'une feuille de papier aluminium et placer au four à 375°F pendant 20 minutes.

Retirer le papier, parsemer avec le reste du fromage. Couvrir à nouveau avec le papier aluminium et faire cuire au four 40 minutes.

Retirer le papier et badigeonner la lasagne avec une petite quantité de sauce tomate chaude.

Servir.

Le jumbo burger

(pour 4 personnes)

- 1 lb. de boeuf, haché
- 1 oeuf
  sel et poivre
- 4 pains à hamburger, coupés en deux
- 4 tranches de tomate
- 4 tranches d'oignon rouge ou d'oignon d'Espagne laitue hachée au goût

Sauce épicée

- 1/2 tasse d'huile de maïs
- 1/4 tasse de vinaigre de vin
- 1/4 tasse d'eau
  sel et poivre
  poivre assaisonné au goût
- 1 c. à thé de sucre
- 1 c. à thé de sauce Worcestershire quelques gouttes de sauce Tabasco

Mélanger tous les ingrédients de la sauce dans un bol et mettre de côté.

Mélanger le boeuf, l'oeuf, le sel et poivre à l'aide d'un batteur électrique jusqu'à ce que le mélange adhère au bol à mélanger.

Ensuite, former des boulettes de viande; allouer 2 boulettes par personne.

Généreusement badigeonner les boulettes avec la sauce épicée et les faire cuire au goût sur le barbecue; badigeonner fréquemment durant la cuisson.

Faire griller les pains sur le barbecue ou sous le broil.

Mettre une boulette de viande sur la moitié inférieure de chacun des pains à hamburger et couvrir d'une tranche de tomate et d'oignon. Assaisonner au goût.

Mettre l'autre boulette de viande et couvrir d'une petite quantité de laitue hachée. Couvrir de l'autre moitié de pain et servir.

Accompagner de radis, céleri, cornichons et olives.

Sauce barbecue express

Servir cette sauce avec des saucisses fumées "weiners" et saucisses.

- 4 c. à soupe de ketchup
- 1 c. à thé de sauce Teriyaki
- 1 gousse d'ail, écrasée et hachée
- 1 c. à thé de persil haché
- 1/2 c. à thé de moutarde sèche
  poivre du moulin
  une pincée de sel assaisonné

Mélanger tous les ingrédients dans un bol et servir.

Parmentier économique

(pour 4 personnes)

Recette:

4 tasses de pommes de terre pilées
1 lb de boeuf haché
2 c. à soupe d'huile de maïs
1 gros oignon d'Espagne, tranché mince
2 gousses d'ail hachées fin
1 c. à soupe de persil frais haché
1/2 c. à thé de cerfeuil
1/4 c. à thé de basilic
sel et poivre au goût
1/4 tasse de fromage parmesan râpé

réchauffer le four à 375°F.

aire chauffer l'huile de maïs ans une poêle à frire. Ajouter l'oignon et le faire cuire à u moyen pendant 3 à 4 minutes. Ajouter l'ail et les herbes, et les faire cuire pendant minute. Ajouter le boeuf haché et le faire cuire à feu moyennement élevé jusqu'à ce qu'il ne reste plus aucune trace de rouge. Saler et poivrer au goût.

Verser la moitié du mélange de viande dans un plat profond allant au four, que vous aurez beurré. Etendre la moitié des pommes de terre sur la viande. Verser le reste de la viande dans le plat, et y étendre le reste des pommes de terre. Parsemer de fromage.

Placer le plat au four et faire cuire le parmentier pendant environ 30 minutes. Ensuite, augmenter la température du four à "broil" et faire dorer le fromage.

Servir le parmentier avec une sauce tomate ou sauce de champignons, si désiré.

Préparation du rôti de boeuf à la provençale

(pour 4 pe

1   (3 lbs) rô
     ronde
3   tomates
     coupées
1   c. à soup
     haché
1/2 oignon
     haché
1/4 c. à thé
1/4 c. à thé
1   feuille d
3   gousses
     et haché
1/2 tasse de
     ou rouge
     sel
     poivre d
     beurre

1. *Principaux ingrédients.*

2. *Généreusement beurrer et poivrer le rôti.*

3. *Disposer le rôti cuit sur une planche à dépecer. Placer le plat à rôtir sur deux plaques chauffantes, à feu vif. Ajouter les tomates, pelées et coupées en quartiers, et les faire cuire. Assaisonner.*

4. *Ajouter l'ail. Verser le vin dans le plat à rôtir et faire réduire de 2/3.*

5. *Retirer la ficelle du rôti et le trancher.*

6. *Disposer le rôti sur un plat de service et y ajouter les tomates et la sauce.*

Rôti de boeuf à la provençale

Préchauffer le four à 450ºF. Beurrer et poivrer généreusement le rôti. Disposer le rôti dans un plat à rôtir et le faire cuire au four 15 minutes par livre à 450ºF.

Après 15 minutes de cuisson, saler le rôti au goût.

Tourner et badigeonner fréquemment la viande durant la cuisson.

Lorsque le rôti est cuit, le placer sur une planche à dépecer. Le laisser reposer afin d'effectuer la redistribution des jus du rôti. Si vous craignez que la viande refroidisse trop rapidement, enveloppez-la d'une feuille de papier d'aluminium.

Mettre le plat à rôtir sur le poêle à feu vif. Ajouter les oignons et faire cuire 2 minutes.

Ajouter les tomates, la feuille de laurier, le thym, la basilic, sel et poivre et faire cuire 7 minutes; remuer à l'occasion.

Ajouter l'ail.

Verser le vin dans le plat à rôtir et faire réduire de 2/3. Enlever la feuille de laurier et parsemer avec le persil.

Retirer la ficelle et trancher le rôti.

Disposer le rôti sur un plat de service. Verser les tomates et la sauce sur le boeuf.

Servir le rôti de boeuf à la provençale avec des betteraves au beurre et des pommes de terre en cocotte

Technique du Rôti de côtes à l'anglaise

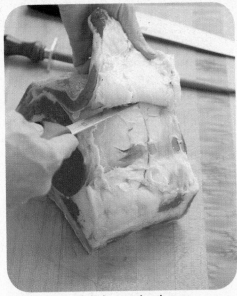

1. *Parer le rôti de la couche de gras.*

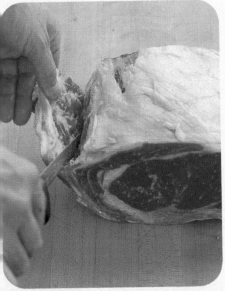

2. *Couper et enlever l'os du dos.*

3. *Retirer le gras et la viande entre les côtes.*

4. *Enlever tout excès de gras et mettre le rôti dans un plat à rôtir.*

5. *Enduire le rôti d'un mélange de moutarde anglaise et d'eau.*

(pour 6 personnes)

1 rôti de 3 c (environ 4 à livres)
sel
poivre du mo
2 c. à soupe
moutarde ang
mélangée av
c. à soupe d'e

ôti de côtes à l'anglaise

non, en dés
se de bouillon
boeuf, chaud

hauffer le four à
F.

arer votre rôti
me indiqué dans
chnique de la pa-
. Ne saler pas la
de.

Poivrer généreusement le rôti.

Faire brunir le rôti pendant 20 minutes dans le four à 425ºF. Ensuite, saler.

Ensuite, réduire le four à 350ºF. et continuer de faire cuire pendant 17 minutes la livre, y compris les 20 premières minutes; ceci vous donnera un rôti cuit medium-saignant.

Quinze minutes avant que la cuisson soit terminée, ajouter les dés d'oignon autour du rôti.

Disposer le rôti cuit sur un plat de service ou une planche à dépecer et le laisser reposer 10 minutes afin de permettre aux jus naturels de retourner au centre du rôti.

Retirer l'excès de gras du plat et le placer à feu vif. Faire brunir l'oignon et ensuite ajouter le bouillon de boeuf.

Assaisonner au goût et faire cuire 2 à 3 minutes. Passer le mélange au tamis et servir cette sauce avec le rôti de côtes.

Technique du rôti de ronde à la française

4. ▶ Faire des incisions profondes dans le rôti et insérer une lanière d'ail dans chaque incision.

1. ◀ Légèrement frapper les gousses d'ail avec le côté plat d'un couteau jusqu'à ce que la pelure se détache.

5. ▶ Poivrer généreusement la viande. Il ne faut pas saler la viande avant de l'avoir fait saisir.

2. ◀ Retirer la pelure et couper le bout de chaque gousse.

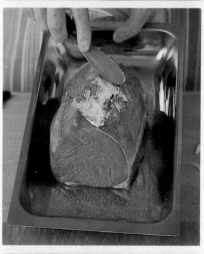

6. ▶ Beurrer le rôti, à l'aide d'une spatule.

3. ◀ Trancher les gousses en lanières.

7. ▶ Etendre 2 c. à soupe de moutarde française sur le rôti. Placer le plat à rôtir au four et faire cuire le rôti tel qu'indiqué dans la recette.

(pour

1 rôt
2 gou
   lan
   poi
2 c. à
   fra
   bei
   sel
1 oig
1 c. à
1 tas
   cha

66

e ronde
ançaise

Préchauffer le four à 450ºF.

Disposer le rôti dans un plat à rôtir et le préparer tel qu'indiqué dans la technique.

Faire saisir le rôti au four à 450ºF pendant 20 minutes. Ensuite, saler le rôti au goût.

Remettre le rôti au four et continuer la cuisson à 350ºF pendant 15 minutes par livre, incluant les premières 20 minutes.

Disposer le rôti cuit sur un plat de service et mettre le plat à rôtir sur votre cuisinière, à feu vif.

Ajouter l'oignon haché, la margarine; saler, poivrer au goût et faire cuire 3 à 4 minutes.

Ajouter le bouillon de boeuf chaud et le faire réduire des 2/3. Rectifier l'assaisonnement et servir avec le rôti.

Accompagner le rôti de ronde des pommes de terre et carottes en purée ou de carottes et oignons sautés. ■

livres
pées en

tarde

garine
de boeuf,

Steak minute à la fran

(pour 4 personnes)

1 1/2	lb. de ronde ou d'entre-côte, coupée en tranches minces, en biais	1	tomate, coupée en 8	feu vif, jusqu'à l'ap... tion d'écume.
3	c. à soupe de beurre	1	gousse d'ail, écrasée et hachée	Ajouter le boeuf et cuire 3 minutes de
1	piment vert, émincé	1	c. à soupe de persil haché	que côté, à feu mo... élevé. Saler et poivr...
			sel	Disposer les st...
			poivre du moulin	dans un plat chaud.

Faire fondre le beurre dans une sauteuse, à

Ajouter le piment e...

Technique du Steak minute à la française

1. *Principaux ingrédients.*

2. *Faire saisir le boeuf dans le beurre chaud. Assaisonner au goût.*

3. *Disposer le steak dans un plat chaud.*

ate à la sauteuse et e sauter 4 à 5 minu- ; assaisonner au t.
uter l'ail et remettre le uf dans la sauteuse; e cuire 1 minute.
semer de persil et ir avec du riz.

4. *Ajouter le piment vert à la sauteuse.*

5. *Ajouter la tomate, les épices, sel et poivre au goût.*

6. *Remettre le boeuf dans la sauteuse.*

Steak au poivre

(pour 2 personnes)

2	entrecôtes, désossées
1 1/2	c. à soupe de grains de poivre, écrasés
1	c. à soupe de beurre
2	c. à soupe de cognac, tel que Courvoisier
1/2	tasse de vin rouge sec
2	c. à soupe de crème épaisse
	sel
	beurre manié (1 c. à thé de beurre mélangé à 1 c. à thé de farine)

Garniture

1/2	piment vert, émincé
1/2	piment rouge, émincé
	sel et poivre
1	c. à thé de persil haché
1	c. à soupe de beurre

Presser les grains de poivre écrasés dans les entrecôtes.

Faire fondre le beurre dans une sauteuse épaisse, à feu vif.

A l'apparition d'écume, ajouter les steaks et faire saisir 5 minutes de chaque côté. Saler au goût.

Verser le cognac sur les entrecôtes et les faire flamber.

Disposer les steaks au poivre sur un plat de service, chaud.

Verser le vin dans la sauteuse et faire réduire de 2/3. Ensuite, incorporer le beurre manié, avec un fouet.

Incorporer la crème, rectifier l'assaisonnement et verser la sauce sur les steaks.

Dans une autre poêle, faire fondre 1 c. à soupe de beurre à feu vif. Ajouter le piment rouge et le piment vert, assaisonner et faire cuire 3 à 4 minutes.

Parsemer de persil et servir avec les steaks au poivre.

Technique du Steak au poivre

◄ **1.** Pour écraser les grains de poivre, presser sur les grains avec une casserole très épaisse.

Poivrer généreusement les entrecôtes avec du poivre vert ou noir.

3. Faire saisir les entrecôtes dans le beurre chaud.

4. Tourner les entrecôtes et faire saisir 5 minutes, à feu vif.

Faire flamber les steaks (entrecôtes) avec le cognac.

6. Disposer les steaks sur un plat de service. Verser 1/2 tasse de vin dans la poêle et faire réduire de 2/3. Epaissir avec le beurre manié.

7. Incorporer la crème et verser sur les entrecôtes.

NOTE SUR LA POÊLE À FRIRE

Cette poêle à bon marché est fabriquée d'aluminium, revêtue de téflon, et est disponible dans tous les grands magasins et boutiques spécialisées. Elle est indispendable pour faire sauter les viandes et les légumes. On peut aussi s'en servir pour faire les omelettes et pocher les poissons.

BOEUF BOURGUIGNON

Les ingrédients de la recette principale de la semaine: L'ail — Cette épice se conserve dans un récipient ouvert, à la température ambiante, plutôt qu'au réfrigérateur.

LE THYM ET LE LAURIER

Ces herbes ont une vie limitée. Leur saveur délicate se conserve plus longtemps en les plaçant dans un récipient à épices, scellé hermétiquement, dans un endroit frais et à l'écart de la lumière.

LE POIREAU

Le poireau appartient à la même famille que l'oignon. Afin de bien le nettoyer, il est nécessaire de faire 2 grandes incisions, en forme de croix, sur la longueur, jusqu'à environ 1'' de la base. Ensuite, en séparer délicatement les tiges et les nettoyer à l'eau courant.

LA VIANDE

Les hautes côtes, connues sous le nom de "blade steak", sont recommandées pour le Boeuf Bourguignon et toutes les recettes de boeuf braisé. Cette pièce de viande est des plus économiques.

LE VIN

Un vin rouge sec est utilisé.

Couteau du chef de 10": Ce couteau est utilisé pour émincer ou hacher les légumes, pour couper les viandes.

Couteau du boucher: Ce couteau sert à parer la viande des os et à préparer des coupes spéciales, telles le rôti de côtes, pour la cuisson.

Petit couteau d'office: Ce couteau sert à peler les légumes, à les parer et les hacher.

Ces couteaux sont fabriqués au Japon et se trouvent dans la plupart des grands magasins et boutiques spécialisées. Comme pour tout bon couteau, il est recommandé de les laver à la main, plutôt qu'au lave-vaisselle.

Herbes et épices:
L'ail

Pour peler l'ail sans difficultés, frapper légèrement la gousse d'ail avec le côté plat d'un couteau du chef. La peau se détachera facilement.

Le thym
La basilic
Le laurier

Le vin:

Un vin blanc sec, à prix modéré, est utilisé.

Plat à rôtir

Ce plat à rôtir est celui que nous avons utilisé pour préparer le rôti de porc à l'ail.

Il est fabriqué d'aluminium lourd et ses poignées permettent de bien l'agripper. L'avantage du métal lourd est qu'il permet de placer le plat à rôtir directement sur le poêle à feu vif pour la préparation des sauces, etc...

Couteau à désosser

Cet outil est indispensable dans la cuisine, car c'est le seul couteau avec une lame assez résistante pour tailler les viandes autour des os.

Il y a deux types de couteaux à désosser disponibles:
• le couteau traditionnel avec une lame courte, épaisse et rigide.
• le couteau avec une lame plus mince, un peu plus longue et plus flexible.

Les deux couteaux sont excellents; le choix n'est qu'une question de goût.

Conseils:
• ne rangez pas vos couteaux dans des tiroirs, il est préférable de les suspendre sur un support à couteaux.
• évitez d'aiguiser vos lames de couteaux avec un aiguiseur électrique car cette méthode endommage l'acier.

Friteuse

La friteuse illustrée est définitivement une des meilleures sur le marché. Fabriquée en acier, son fini intérieur anti-rouille permet à la ménagère d'y laisser l'huile pour une période de 10 jours.

En enlevant le panier, vous pouvez utiliser la friteuse comme casserole.

Petit conseil:
• Assurez-vous toujours qu'il n'y a pas d'eau à l'extérieur ou à l'intérieur de votre friteuse lorsque vous vous en servez car l'huile chaude éclabousserait et vous risqueriez de vous brûler.

NOTES

AGNEAU

NOTES

Agneau vert

(pour 4 personnes)

côtelettes d'agneau, dégelées	Parer les côtelettes d'agneau.
c. à soupe d'huile de maïs	Faire chauffer l'huile de maïs dans une grande poêle. Ajouter les côtelettes à l'huile chaude, saler, poivrer et faire sauter 4 à 5 minutes de chaque côté, à feu moyen/élevé.
sel et poivre	
c. à soupe de beurre à l'ail, ondu	Disposer les côtelettes d'agneau cuites dans un plat de service chaud. Badigeonner l'agneau avec le beurre à l'ail fondu et saupoudrer de persil.
c. à thé de persil, haché	Accompagner les côtelettes d'agneau de croquettes d'amandes.

Brochettes d'agneau à l'ail

(pour 4 personnes)

1 1/2 lb de longe
d'agneau, en cubes
de 1"
1 piment vert en
dés de 1 1/2"
1 piment rouge en
dés de 1 1/2"
1 oignon en quartiers
8 feuilles de Laurier
Sel et poivre
4 brochettes

Parer et couper la longe d'agneau en
bes de 1". Mettre les cubes dans un
Couvrir l'agneau avec les ingrédient
la marinade, en commençant par l'oig
et en terminant par l'huile et le jus
citron. Réfrigérer pendant 2 heures.
Faire chauffer le four à ''broil'' ou pr
rer votre barbecue.
Egoutter les cubes d'agneau. Conse
la marinade.
Faire alterner les ingrédients sur 4
chettes comme suit: 1 morceau de
ment vert, 1 quartier d'oignon, 1 c
d'agneau, 1 morceau de piment roug
1 feuille de laurier; répéter ce préc
jusqu'à ce que vous ayez employé
les ingrédients.
Assaisonner les brochettes de sel et
vre et badigeonner avec de l'huile
maïs.
Faire griller les brochettes 6 minute
chaque côté, au four ou sur le barbe
Tourner et badigeonner de marinade
quemment durant la cuisson.

MARINADE

1 petit oignon, émincé
1 gousse d'ail, écrasée
  et hachée fin
1 feuille de laurier
20 grains de poivre
Sel au goût
Jus de 1 citron
1/4 tasse d'huile de maïs

Étapes à suivre pour la préparation des Brochettes d'agneau à l'ail

1. Les ingrédients.

2. Mettre les cubes d'agneau dans un bol. Ensuite, ajouter l'oignon, l'ail, les épices et l'huile de maïs.

5. Répéter ce procédé jusqu'à ce que tous les ingrédients aient été utilisés.

3. Ajouter le jus de citron. Laisser mariner l'agneau pendant 2 heures au réfrigérateur.

6. Badigeonner les brochettes d'huile de maïs.

4. Alterner les ingrédients sur les brochettes comme suit: 1 morceau de piment vert, 1 quartier d'oignon, 1 cube d'agneau, 1 morceau de piment rouge et une feuille de laurier.

7. Faire griller les brochettes au four à "broil" ou sur le barbecue pendant 6 minutes de chaque côté. Fourner et badigeonner fréquemment.

Côtelettes d'agneau à l'ai

(pour 4 personnes)

8	côtelettes d'agneau, 1'' d'épaisseur
1	gousse d'ail, pelée
2	gousses d'ail, pelées, écrasées et hachées
2	c. à soupe d'huile de maïs
4	tomates, pelées et coupées en quartiers
	sel et poivre
1/4	c. à thé de persil frais, haché

Parer les côtelettes d'agneau. Frotter la viande avec la gousse d'ail pelée et assaisonner au goût de sel et poivre.

Faire chauffer 1 c. à soupe d'huile de maïs dans une sauteuse. Ajouter les côtelettes à l'huile chaude et fai-

re cuire environ 12 minute en les retournant à toute les 3 minutes.

Disposer les côtelettes s un plat de service.

Faire chauffer le reste l'huile dans la sauteuse ajouter les tomates, l'ail,

t poivre au goût. Faire
les ingrédients 2 à 3
tes et les verser sur les
ettes.

emer les côtelettes
neau à l'ail avec le per-
servir.

Technique des Côtelettes d'agneau à l'ail

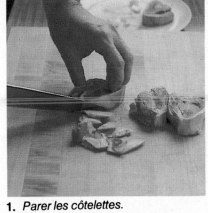

1. Parer les côtelettes.

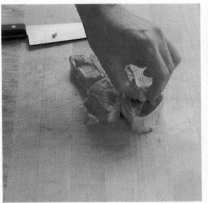

2. Frotter les côtelettes avec une gousse d'ail et assaisonner de sel et poivre.

3. Ajouter les côtelettes d'agneau à l'huile fumante et les faire cuire 3 minutes.

4. Tourner les côtelettes et continuer de les faire cuire en les retournant à toutes les 3 minutes.

5. Disposer les côtelettes sur un plat de service.

6. Mettre les quartiers de tomates dans la sauteuse.

7. Ajouter l'ail et assaisonner.

Épaule d'agneau Lyonnaise

pour 4 personnes

1	épaule d'agneau, 4 à 5 lb., désossée
	sel et poivre
2	gousses d'ail, coupées en 3 morceaux
	beurre clarifié, tiède
4	oignons rouges, émincés
3	c. à soupe de farine
2	tasses de bouillon de poulet, chaud
1/4	tasse de vin blanc, sec
1/4	c. à thé de thym
	persil frais au goût

Préchauffer le four à 425°F.

Désosser l'épaule d'agneau et la parer, en ôter la peau et les graisses superflues.

Ficeler l'épaule et faire plusieurs petites incisions dans l'épaule et y insérer les morceaux d'ail.

Saler et poivrer généreusement.

Disposer la viande dans un plat à rôtir et la badigeonner avec le beurre.

Faire rôtir l'épaule d'agneau au four à 425°F pendant 15 minutes par livre. Arroser la viande fréquemment pendant la cuisson.

Les ingrédients

Disposer l'épaule d'agneau cuite sur un plat de service.

Ne laisser que 3 c. à soupe gras dans le plat à rôtir et le placer à feu vif.

Ajouter les oignons, le thym et poivre au gras chaud et f cuire 2 minutes.

Saupoudrer les oignons ave farine et faire cuire 3 minute

Verser le vin dans le plat à et le faire réduire 3 à 4 minu

Ajouter le bouillon de poule rectifier l'assaisonnement e verser le mélange sur l'épa d'agneau.

Garnir de persil et servir.

igot
agneau
rci

(r 6 personnes)

ot d'agneau, 4 à 5 livres,
sossé
 soupe de beurre
usse d'ail, émincée
t poivre

CE
 de champignons, hachés

sses d'ail, écrasées et
chées
alotes, hachées fin
sse de mie de pain,
mpée dans du lait,
outtée et pressée en boule
'un oeuf
pincée de thym
pincée de romarin

hauffer le four à 425°F.
 fondre 2 c. à soupe de

beurre dans une sauteuse. A l'apparition d'écume, ajouter tous les légumes hachés, les épices, le sel et poivre et faire cuire 2 à 3 minutes à feu vif.
Ajouter le reste des ingrédients de la farce; bien mélanger et faire cuire 2 minutes. Mettre la farce dans un bol.
Assaisonner le gigot d'agneau et le farcir. Ficeler le gigot.
Disposer l'agneau et les os dans un plat à rôtir. Ensuite, faire de petites incisions dans le gigot et y insérer des morceaux d'ail. Badigeonner le gigot avec le reste du beurre et le faire saisir sur toutes les surfaces au four à 425°F pendant 20 minutes.
Réduire le four à 375°F et continuer de faire cuire l'agneau de 15 à 17 minutes par livre, incluant les 20 minutes à 425°F.
Disposer le gigot sur un plat à service chaud et préparer la sauce.

SAUCE
1 carotte, en cubes
1 branche de céleri, en cubes
1 petit oignon, en cubes
2 tasses de bouillon de poulet léger, chaud
1/4 c. à thé de thym
1 c. à soupe de persil
1 feuille de laurier
sel et poivre

Placer le plat à rôtir sur le poêle, à feu vif.
Ajouter les légumes et faire cuire 1 minute.
Verser le bouillon de poulet dans le plat à rôtir; mélanger. Ajouter les épices et saler et poivrer au goût.
Amener le liquide à ébullition et le faire réduire de la moitié. Ensuite, vous pouvez:
— passer le liquide et les légumes à la passoire, verser la sauce dans un saucier et jeter les légumes.
ou
— verser les légumes et le liquide directement dans un saucier.
Servir le gigot d'agneau farci avec des petits oignons glacés et du brocoli au beurre.

Comment désosser un gigot d'agneau

1. Les ingrédients de la recette.

2. A l'aide d'un couteau à désosser, couper l'os.

3. Enlever l'os.

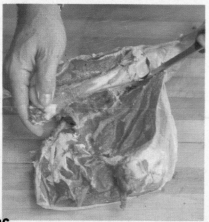

4. Insérer le couteau entre l'os et la viande et désosser le gigot en longeant l'os.

5. Contourner l'os e l'enlever.

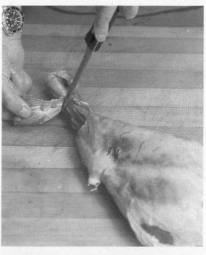

6. Tailler le gras et la viande du manchon.

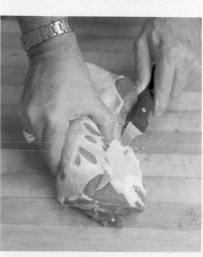

7. Parer le gigot, en ôter la peau et les graisses superflues.

rapper légèrement la gousse
'ail avec le côté plat de la lame
'un couteau de chef, jusqu'à ce
ue la pelure se détache facile-
ent.

9. Hacher finement la gousse d'ail.

10. Faire plusieurs incisions verticales dans l'échalote.

Couper l'échalotte horizontale-
ent.

12. Hacher l'échalote.

13. Faire plusieurs incisions verticales dans le champignon.

Couper le champignon horizon-
alement.

15. Hacher le champignon. Mélanger
tous les ingrédients de la farce.

16. Faire cuire la farce dans le beurre chaud.

arcir le gigot d'agneau.

18. Ficeler le gigot.

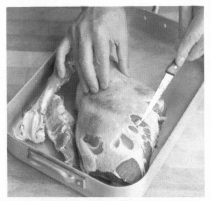

19. Disposer le gigot d'agneau et les
os dans un plat à rôtir. Ensuite,
faire de petites incisions dans le
gigot et y insérer des morceaux
d'ail.

87

Kebob d'Agneau

(pour 4 personnes)

Longe d'agneau*, allouer 6 cubes de 1'' par personne
12 champignons, boutons
1 piment vert ou un petit zucchini, tranché
1 piment rouge
1 oignon
1 gousse d'ail
sel
poivre du moulin
huile de maïs

1. *Les ingrédients.*

2. *Trancher l'agneau.*

3. *Couper l'agneau en cubes d'un pouce.*

4. *Couper l'oignon, le piment rouge piment vert en gros dés et ensuite rer les ingrédients sur 4 broche commencer par un morceau de via*

5. *Suivre d'un morceau d'oignon.*

6. *Ensuite, un morceau de piment vert et de piment rouge.*

7. *Couper les queues des champig et insérer un bouton de champig Répéter cette opération jusqu'à ce tous les ingrédients aient été égaler répartis sur les 4 brochettes.*

8. *Peler et couper la gousse d'ail en deux.*

9. *Frotter les ingrédients avec les moitiés d'ail.*

10. *Badigeonner généreusement les grédients avec de l'huile de maïs. suite, faire cuire les Kebob d'agr sur le barbecue ou sous le "broil" dant 15 minutes. Tourner et badig ner les brochettes fréquemment. vir sur un lit de riz.*

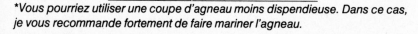

*Vous pourriez utiliser une coupe d'agneau moins dispendieuse. Dans ce cas, je vous recommande fortement de faire mariner l'agneau.

Riz pour Kebob d'agneau

(pour 4 personnes)

1 tasse de riz
1 petit oignon, haché
1/2 piment rouge, en petits dés
1 c. à thé de sauce soya
1 c. à soupe d'huile de maïs
sel et poivre
1 c. à thé de persil frais, haché

Faire cuire le riz et le mettre de côté. Faire chauffer l'huile de maïs dans un poêle à frire, à feu vif. Ajouter l'oignon l'huile chaude et faire sauter 2 minutes. Ajouter le piment rouge, assaisonne mélanger et faire cuire 3 à 4 minutes. Ajouter le riz, la sauce soya et bien me langer. Rectifier l'assaisonnement disposer le riz dans un plat de service. Disposer les kebob d'agneau sur le riz saupoudrer avec le persil haché. Serv immédiatement.

NOTES

PORC

NOTES

Petits conseils

Assurez-vous lorsque vous choisissez des moules que les coquilles soient bien fermées, autrement elles ne seront pas fraîches. Nous avons montré un exemple de moule ouverte dans la photo des principaux ingrédients de la recette des moules marinières.

Recette expresse

Ananas au bacon

(pour 4 personnes)

tranches de bacon
4 rondelles d'ananas
    huile de maïs

re chauffer de l'huile de maïs dans
 friteuse, à 350°F.
 per les tranches de bacon en
 x et les rondelles d'ananas en
 rceaux d'1".

Enrouler chaque morceau d'ananas dans une moitié de bacon et retenir à l'aide d'un cure-dent.

Plonger les ananas au bacon dans l'huile chaude et faire dorer.

Disposer les hors-d'oeuvre sur un plat de service et servir immédiatement.

Coquelicot délicieux

(pour 2 personnes)

2 petits pains aux grains de coquelicot
    beurre
    moutarde au goût
6 saucisses au porc
4 grandes tranches de tomate
4 tranches minces de fromage gruyère
    paprika au goût
    sel et poivre

Beurrer les petits pains et ajouter de la moutarde au goût.
Disposer les saucisses sur la grille du four et les faire cuire 3
à 4 minutes sous le broil, préchauffé. Couper les saucisses
en deux sur la longueur et placer 3 moitiés sur chacune des
moitiés de pain. Saler et poivrer. Faire cuire à nouveau 3 à 4
minutes sous le broil.
Mettre une tranche de tomate sur les saucisses, assaisonner
et couvrir d'une tranche de fromage. Saupoudrer de paprika.
Placer les coquelicots délicieux sous le broil jusqu'à ce que
le fromage soit fondu. Garnir avec des échalotes vertes et
des cornichons.
Servir avec des haricots et piments marinés.

Express au thon

(pour 1 personne)

3 onces de thon
1 c. à thé de jus de limette
2 c. à soupe de mayonnaise
    une pincée de persil, haché
    sel et poivre
2 tranches de pain de seigle, beurrées

Mélanger tous les ingrédients, sauf le pain, jusc
ce qu'ils soient bien incorporés.
Rectifier l'assaisonnement et étendre le méla
sur les tranches de pain. Garnir avec des pet
tomates, oignons et cornichons.
Ajouter du céleri, des radis et des olives marinée
vous avez le "lunch" idéal pour une journée d'ét

Le Sandwich Coqueliquot

(pour 1 personne)

1 petit pain aux graines de coquelicot,*
    coupé en deux et beurré
2 tranches de jambon
2 tranches minces de fromage suisse
1/4 tasse de laitue iceberg, hachée
    mayonnaise au goût
    sel et poivre au goût

Plier les tranches de jambon en deux et les disposer de façon
à ce qu'elles soient légèrement superposées sur la partie
inférieure du pain.
Plier les tranches de fromage en deux; insérer une tranche
entre les deux tranches de jambon et l'autre sur le jambon.
Couvrir le fromage de laitue hachée et assaisonner au goût.
Etendre de la mayonnaise au goût sur l'autre moitié de pain
et couvrir la laitue.
Servir le sandwich avec des chips, des olives et des radis.
*'"poppyseed bun"

Côtelettes de porc BBQ

(pour 4 personnes)

côtelettes de porc*
tomates, coupées en deux
'3 tasse d'huile de maïs
c. à soupe de vinaigre de vin
c. à soupe de moutarde préparée
c. à soupe de sauce Worcestershire
sel assaisonné
poivre
gousse d'ail, écrasée et hachée

réparer votre barbecue.

élanger, le vinaigre, la moutarde, la sauce Wor-
estershire, l'ail, le sel et le poivre dans un petit bol.
corporer l'huile à l'aide d'un fouet.

arer les côtelettes de porc et les badigeonner
généreusement avec la marinade.

Saler et poivrer les côtelettes au goût et faire cuire
sur le barbecue 18 minutes; badigeonner et tourner
fréquemment les côtelettes durant la cuisson.

Cinq minutes avant que le porc soit cuit, badigeonner
les tomates avec la marinade, assaisonner au goût et
les faire cuire sur le barbecue.

Servir les côtelettes de porc et tomates avec du pain
à l'ail et garnir avec des pommes sauvages et des
cornichons.

Cette recette peut également être préparée sous le
''broil''.

* Vous pourriez employer des côtelettes de porc non
désossées. Par contre, le temps de cuisson pourrait
varier dépendant de la grosseur et de l'épaisseur des
côtelettes.

Côtelettes de porc à la bretonne

pour 4 personnes

4	côtelettes de porc, 1/2'' d'épaisseur
2	c. à soupe d'huile de maïs
1/4	d'un oignon d'Espagne, émincé
1	petit pied de céleri, haché
1	échalote sèche, émincée
1	gousse d'ail, écrasée et hachée
1	petit oignon rouge, haché
1/2	c. à thé de persil, haché
	sel et poivre

200Faire chauffer 1 c. à soupe d'huile de maïs dans une poêle à frire, à feu vif.

Ajouter les côtelettes à l'huile chaude et les faire saisir 1 minute de chaque côté. Saler et poivrer.

Réduire à feu moyen et faire cuire les côtelettes pendant 15 à 20 minutes; tourner les côtelettes à quelques reprises pendant la cuisson.

Cinq minutes avant que la viande soit cuite, faire chauffer le reste de l'huile dans une sauteuse. Ajouter les légumes et l'ail à l'huile chaude et faire sauter 3 à 4 minutes à feu moyen; saupoudrer de persil et saler et poivrer au goût.

Disposer les côtelettes sur un plat de service chaud et verser les légumes tout autour.

Garnir de persil frais et de quartiers de citron. Si désiré servir avec une tranche de beurre à l'ail sur chacune des côtelettes.

Technique pour tailler les Côtelettes de porc à la bretonne

Les ingrédients de la recette:

Longe de porc	Echalote sèche
Céleri	Poivre
Oignon espagnol	Sel
Oignon vert	Persil
Ail	Huile de maïs

2. *Trancher la longe en côtelettes; tailler jusqu'à l'os.*

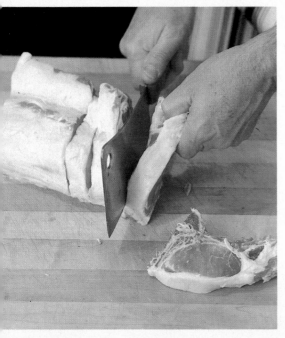

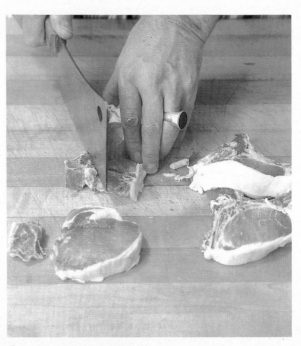

Fendre l'os à l'aide d'un couperet.

4. *Parer les côtelettes.*

Technique des Côtes de porc panées

1. *Principaux ingrédients.*

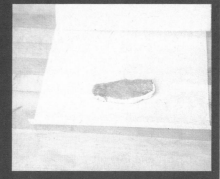

2. *Mettre la côte de porc sur une feuille de papier ciré. Replier la feuille de papier ciré sur la côte.*

3. *A l'aide d'un couperet, aplatir la côte.*

4. *Placer la chapelure, la farine et les oeufs individuellement dans trois bols à mélanger. Verser 1 c. à soupe d'huile de maïs dans les oeufs.*

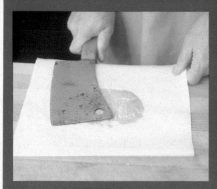

5. *Fouetter légèrement les oeufs.*

6. *Plonger la côte dans la farine. Secouer l'excès de farine.*

7. *Tremper la côte enfarinée dans les oeufs battus.*

8. *Plonger la côte dans la chapelure.*

Sauc

1   c. à sou
     maïs
1   petit oig
1   petite ca
1 1/2 c. à sou
1   (28 once
     tomates
     et gross
     hachées
1   tasse de
     préparé

Côtes de porc panées

(pour 4 personnes)

8	côtes de porc, désossées sel et poivre
2	c. à soupe d'huile de maïs
1	tasse de farine assaisonnée
2	oeufs battus et mélangés avec 1 c. à soupe d'huile de maïs
1	tasse de chapelure jus de citron au goût

Préchauffer le four à 350°F.
Préparer les côtes tel qu'indiqué dans la technique.
Saler et poivrer les côtes et les plonger dans la farine, les oeufs et la chapelure.
Faire chauffer l'huile de maïs dans une grande poêle à frire, à feu vif.
Lorsque l'huile est très chaude, ajouter les côtes et les faire saisir de chaque côté. Eviter de surcharger la poêle, il est préférable de faire saisir la viande en 2 ou 3 étapes.
Disposer les côtes saisies dans un plat à rôtir et faire cuire les côtes au four pendant 15 à 17 minutes.
Parsemer chaque côte de quelques gouttes de jus de citron et les disposer dans un plat de service chaud.
Accompagner les côtes de porc panées d'une sauce tomate.

...ate (donne 2 tasses)

1	c. à soupe de sucre
1/4	c. à thé de thym
1	c. à thé de persil
1	feuille de laurier
1/4	c. à thé de basilic
1/2	c. à thé de pâte de tomates
1	gousse d'ail, écrasée et hachée
	sel
	poivre du moulin

Faire chauffer l'huile de maïs dans une casserole, à feu vif, jusqu'à l'apparition d'écume. Réduire à feu moyen, ajouter l'oignon et la carotte, et faire cuire 5 minutes, sans couvercle, en remuant à l'occasion. Saupoudrer les légumes avec la farine et faire cuire 3 minutes, en remuant constamment. Ajouter les tomates, la sauce brune, le sucre, l'ail, les épices et la pâte de tomate. Saler et poivrer au goût; bien mélanger les ingrédients. Porter la sauce au point d'ébullition, à feu vif. Réduire à feu moyen/doux et laisser mijoter la sauce 45 minutes, sans couvercle, en remuant à l'occasion. Enlever la feuille de laurier et rectifier l'assaisonnement. Passer la sauce à la passoire.

Conserve
de haricots verts

Laver et équeuter la quantité désirée de haricots verts.

Amener de l'eau généreusement salée à ébullition. Plonger les haricots dans l'eau bouillante et les faire blanchir 3 à 4 minutes.

Retirer les haricots et les mettre dans des bocaux à conserve.

Recouvrir les haricots de l'eau bouillante.

Sceller hermétiquement les bocaux.

Placer les bocaux dans un autoclave et les faire cuire sous pression pendant 45 minutes. Suivre les instructions du manufacturier concernant la méthode d'emploi de votre autoclave.

1. *Les principaux ingrédients.*

2. *Couper les deux extrémités de chacun des haricots.*

3. *Plonger les haricots dans l'eau bouillante, salée.*

4. *Retirer les haricots verts de l'eau et les mettre dans le bocal.*

5. *Ajouter l'eau bouillante.*

6. *Haricots en conserve.*

Côtes

sauce

(pour 4 personn

4	côtes de porc de d'épaisseur sel et poivre
1	c. à soupe d'hui maïs
2	c. à soupe de m jus d'1/2 citron
1	c. à soupe de pe haché
1/4	tasse de bouillo poulet, chaud

Garniture: céleri

Faire chauffer l'huil
une poêle à frire,
moyen. Ajouter les c
porc à l'huile chaude
faire cuire 3 à 4 minu
Saler et poivrer.
Retourner les côtes d

1. *Principaux ingrédients.*

2. *Ajouter les côtes de porc à l'huile chaude.*

·rc/

·mmes et miel

...es faire cuire de 15 à 18
...utes, à feu moyen; tour-
... les côtes 3 à 4 fois
...ant la cuisson.

...ès les six premières
...utes de cuisson, badi-
...nner les côtes de porc
... chaque côté avec le
...l.

...poser les côtes dans un
... de service allant au four
...arder chaudes dans un
... à 100ºF.

...uter le jus de citron à la
...le à frire et déglacer.
...uter le bouillon de pou-
... le persil et faire cuire
...dant 1 minute.

...ser la sauce sur les
...s de porc et servir avec
...auce aux pommes.

Sauce aux pommes

4   **pommes**
1   **c. à soupe de sucre**
     jus d'1/2 citron
1   **c. à thé de cannelle**

Peler, évider et trancher les
pommes 1/4'' d'épaisseur.

Placer les tranches de
pommes, le sucre, le jus de
citron et la cannelle dans
une casserole.

Faire cuire les ingrédients
avec un couvercle environ
12 minutes.

Servir avec les côtes de
porc.

3. *Badigeonner les côtes de porc avec le miel.*

Côtes de porc succulentes

(pour 4 à 6 personnes)

4	lbs de côtes de porc, dégelées
	sel et poivre
1/4	tasse de miel clair
3	c. à soupe de sauce Soya
2	c. à soupe de ketchup aux tomates
1	c. à soupe de vinaigre de vin
1	c. à soupe de vinaigre de cidre
2	c. à soupe de sauce tomate
	quelques gouttes de sauce tabasco
	jus d'1 1/2 orange
	jus d'1 citron

Faire bouillir les côtes de porc dans de l'eau salée et contenant le jus d'un citron, pendant 17 minutes.

Egoutter les côtes et les disposer dans un plat à rôtir peu profond. Saler et poivrer généreusement les côtes.

Pré-chauffer le four à 'broil'.

Verser le miel dans un bol à mélanger. Incorporer tous les autres ingrédients, un à un, au miel; bien mélanger la sauce.

Badigeonner les côtes avec la sauce.

Faire cuire les côtes 15 minutes à 5'' de l'élément du broil. Badigeonner à nouveau avec la sauce et tourner les côtes. Faire cuire 15 minutes; badigeonner fréquemment les côtes avec la sauce pendant la cuisson.

Au moment de servir, badigeonner les côtes de porc avec le reste de la sauce.

Technique des Côtes de porc

1. *Principaux ingrédients.*

2. *Verser le miel dans le bol à mélanger.*

3. *Ajouter la sauce Soya.*

4. *Incorpo...*

5. Ajouter le vinaigre et tous les autres ingrédients requis pour préparer la sauce.

6. Badigeonner les côtes de porc avec la sauce et les faire cuire à 'broil' 15 minutes de chaque côté.

Technique
du filet
de porc
à la
bordelaise

1. *Principaux ingrédients.*

2. *Parer les filets de porc de la peau.*

3. *Faire saisir le porc dans l'huile de maïs chaude.*

4. *Ajouter les dés de bacon, assaisonner et faire cuire 2 minutes.*

5. *Ajouter l'ail et les échalotes hachées.*

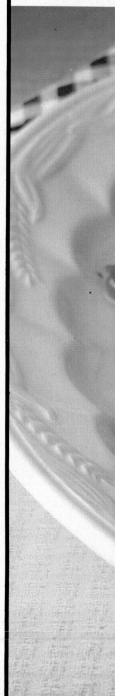

6. *Ajouter les têtes de champignons et assaisonner.*

7. *Saupoudrer avec les épices et ajouter le vin. Placer tous les ingrédients dans une casserole allant au four et faire cuire à 350°F. pendant 1 heure 15 minutes.*

t de porc à la bordelaise

rasée et hachée
. de champi-
nons, têtes
eulement
el et poivre du
oulin
à thé de thym
à soupe de persil
aché
sse de vin rouge,
ec tel que Côtes
u Rhône

Préchauffer le four à 350°F.

Faire chauffer l'huile de maïs dans une poêle à frire à feu vif. Ajouter le porc à l'huile chaude et faire saisir 4 minutes de chaque côté. Ajouter le bacon en dés, le sel, le poivre et faire cuire 2 minutes.

Ajouter les échalotes et l'ail haché. Ensuite, ajouter les têtes de champignons. Saupoudrer les ingrédients avec le thym, le persil et sel et poivre au goût.

Faire cuire le mélange 2 minutes. Ensuite, ajouter le vin rouge et faire cuire 1 minute.

Disposer les ingrédients dans une casserole allant au four, couvrir et faire cuire à 350°F. pendant 1 heure et 15 minutes.

Servir avec des pommes de terre Colombine.

Jambon à la française

(pour 4 personnes)

8	tranches très minces de jambon maigre
4	oeufs durs, coupés en deux
4	fonds d'artichaut
1	tasse de macédoine, en dés
4	c. à soupe de mayonnaise
8	asperges
8	olives noires
4	échalotes vertes
	sel et poivre
	feuilles de laitue comme garniture

Faire cuire la macédoine jusqu'à ce que les légumes soient tendres et laisser refroidir. Mélanger 2 c. à soupe de mayonnaise, saler et poivrer.

Tapisser un plat de service avec les feuilles de laitue et y disposer les fonds d'artichaut. Remplir les fonds d'artichaut avec la macédoine de légumes.

Placer une asperge dans chaque tranche de jambon et les rouler.

Couper les oeufs durs en deux et retirer les jaunes.

Passer les jaunes au tamis et les mélanger avec le reste de la mayonnaise. Assaisonner et placer le mélange d'oeufs dans une poche à pâtisserie.

Disposer les blancs d'oeufs sur un plat de service et les remplir du mélange de jaunes.

Garnir l'assiette de jambon avec les olives noires et les échalotes vertes.

Jambon aux ananas

Calculer de 6 à 8 onces de jambon par portion.

ette:

mbon *
delles d'ananas
s de girofle
à thé de muscade
tasse de cassonade
tasse de raisins
tasse de sirop d'érable
aturel ou commercial)
à soupe de marante ou
cule de maïs
à soupe d'eau froide

Préchauffer le à 350°F.
Parer tout le gras du jambon. Disposer les tranches d'ananas sur le jambon. Affixer l'ananas au jambon avec des clous de girofle. Parsemer le jambon de muscade, de cassonade et de raisins, et le placer dans un plat à rôtir.

Verser le sirop d'érable sur le jambon. Placer le jambon au four et le faire cuire 10 minutes par livre. Badigeonner à l'occasion avec le liquide de cuisson.

Retirer le jambon du four et le placer sur un plat de service chaud. Placer le plat à rôtir sur un feu élevé et porter le liquide à ébullition. Mélanger la marante ou la fécule de maïs à l'eau froide et verser le mélange dans le liquide. Mélanger et faire cuire à feu élevé jusqu'à ce que la sauce épaississe. Servir la sauce séparément.

Préparation du jambon aux ananas

1 *Assembler tous les ingrédients*

2 *Enlever le gras du jambon*

3 *Disposer les rondelles d'ananas sur le jambon*

4 Piquer l'ananas avec les clous de girofle pour l'affixer au jambon

5 Mettre la cassonade, la muscade et le raison sur le jambon

6 Arroser la jambon de sirop ble

Le jambon
Le soc de porc roulé (Cottage Roll)
Cette pièce est fumée et partiellement cuite. Elle nécessite une cuisson additionnelle de 20 minutes par livre. Si vous utilisez cette pièce pour préparer le jambon aux ananas, la faire bouillir seulement 10 minutes par livre car la recette exige une cuisson additionnelle au four de 10 minutes par livre.
Le jambon dans la fesse semi-cuit.
Cette coupe nécessite une cuisson additionnelle de 10 minutes par livre. Elle peut être bouillie, ou rôtie tel qu'indiqué dans la recette de cette semaine.
Le jambon fumé entièrement cuit.
Cette coupe nécessite la même cuisson que celle indiquée pour le jambon dans la fesse semi-cuit.

Epices
La muscade
Les clous de girofle: Cette épice a un goût très prononcé et doit être utilisée avec discrétion.
La marante (arrowroot, ou fécule de maïs)
Il est préférable d'épaissir les sauces sucrées, telles que la sauce aux ananas servie avec le jambon, avec de la marante ou de la fécule de maïs, plutôt qu'avec un roux.

Jambon avec raisins verts

(pour 10 personnes)

1   jambon de Virginie (5 livres), pré-cuit*

SAUCE

2   tasses de raisins verts, sans graines
2   c. à soupe de sucre brun
1 1/2 tasse de bouillon de poulet, chaud
1   c. à soupe de fécule de maïs mélangée à:
      1 c. à soupe d'eau
1   c. à thé de persil frais, haché

Préchauffer le four à 350ºF.

Faire de petites incisions en forme de losange sur la surface du jambon. Disposer le jambon dans un plat à rôtir et faire cuire au four pendant 30 à 40 minutes.

Disposer le jambon cuit sur un plat de service chaud et placer le plat à rôtir sur deux éléments à feu moyen.

Ajouter le bouillon de poulet, le sucre brun et les raisins au plat. Faire cuire le mélange 5 mi-nutes.

Epaissir le liquide a' le mélange de fécule maïs.

Trancher le jambon l'arroser de la sauce raisin. Garnir de pe frais, haché.

Servir le jambon a' les carottes glace

Jambon braisé aux oranges

(pour 6 personnes)

eci est une recette en deux parties.

ambon, 4 à 6 livres *
1/2 tasse de bouillon de poulet, chaud
grosses oranges
s de 2 oranges
s ûe 1 citron
2 tasse de cassonade
c. à soupe de Irish Mist liqueur

ecouvrir le jambon d'eau froide et le laisser
poser de 3 à 6 heures (pour un jambon de
mpagne fumé, laisser reposer de 12 à 24
ures).

nsuite, placer le jambon dans une grande
asserole remplie d'eau froide. Ajouter les in-
édients suivant:

oignons
clous de girofle
grains de poivre
feuilles de laurier

mener l'eau à ébullition, à feu vif. Réduire
lément à feu doux et laisser mijoter le jam-
n 18 minutes par livre.

etirer le jambon de la casserole et jeter
au de cuisson.

rer le jambon et à l'aide d'un couteau d'of-
e, faire de petites incisions en forme de lo-
nges sur la surface du jambon.

sposer le jambon dans un plat à rôtir
le mettre de côté.

ler et segmenter les oranges.

ettre les segments d'oranges
côté.

rser le jus d'orange, le jus
citron et l'Irish Mist dans
e petite casserole à feu
f. Ajouter la cassonade;
en mélanger et faire
uire 3 minutes.
corporer les
gments d'oranges.

Verser le mélange d'oranges sur le jambon et
faire cuire dans un four préchauffé à 350° F
pendant 30 minutes.
Disposer le jambon cuit sur un plat de service et placer le plat à rôtir à feu vif.
Verser le bouillon de poulet dans le plat;
déglacer et ajouter cette sauce à la sauce
aux raisins.

* Si vous avez acheté un jambon pré-cuit,
  omettre les 2 premières étapes de la recette.

Sauce aux raisins

1 lb de raisins, sans graines
2 c. à soupe de beurre
jus de 1/4 de citron
1 c. à soupe de fécule de maïs

Cette sauce devrait être préparée pendant
que vous faite braiser le jambon.
Faire fondre le beurre dans une petite casserole. A l'apparition d'écume, ajouter les raisins et faire sauter 3 minutes à feu vif.
Arroser avec le jus de citron.
Ajouter la sauce du plat à rôtir et épaissir
avec la fécule de maïs.

Verser la sauce dans un
saucier et servir avec
le jambon.

Rôti de porc à l'ail

(pour 4 personnes)

1 longe de porc (3 lb)
2 gousses d'ail, pelées et
   coupées en lanière
sel
poivre du moulin
2 c. à soupe d'huile de maïs
1 oignon d'Espagne, pelé et
   haché
1 branche de céleri, coupée
   en dés
1 pomme, évidée pelée et
   coupée en dés
1/4 c. à thé de romarin
1 1/2 tasse de bouillon de
   poulet, chaud

Désosser la longe de porc tel
qu'indiqué dans la technique.

Mettre l'os de côté.

Préchauffer le four à 350°F.

Faire des incisions dans la longe de porc d'environ 1/2'' de
profondeur à l'aide d'un couteau et insérer une lanière d'ail
dans chaque incision.

Rouler et ficeler la longe de
porc.

Verser l'huile de maïs dans un
plat à rôtir, à feu vif. Ajouter le
rôti et l'os et les brunir sur toutes les surfaces dans l'huile
chaude.

Assaisonner la longe et faire
cuire à 350°F pendant 30 minutes par livre. Badigeonner occasionnellement.

Quinze minutes avant que la
longe soit cuite, ajouter le ro-

marin, la pomme et les l
mes au rôti. Assaisonne
goût.

Placer le rôti de porc su
plat de service.

Enlever le gras du plat à
Garder le gras car il peut
vir dans la préparation de r
tes autres recettes.

Placer le plat à rôtir sur le p
à feu vif. Verser le fond (b
lon) de poulet dans le plat
tir. Saler et poivrer et faire c
pendant 4 à 5 minutes.

Verser la sauce et la mire
sur le rôti de porc à l'ail.
passer la sauce à la pas
avant de la servir avec le rô

Servir avec des pommes
tées au beurre.

Pommes sautées au beurre

3 pommes
1 c. à soupe de beurre
   une pincé de persil

Évider, peler et couper les
pommes en tranches
épaisses.

Faire fondre le beurre dans une sauteuse, à fe
moyennement élevé. Lorsque le beurre es
chaud, ajouter les tranches de pomme.

Saupoudrer les pommes de persil et les fair
cuire 4 à 5 minutes.

Etapes dans la préparation du rôti de porc à l'ail

Les ingrédients

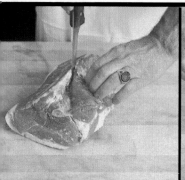

cer un couteau à désosser
re le filet et l'os et le glisser
ement le long de l'os.

2 Parer autour de l'os principal tout en tirant doucement sur la viande avec votre main libre; et en continuant de tailler la longe.

3 Répéter ce mouvement jusqu'à ce que l'os soit complètement détaché du rôti. Mettre l'os de côté.

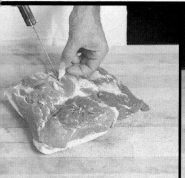

re des petites incisions d'en-
on 1/2'' de profondeur dans le
y insérer des morceaux d'ail.

5 Rouler et ficeler la longe de porc.

6 Brunir le rôti de porc sur toutes les surfaces dans une petite quantité d'huile de maïs chaude. Ajouter l'os dans le plat à rôtir.

uper les ingrédients pour la
epoix en dés.

8 Placer la mirepoix et la feuille de laurier sur la longue de porc.

9 Disposer le rôti de porc sur un plat de service. Verser le bouillon de poulet dans le plat à rôtir et faire cuire la sauce 4 à 5 minutes.

Rôti de porc aux prune

(pour 6 à 8 personnes)

1	longe de porc de 4 lb., désossée
1	lb. de pruneaux sel et poivre
1	tasse de vin blanc, sec
1/2	tasse de bouillon de poulet, chaud
1	c. à thé de fécule de maïs mélangée à 1 c. à thé d'eau

Faire tremper les pruneaux dans l'eau pendant 12 heures. Egoutter et dénoyauter les pruneaux.

Préchauffer le four à 350ºF.

Ouvrir la longe et l'assaisonner généreusement. Couvrir la longe d'une rangée de pruneaux et mettre le reste des pruneaux de côté.

Rouler et ficeler le rôti.

Placer la longe dans un plat à rôtir et faire cuire à 350ºF. pendant 30 minutes la livre; badigeonner fréquemment.

A la m
pruneau
Dispose
de serv
Placer l
vin et le
Ajouter
la sauc
maïs; b
sonnem
Découp
de la sa

Technique du
Rôti de porc aux pruneaux

1. *Assaisonner généreusement la longe de porc désossée.*

2. *Couvrir la longe d'une rangée de pruneaux.*

3. *Le rôti farçi avec les pruneaux.*

4. *Rouler et ficeler la longe de porc.*

5. *A la mi-cuisson, ajouter le reste des pruneaux au plat à rôtir.*

6. *Enlever le rôti de porc et placer le plat à rôtir à feu vif. Ajouter le vin blanc et le faire réduire de 2/3. Ajouter le reste des ingrédients et servir avec le rôti.*

le reste des

it sur un plat

vif, ajouter le
3.
et et épaissir
de fécule de
tifier l'assai-

c et l'arroser

115

Longe de porc BBQ

(pour 4 personnes)

1 longe de porc, parée	moutarde française
1 gousse d'ail, en lanières	sel
	poivre du moulin
	huile de maïs
1 c.à soupe de	4 tranches de bacon fumé

Préparer la longe tel qu'indiqué dans la technique. Ensuite, badigeonner d'huile de maïs.

Faire cuire la longe sur le barbecue pendant 35 à 40 minutes; tourner et badigeonner occasionnellement durant la cuisson.

Servir avec de l'aubergine BBQ.

Aubergine BBQ

(pour 4 personnes)

8 tranches d'aubergine	persil haché
huile de maïs	(facultatif)
sel et poivre	

Badigeonner les tranches d'aubergine d'huile de maïs, assaisonner au goût et faire cuire sur le barbecue, 3 minutes de chaque côté.

Si désiré, parsemer de persil et servir.

Technique de la longe de porc BBQ

1. Principaux ingrédients.

2. Frapper la gousse d'ail avec le côté plat d'un couteau jusqu'à ce que la pelure se détache.

3. Couper la gousse d'ail en lanières.

4. Parer la longe de porc de la peau.

5. Faire plusieurs petites incisions dans la longe.

6. Insérer les lanières d'ail dans les incisions.

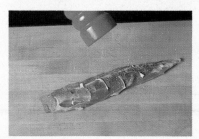

7. Assaisonner généreusement le porc.

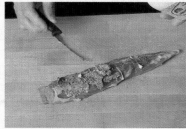

8. Etendre une c. à soupe de moutarde française sur la longe.

9. Couvrir le porc de tranches de bacon fumé et retenir avec des cure-dents.

Saucisses au chou

our 4 personnes)

saucisses fermières
(farmers)
2   d'un chou, coupé en
quatre
poireau, la partie
blanche seulement,
nettoyé et coupé
en deux (facultatif)
c. à thé de persil, haché
1/2 c. à soupe de beurre ou
margarine
sel et poivre

Placer les saucisses et les légumes dans une étuveuse. Mettre l'étuveuse dans une grande casserole contenant de l'eau bouillante. Assaisonner les ingrédients et les faire cuire à la vapeur, à feu vif.
Faire cuire les saucisses 8 minutes et les légumes 15 minutes.
Faire fondre le beurre dans une sauteuse à feu vif jusqu'à l'apparition d'écume. Ajouter les saucisses et les légumes; saler et poivrer au goût et faire cuire 5 minutes à feu moyen.
Disposer les ingrédients dans un plat de service et parsemer de persil. Accompagner de pain frais et de moutarde forte.

s
tits
nseils
du
chef

La cuisson au bain-marie est utilisée pour éviter le contact de l'élément. Cette cuisson s'emploie spécialement pour les poudings, les soufflés et les terrines de viande.

117

Saucisson hollandais BBQ *(pour 2 personnes)*

1   saucisson hollandais
    huile de maïs
    sel et poivre
1   gousse d'ail, pelée et coupée en deux

Faire plusieurs petites incisions sur un côté du saucisson. Frotter le saucisson avec les morceaux d'ail.

Badigeonner le saucisson d'huile de maïs et assaisonner avec le sel et poivre.

Placer le saucisson sur le barbecue et faire cuire 15 minutes; tourner fréquemment durant la cuisson afin de faire cuire le saucisson uniformément.

Accompagner le saucisson hollandais de moutarde et de pommes de terre parmesan.

Pomme de terr parmesa

4   pommes de terre, laver et frotter
    sel et poivre au goût
3   c. à soupe de fromage parmesan, râpé
1   feuille de papier aluminium
1   c. à thé de persil, haché

Faire cuire les pomm de terre dans le papi d'aluminium sur le ba becue.

Cinq minutes avant q les pommes de ter soient cuites, ouvrir papier d'aluminium couper les pommes terre en deux. Pars mer les moitiés de po mes de terre avec le fr mage et saler et poivr au goût.

Refermer le papier d luminium et terminer cuisson. Disposer l pommes de terre sur plat de service et sa poudrer avec le persil

Sandwich au pâté

(pour 4 personnes)

1   petite baguette
    française
4   tranches de pâté
    de campagne au
    cognac
    beurre (facultatif)
    cornichons

Couper la baguette deux sur la longueur couper chaque moitié deux. Si désiré, beurrer pain.

Disposer les tranches pâté sur le pain et se avec des cornichons.
Accompagner d'un ve de vin rouge sec.

Steaks de jambon à l'ananas

(pour 4 personnes)

4   steaks de jambon, pré-cuits,
      1/2'' d'épaisseur
1   c. à thé d'huile de maïs
1/2   tasse de jus d'ananas
      tranches d'ananas
1   c. à thé de cassonade
1   c. à soupe de Lamb's Navy rhum
1/2   c. à thé de fécule de maïs
1   c. à thé de persil haché

Faire chauffer l'huile dans une poêle à frire à feu moyen/élevé. Ajouter les steaks de jambon à l'huile chaude et faire cuire 5 minutes de chaque côté.

Disposer les steaks de jambon sur un plat de service chaud.

Verser le jus d'ananas et la moitié du rhum dans la poêle. Ajouter la cassonade et les tranches d'ananas. Faire cuire le mélange 3 minutes en retournant les tranches d'ananas à l'occasion.

Disposer les tranches d'ananas sur le jambon.

Mélanger la fécule de maïs avec le reste du rhum et épaissir la sauce avec ce mélange.

Verser la sauce sur les steaks de jambon et garnir avec le persil haché.

Accompagner d'aubergines frites.

Weiners au bacon et fromage

(pour 4 personnes)

- 8   saucisses fumées (weiners)
- 2   tranches de fromage fondu
- 16   tranches de bacon maigre*
-      poivre de citron au goût
-      cure-dents

Faire une incision et partiellement ouvrir les saucisses sur la longueur.

Couper les tranches de fromage en petites lanières et les insérer dans l'ouverture de chacune des saucisses.

Enrouler en spirale chacune des saucisses avec 2 tranches de bacon. Retenir le bacon avec des cure-dents.

Assaisonner avec le poivre de citron et faire cuire les saucisses sur le barbecue jusqu'à ce que le bacon devienne crous-

tillant; tourner fréquemment durant la cuisson afin de faire cuire uniformément. La grille du barbecue devrait être à une hauteur d'environ 7 pouces.

* Le bacon devrait être aussi maigre que possible, car a trement le gras éclabou serait durant la cuisson.

Servir avec des olives, c céleri, des radis et de la biè froide.

Sour dog

(pour 4 personnes)

- 8   saucisses fumées (weiners)
- 1   petit piment vert, émincé
- 1   petit piment rouge, émincé
- 1/2 petit oignon, émincé
- 1   tasse de choucroute, égouttée

- 2   c. à soupe de jus de choucroute
-      sel et poivre
- 4   pains à "hot dog", grillés sur le barbecue
- 1   c. à thé d'huile de maïs

Faire une incision sur la lor gueur de chacune des sauci ses et les ouvrir partiellemer Faire cuire les saucisses sur barbecue.

Faire chauffer l'huile de ma dans une poêle à frire, à fe vif. Ajouter l'oignon à l'hui chaude, saler, poivrer et fai cuire 2 minutes.

Ajouter le piment rouge, piment vert, assaisonner faire cuire 2 minutes. Ajout la choucroute; bien mélang et faire cuire 3 à 4 minutes, feu moyen/élevé en remua à l'occasion.

Verser le jus de choucrou dans la poêle, mélanger rectifier l'assaisonnement.

Placer 2 saucisses dans ch cun des pains grillés.

Ajouter le mélange de cho croute et servir.

Boulettes de viande danoise

(pour 4 personnes)

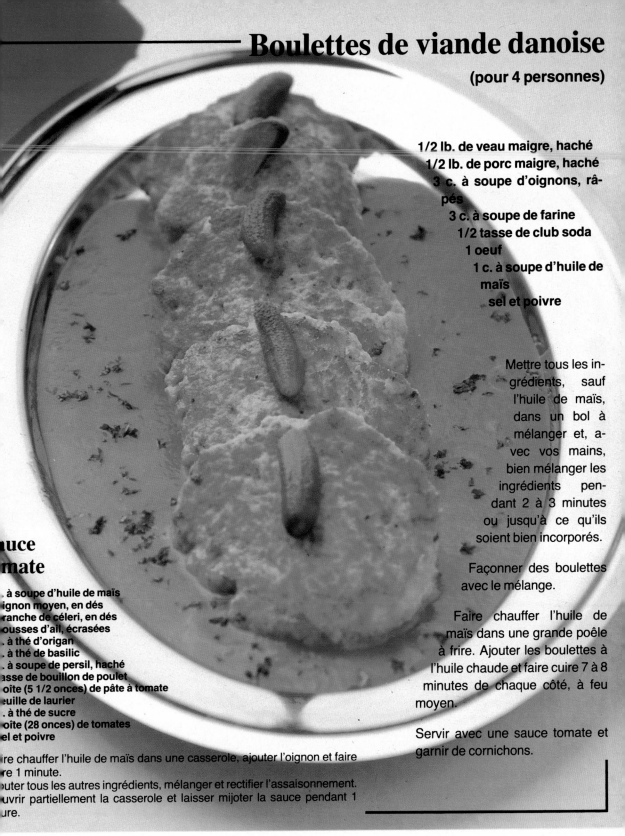

1/2 lb. de veau maigre, haché
1/2 lb. de porc maigre, haché
3 c. à soupe d'oignons, râpés
3 c. à soupe de farine
1/2 tasse de club soda
1 oeuf
1 c. à soupe d'huile de maïs
sel et poivre

Mettre tous les ingrédients, sauf l'huile de maïs, dans un bol à mélanger et, avec vos mains, bien mélanger les ingrédients pendant 2 à 3 minutes ou jusqu'à ce qu'ils soient bien incorporés.

Façonner des boulettes avec le mélange.

Faire chauffer l'huile de maïs dans une grande poêle à frire. Ajouter les boulettes à l'huile chaude et faire cuire 7 à 8 minutes de chaque côté, à feu moyen.

Servir avec une sauce tomate et garnir de cornichons.

auce
mate

. à soupe d'huile de maïs
ignon moyen, en dés
ranche de céleri, en dés
ousses d'ail, écrasées
. à thé d'origan
. à thé de basilic
. à soupe de persil, haché
asse de bouillon de poulet
oîte (5 1/2 onces) de pâte à tomate
euille de laurier
. à thé de sucre
oîte (28 onces) de tomates
el et poivre

ire chauffer l'huile de maïs dans une casserole, ajouter l'oignon et faire
re 1 minute.
uter tous les autres ingrédients, mélanger et rectifier l'assaisonnement.
uvrir partiellement la casserole et laisser mijoter la sauce pendant 1
ure.

es
petits
onseils
du
chef

Le ragoût est un mode de cuisson où la viande et les légumes cuisent ensemble avec un liquide lié à la farine.

121

VEAU

NOTES

Escalopes de veau au citron

(pour 4 personnes)

escalopes de veau,
très minces
c. à soupe de beurre
champignons, coupés
en trois
jus d'1/2 citron
sel
poivre du moulin
tasse de bouillon
de boeuf

Principaux ingrédients

ancher chaque escalope en
ois.

aire fondre le beurre dans une
ande poêle à frire jusqu'à l'appa-
ion d'écume.

Ajouter le veau au beurre chaud et
le faire sauter 2 à 3 minutes, à feu
moyen/élevé; saler et poivrer.

Retirer le veau et le disposer sur un

plat de service.

Ajouter les champignons à la poêle, assaisonner et faire cuire 2 à 3
minutes. Mettre les champignons
à côté du veau.

Déglacer la poêle avec le jus
de citron. Ensuite incorporer le
bouillon de boeuf et faire cuire
pendant 1 minute.

Verser la sauce sur le veau et
servir.

Accompagner d'oignons blancs
aux raisins secs.

Côtes de veau grand-mère

(pour 4 personnes)

8	côtes de veau de 3/4''
1/4	lb. de champignons, en dés
1	tasse de petits oignons blancs
2	c. à soupe de beurre
2	c. à soupe de bacon, en dés
1	c. à soupe de persil, haché
	sel et poivre
1/4	tasse de vin blanc, sec.

Faire blanchir les oignons pendant 5 minutes et le mettre de côté.

Faire fondre le beurre dans une sauteuse, à feu moyer élevé. A l'apparition d'écume, ajouter les côtes de vea et les faire saisir 3 à 4 minutes de chaque côté. Saler e poivrer.

Ajouter le bacon et faire cuire 5 minutes à feu moyen.

Ajouter les champignons et les oignons et faire cuire minutes. Parsemer avec le persil et assaisonner a goût.

Disposer les côtes de veau sur un plat de service chau

Verser le vin blanc dans la sauteuse et le faire réduire d 2/3, à feu vif.

Verser les légumes et la sauce sur les côtes de veau e

Technique
Côtes de veau grand-mère

Principaux ingrédients ▶

Tailler les côtes de veau et couper les os à l'aide d'un couperet.

Faire saisir les côtes de veau dans le beurre chaud.

Lorsque les côtes seront dorées de chaque côté, ajouter le bacon à la sauteuse.

4. Ajouter les champignons et les oignons à la sauteuse.

5. Disposer le veau sur un plat de service chaud.

6. Verser le vin dans la sauteuse et faire réduire à feu vif. Verser le mélange sur les côtes de veau et servir.

Les petits conseils du chef

Pour réchauffer un mets braisé ou sauté, il faut utiliser le four à 300°F.

La différence entre un roux et un beurre sauté est la quantité de farine utilisée dans les 2 cas:

Le roux: 2 c. à soupe d'un corps gras pour 3 c. à soupe de farine au maximum

Beurre manié: 2 c. à soupe d'un corps gras pour 1 c. à thé de farine au maximum

Le beurre manié est employé pour les sauces courtes ou faites à la minute.

Escalopes de veau
à la crème

pour 4 personnes

4 escalopes de veau
Sel et poivre
1 échalote sèche,
   hachée
1/2 tasse de farine
3 c. à soupe de beurre
1 tasse de vin blanc, sec
1 c. à thé d'estragon
1/2 lb de champignons,
   coupés en trois
1 piment rouge, émincé
1/2 tasse de crème à
   35%

Saler, poivrer et rouler les escalopes de veau.
Plonger les morceaux de veau dans la farine; secouer le
rement pour enlever l'excès de farine. Ficeler les esc
pes.
Faire fondre 2 c. à soupe de beurre dans une sauteuse à
moyen/élevé. A l'apparition d'écume, ajouter les escalo
et faire cuire 3 à 4 minutes de chaque côté, sans couver
Placer le veau dans un plat de service et garder chauc
four.
Ajouter l'échalote à la sauteuse et faire cuire 2 minu
Ajouter les champignons, l'estragon et faire cuire 3 m
tes. Saler et poivrer.
Ajouter le vin blanc et porter le liquide au point d'ébullit
à feu vif; faire cuire 3 minutes.
Incorporer la crème aux champignons et verser le méla
sur les escalopes de veau.
Dans une autre sauteuse, faire fondre le reste du beu
Ajouter le piment rouge, assaisonner au goût et faire cui
minutes à feu vif.
Disposer le piment autour des escalopes.

Escalopes de veau maison

(pour 2 personnes)

- onces d'escalopes de veau
- tomates, pelées et coupées en deux
- /2 livre de haricots verts, parés et lavés
- échalote, hachée
- c. à soupe de beurre ou margarine
- sel et poivre

Préchauffer le four à 100°F.

Faire cuire les haricots pendant 10 minutes dans une casserole contenant de l'eau bouillante, salée. Rincer les haricots sous l'eau froide et bien les égoutter.

Faire fondre 1/2 c. à thé de beurre ou margarine dans une sauteuse, à feu vif. A l'apparition d'écume, ajouter les haricots et faire sauter 2 minutes; assaisonner au goût.

Disposer les haricots sur un plat de service.

Durant la cuisson des haricots, couper le veau en morceaux d'1 1/2 pouce carré et saler, poivrer au goût.

Faire fondre 1 1/2 c. à soupe de beurre ou margarine dans une poêle à frire jusqu'à l'apparition d'écume. Ajouter le veau et faire sauter environ 2 minutes, à feu moyen/élevé.

Disposer le veau dans un plateau et garder chaud au four.

Ajouter les moitiés de tomates à la poêle à frire et assaisonner. Ajouter l'échalote et faire cuire 3 à 4 minutes.

Disposer le veau sur les haricots verts et garnir avec les tomates.

Si désiré, accompagner les escalopes de veau maison de votre sauce tomate préférée.

---

les petits conseils du chef

Pour peler les tomates plus facilement, il suffit de les plonger dans l'eau bouillante pendant trois minutes. La peau s'enlèvera alors facilement.

Médaillons de veau aux champignons

(pour 4 personnes)

1 3/4	lb. de veau, pris de la noix et coupé en médaillons de 2'' carré.
3	c. à soupe de beurre
1/2	lb. de champignons
2	échalotes sèches, hachées
1	c. à soupe de persil haché
1/2	tasse de vin blanc sec, tel que Macon Village
	sel
	poivre du moulin
3	c. à soupe de crème sûre

Faire fondre le beurre dans une poêle à frire, à vif, jusqu'à l'apparition d'écume.

Ajouter les médaillons de veau et faire sauter minutes de chaque côté.

Saler, poivrer et ajouter les échalotes. Parsemer veau de persil et le disposer dans un plat chaud.

Ajouter les champignons à la poêle, assaisonner faire cuire 4 à 5 minutes.

Verser le vin sur les champignons et faire réduire 2/3.

Incorporer la crème sûre. Remettre les médaille dans la poêle et les réchauffer quelques second

Disposer les médaillons de veau et les champignons dans un plat de service.

Garnir de quartiers de citron.

Technique des médaillons de veau aux champignons

1. Ajouter les médaillons de veau au beurre chaud.

2. Tourner le veau et faire saisir.

3. Ajouter l'échalote et assaisonner.

4. Disposer le veau dans un plat chaud.

5. Ajouter les champignons à la poêle et faire sauter 4 à 5 minutes à feu vif. Assaisonner.

6. Ajouter le vin blanc et faire réduire de 2/3.

7. Incorporer la crème sûre.

8. Remettre les médaillons de veau dans la poêle et servir.

Technique du Osso bucco

Osso

(p

1. *Ingrédients de base.*

2. *Couper l'oignon en rondelles.*

3. *Faire saisir les jarrets de veau dans l'huile chaude pendant 5 minutes de chaque côté.*

4. *Ajouter les rondelles d'oignon et assaisonner au goût.*

5. *Arroser les ingrédients avec le vin blanc et le faire réduire de la moitié.*

6. *Ajouter les tomates, l'ail et les autres épices. Couvrir la casserole et faire cuire l'Osso bucco au four à 350°F pendant 1 heure 30 minutes.*

Préchauffer le
Nettoyer et lé
les jarrets de v
d'un couteau.
Faire chauffe
dans une gra
feu vif.
Ajouter les jarr
de et les faire
de chaque côt
de surcharge

132

cco

(s)

12 jarrets de veau
1   gros oignon, coupé
    en rondelles
2   c. à soupe d'huile
    de maïs
1   tasse de vin blanc
    sec.

3   tomates, coupées
    en 8 quartiers
2   gousses d'ail, écra-
    sées et hachées
1   feuille de laurier
1   c. à soupe de persil,
    haché
1/4 c. à thé d'origan
1/4 c. à thé de thym
    sel et poivre

atter
ame

maïs
e, à

hau-
utes
vitez
e, il

est préférable de faire saisir les jarrets de veau en deux ou trois étapes.

Remettre tous les jarrets saisis dans la casserole et ajouter l'oignon. Saler et poivrer au goût et faire cuire 2 à 3 minutes.

Ajouter le vin blanc et faire réduire de la moitié.

Ajouter les tomates, l'ail et les épices. Saler et poivrer au goût. Couvrir la casserole et faire cuire l'Osso bucco au four à 350ºF pendant 1 heure 30 minutes.

Ris de veau à la viennoise

(pour 4 personnes)

1 1/2	livre de ris de veau
2	oeufs, battus et mélangés à 1 c. à soupe d'huile de maïs
1	tasse de farine
1 1/2	tasse de chapelure
	sel et poivre
2	c. à soupe de beurre
	le jus d'un citron

GARNITURE

anchois, câpres et rondelles
de citron

Préparer les ris de veau tel qu'indiqué da
technique.

Ensuite, faire fondre le beurre dans une p
à frire jusqu'à l'apparition d'écume.

Ajouter les ris de veau et faire cuire à
moyen 10 minutes de chaque côté.

Disposer les ris de veau sur un plat de se
et garnir avec les anchois, les câpres e
rondelles de citron.

Accompagner cette recette de carottes V

Technique pour préparer des ris de veau à la viennoise

Parer les ris de veau et les faire tremper dans de l'eau froide pendant 1 heure.

Plonger les ris de veau dans de l'eau bouillante contenant du sel et le jus d'un citron. Faire cuire à feu moyen-élevé pendant 10 minutes. Ensuite rafraîchir les ris de veau à l'eau froide et bien égoutter.

Parer les ris de veau de la peau et du reste des membranes.

Couper les ris de veau en deux.

Le ris de veau coupé.

Disposer les ris de veau sur une assiette, couvrir de papier ciré et presser le ris de veau pendant 1 heure avec un poids tel qu'une assiette.

Assaisonner les ris de veau et les plonger dans la farine; secouer l'excès de farine.

Plonger les ris de veau dans les oeufs battus.

Plonger les ris de veau dans la chapelure.

Les ris de veau enduits et prêts pour la cuisson.

135

Rognons de veau

(pour 4 personnes)

1	lb. de rognons de veau		3/4	tasse de crème à 35%
1/2	lb. de champignons, émincés		2	c. à soupe de beurre
2	échalotes, hachées		1	c. à soupe de persil, haché
3	c. à soupe de cognac			sel et poivre
1	tasse de vin blanc sec			

Parer et émincer les rognons tel qu'indiqué dans la technique.
Faire fondre 1 c. à soupe de beurre dans une sauteuse. A l'apparition d'écume, ajouter les rognons, sel et poivre et faire cuire 2 minutes de chaque côté, à feu vif.
Ajouter les échalotes et faire cuire 1 minute.
Verser le cognac sur les rognons et faire flamber.
Faire cuire 2 minutes et disposer les rognons sur un plat chaud.
Verser la sauce dans un petit bol.
Remettre la sauteuse sur le feu et ajouter le reste du beurre.
Ajouter les champignons au beurre chaud, saler, poivrer et parsemer de persil; faire cuire les champignons 3 à 4 minutes, à feu vif.
Arroser les champignons avec le vin blanc et faire cuire 4 minutes, à feu vif.
Ajouter la crème, la sauce et les rognons aux champignons. Bien mélanger et rectifier l'assaisonnement.
Disposer les rognons de veau dans un plat de service, garnir de persil frais et servir.

Technique d préparation Rognons de

1. Parer le gras du ro
2. Enlever la peau.
3. Emincer le rognon.
4. Principaux ingrédi recette .
5. Faire sauter les r minutes de chac dans le beurre cha
6. Ajouter les échalot
7. Verser le cognac rognons.
8. Faire flamber.
9. Disposer les rogno plat chaud.
10. Verser la sauce da tit bol.
11. Remettre la sauteu feu et ajouter 1 c. de beurre.
12. Ajouter les champi beurre chaud et fai à 4 minutes, à feu v
13. Verser le vin blan champignons et fa re à feu vif.
14. Verser la crème sauteuse.
15. Ajouter la sauce gnons.
16. Ajouter les rognons
17. Bien mélanger, rec saisonnement et se

10

14

136

Rognons wisers

(pour 2 personnes)

2	rognons de veau
2	échalotes vertes, hachées
2	c. à soupe de beurre, préférablement clarifié
1/4	lb. de champignons, coupés en quatre
1	c. à soupe de persil, haché
1	branche de céleri, en dés
1	gousse d'ail, écrasée et hachée
1	once de whisky canadien
4	c. à soupe de sauce tomate sel et poivre

garniture: céleri et tomates cerises
sautées

Nettoyer, parer et émincer les rognons.

Faire fondre 1 c. à soupe de beurre dans une sauteuse, à feu
A l'apparition d'écume, ajouter les rognons; saler, poivrer et
cuire 4 à 5 minutes à feu vif.

Ajouter les échalotes, le persil et l'ail. Mélanger, faire cuire 1 mi
et verser le mélange sur une assiette; mettre de côté.

Faire fondre le reste du beurre dans la sauteuse. Ensuite, ajo
les champignons, les dés de céleri et faire cuire 3 minutes à feu
Saler et poivrer au goût.

Verser le whisky sur les légumes et faire flamber.

Laisser les flammes s'éteindre et incorporer la sauce tom
Remettre les rognons et le liquide qui s'est formé dans la saute
Bien mélanger, rectifier l'assaisonnement et servir avec du riz.

Technique des Rognons wisers

1. Principaux ingrédients.

2. Faire fondre le beurre dans une sauteuse, à feu vif.

3. Ajouter les rognons émincés; saler, poivrer et faire cuire 4 à 5 minutes à feu vif.

4. Ajouter les échalotes vertes, le persil et l'ail.

5. Disposer les rognons sur une assiette.

6. Faire fondre le reste du beurre et ajouter les champignons à la sauteuse.

7. Ajouter les dés de céleri et faire cuire 3 minutes, à feu vif.

8. Verser le whisky sur les ingrédients et faire flamber.

9. Incorporer la sauce tomate.

10. Remettre les rognons et le liquide, qui s'est formé dans l'assiette, dans la sauteuse; bien mélanger et servir avec du riz.

Veau à l'ananas

(pour 4 personnes)

1 1/2	lb. d'escalopes de veau
4	rondelles d'ananas, coupées en deux
1	tasse de champignons, coupés en deux
3	onces de vin blanc
2	c. à soupe de beurre
	sel
	poivre du moulin
2	échalotes vertes, hachées
2	c. à soupe de crème sure
1	c. à thé de persil, haché

Faire fondre le beurre dans une grande poêle à frire. A l'apparition d'écume, ajouter les escalopes de veau, assaisonner au goût et faire cuire 3 minutes de chaque côté, à feu moyen.

Disposer les escalopes de veau sur un plat de service, chaud.

Ajouter les champignons, les échalotes vertes, le sel et le poivre. Faire sauter les ingrédients 2 à 3 minutes, à feu vif.

Verser le vin sur les ingrédients et le laisser évaporer pendant 2 minutes.

Incorporer la crème sure en fouettant constamment.

Ajouter les rondelles d'ananas et faire cuire 1 minute.

Verser le mélange d'ananas sur le veau et parsemer de persil.

Foie de veau moutarde et oignons

(pour 4 personnes)

3 (32 onces) tranches
  de foie de veau
  oignon d'Espagne,
  émincé
  c. à soupe de beurre
  c. à soupe de persil,
  haché
  c. à soupe de
  moutarde française
  tasse de bouillon de
  poulet, chaud
  sel et poivre

Faire fondre le beurre dans une sauteuse à feu doux.

Ajouter les foies et faire cuire 4 minutes de chaque côté; au fur et à mesure que la cuisson progresse, augmenter le feu graduellement de doux à moyen/élevé.

Saler et poivrer.

Disposer le veau dans un plat de service et garder chaud au four.

Ajouter les oignons à la poêle et faire cuire 3 à 4 minutes à feu moyen/élevé. Assaisonner au goût et parsemer avec le persil.

Verser le bouillon de poulet sur les oignons et faire cuire à feu vif pendant 2 à 3 minutes.

Retirer la poêle du feu et incorporer la moutarde.

Disposer les oignons autour des foies et verser la sauce sur le veau.

Garnir de persil frais et servir.

---

les petits conseils du chef

Pour les potages dont l'assaisonnement requiert de l'ail et des feuilles de laurier prendre soin de retirer ces ingrédients avant de servir.

GIBIERS ET VOLAILLES

NOTES

Basilic

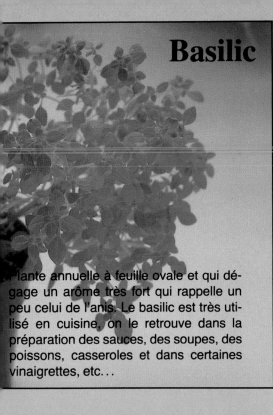

Plante annuelle à feuille ovale et qui dégage un arôme très fort qui rappelle un peu celui de l'anis. Le basilic est très utilisé en cuisine, on le retrouve dans la préparation des sauces, des soupes, des poissons, casseroles et dans certaines vinaigrettes, etc...

Ciboulette

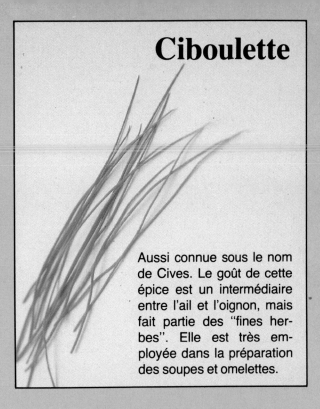

Aussi connue sous le nom de Cives. Le goût de cette épice est un intermédiaire entre l'ail et l'oignon, mais fait partie des "fines herbes". Elle est très employée dans la préparation des soupes et omelettes.

L'aneth en herbe

Plante annuelle. Son odeur est semblable à celle de la fenouil avec un petit goût de menthe. Cette épice est surtout employée dans la préparation de marinades et de conserves.

Persil

Certes l'épice la plus connue et employée par les cuisiniers. On retrouve le persil dans la plupart des recettes, soit comme épice ou garniture. Que serait un "bouquet garni" sans persil!

les petits conseils du chef

La marinade pour le gibier enlève le goût sauvage.

Cailles à la Katheleen

(pour 6 personnes)

6 cailles, nettoyées
2 c. à soupe de beurre
1/4 lb de jambon, en cubes de 1/2"
1 tasse de vin rouge, sec
10 petits oignons blancs
1 échalote, émincée
1/2 lb de champignons, émincés
1 carotte, coupée en longueur d'1/2"
2 onces de cognac
1/4 c. à thé de thym
1 c. à thé de persil
1/4 c. à thé d'estragon
1/2 tasse de bouillon de poulet léger,
  chaud
1 c. à thé de fécule de maïs mélangée
  à 1 c. à thé d'eau
sel et poivre

Préchauffer le four à 350°F.

Faire fondre le beurre dans une casserole allant au four à feu moyen. A l'apparition d'écume, ajouter les cailles et les faire dorer 5 minutes.

Saler et poivrer. Tourner les cailles et faire dorer pendant 5 minutes.

Ajouter l'échalote. Ensuite, ajouter autres légumes, le jambon et les épices à casserole et faire cuire 3 à 4 minutes.

Arroser les cailles avec le cognac et fa flamber.

Disposer les cailles sur un plat de serv chaud et les mettre de côté.

Ajouter le vin à la casserole et le fa réduire de 2/3. Ajouter le bouillon de pou et bien mélanger.

Remettre les cailles dans la casserc couvrir et faire cuire au four à 350°F p dant 25 minutes.

Disposer les cailles sur un plat de serv chaud.

Placer la casserole sur le poêle à feu vif épaissir la sauce avec le mélange de féc de maïs.

Verser la sauce et les légumes sur cailles et garnir de persil frais.

Cailles à la Katheleen
— Préparation

< 1. *Les ingrédients.*

e fondre 2 c. à soupe de
re dans une casserole à
moyen/élevé.

3. *Faire dorer les cailles dans le beurre chaud, pendant 5 minutes.*

4. *Tourner les cailles et les faire brunir 5 minutes.*

uter l'échalote.

6. *Ajouter les autres légumes, le jambon et les épices; faire cuire à feu moyen.*

7. *Arroser les cailles avec le cognac et les faire flamber.*

cer les cailles sur un plat
ud.

9. *Ajouter le vin à la casserole et le faire réduire de 2/3. Ensuite, verser le bouillon de poulet dans la casserole.*

10. *Remettre les cailles dans la casserole, couvrir et faire cuire au four à 350°F pendant 25 minutes.*

147

Canard aux cerises

(pour 2 personnes)

1   canard de 3 lbs.
2   citrons, coupés en deux
2   oranges, coupées en deux
2   c. à soupe de cognac
      Courvoisier, chaud
4   onces de vin rouge sec
1/4 c. à thé de cerfeuil
1/4 c. à thé de thym
1   boîte de cerises Bing,
      égouttées
1/2 du jus des cerises
      sel et poivre
1   c. à thé de fécule de maïs
      mélangée à 1 c. à thé d'eau

Préchauffer le four à 425ºF.
Enlever l'excès de gras du canard.
Bien nettoyer et sécher l'intérieur et
l'extérieur du canard.
Frotter l'extérieur du canard avec 3
moitiés de citrons et d'oranges. Jeter ces moitiés.
Saler et poivrer l'intérieur du canard.
Placer la moitié d'une orange et d'un
citron à l'intérieur du canard.
Ficeler le canard. A l'aide d'une
fourchette ou de la pointe d'un couteau d'office, piquer le canard à plusieurs endroits.
Placer le canard dans un plat à rôtir
et faire dorer 30 minutes au four.
Réduire la température du four à
350ºF et faire cuire le canard 1 1/2
heure. Badigeonner le canard à l'occasion et retirer l'excès de gras.
Percer la cuisse du canard. Si aucune trace de sang n'est apparente,
le canard est cuit. Arroser le canard
avec le cognac et faire flamber.
Disposer le canard sur un plat de
service chaud.
Jeter les deux tiers du gras du plat à
rôtir. Placer le plat à feu vif.
Ajouter le vin rouge, le jus de cerise,
les épices au gras dans le plat à
rôtir. Amener le liquide au point d'é-
bullition et faire réduire de la moitié.
Ajouter les cerises et faire cuire 2
minutes.
Epaissir la sauce avec la fécule de
maïs.
Découper le canard en quatre morceaux. Arroser le canard avec la
sauce et les cerises.

Technique
du canard
aux cerises

1. Principaux ingrédients.

2. *Frotter le canard avec des moitiés de citrons et d'oranges. Saler et poivrer.*

3. *Placer une moitié de citron et une moitié d'orange à l'intérieur du canard. Ficeler le canard.*

4. *A l'aide d'une fourchette ou de la pointe d'un couteau d'office, piquer le canard à plusieurs endroits. Faire rôtir le canard au four.*

5. *Arroser le canard rôti de cognac et faire flamber. Disposer la volaille sur un plat de service.*

6. *Ajouter le vin, le jus de cerise et les épices au plat à rôtir. Amener au point d'ébullition et faire réduire de la moitié. Ajouter les cerises. Epaissir la sauce avec la fécule de maïs.*

Canard aux pommes sauvages

(pour 2 personnes)

1 canard brome de 3 lb.
5 oranges
2 citrons
sel
poivre du moulin
2 c. à soupe de carottes en dés
2 c. à soupe d'oignons en dés
1 c. à soupe de céleri en dés
1 feuille de laurier
1 pincée de thym
1/4 c. à thé de basilic
1 tasse de vin rouge sec
1 tasse de sauce brune légère, chaude
1 c. à thé de fécule de maïs mélangée à 1 c. à thé d'eau
1 c. à soupe d'huile de maïs

Préchauffer le four à 450°F. Enlever l'excès de gras du canard. A l'aide d'une fourchette, piquer le canard à plusieurs endroits.
Nettoyer et bien sécher l'intérieur et l'extérieur du canard avec des serviettes de papier.
Frotter l'extérieur du canard avec quatre moitiés d'oranges. Jeter les oranges.
Saler et poivrer l'intérieur du canard.
Placer quatre quartiers de citron et quatre quartiers d'orange à l'intérieur du canard.
Brider le canard.
Faire chauffer l'huile de maïs dans un plat à rôtir, à feu vif. Faire dorer le canard sur toutes les surfaces dans l'huile chaude pendant 7 à 8 minutes.
Salet et poivrer. Verser le jus d'une orange sur le canard.
Faire cuire le canard au four à 450°F pendant 1 heure. Ensuite, réduire le four à 350°F et laisser le canard cuire pendant 1 autre heure.
Badigeonner le canard à l'occasion et extraire l'ex-

cès de gras dans le plat rôtir.
Percer la cuisse du canar
Si aucune trace de san n'est apparente, le cana est cuit.
Disposer le canard sur u plat de service chaud.
Jeter les deux tiers du gra du plat à rôtir.
Ajouter les légumes et le épices au gras du plat rôtir et faire cuire minutes, sans couvercle, feu vif.
Ajouter le vin rouge au légumes et faire réduire liquide de deux tiers, à fe vif.
Ajouter la sauce brun saler et poivrer.
Porter la sauce au poi d'ébullition et laisser m joter 2 minutes à feu dou
Epaissir la sauce avec mélange de fécule de maï
Verser la sauce et les lég mes sur le canard et serv garni de pommes sauva ges.

Cuisses de poulet BBQ

(pour 4 personnes)

cuisses de poulet
sel et poivre

marinade

3 tasse d'huile de maïs
c. à soupe de vinaigre de vin
c. à soupe de moutarde
préparée
c. à soupe de sauce
Worcestershire
c. à soupe de miel
c. à thé de sauce soya
sel et poivre du moulin

Faire chauffer les ingrédients de la marinade dans une casserole.
Disposer les cuisses de poulet dans un bol et ajouter la marinade chaude. Laisser reposer pendant 1 heure.

Faire cuire les cuisses sur le barbecue 35 à 40 minutes, dépendant de leur grosseur.

Servir avec des bananes barbecue et des oignons et carottes cuites dans l'aluminium.

Banane Barbecue

(pour 4 personnes)

2 bananes, coupées
en deux
beurre
cassonade

Enduire les bananes de beurre et les parsemer de cassonade.

Mettre les moitiés de bananes sur le barbecue et faire cuire 4 à 5 minutes; tourner fréquemment.

151

Dinde farcie

(8 à 10 personnes)

1 dinde (10 livres)
sel et poivre
huile de maïs

FARCE

2 c. à soupe d'huile de maïs
1 gros oignon d'Espagne, haché fin
1 lb de saucisse de porc, hachée
4 pommes, évidées, pelées et hachées
sel et poivre
1 c. à thé de cerfeuil
1 c. à soupe de sauge
7 tranches de pain, la mie seulement
1 1/2 tasse de lait
1 oeuf
1 c. à soupe de persil, haché

Pré-chauffer le four à 350°F.

Nettoyer la dinde à l'eau froide et bien sécher l'intérieur et l'extéri...

Saler et poivrer l'intérieur et mettre la dinde de côté.

Préparer la farce. Faire chauffer l'huile de maïs dans une grande poê... frire, à feu vif. Ajouter l'oignon à l'huile chaude et faire cuire enviro... minutes ou jusqu'à ce qu'il soit légèrement doré; remuer à l'occasio...

Ajouter la viande de saucisse de porc, sel et poivre et cuire 2 à 3 minu...

Ajouter les pommes et assaisonner avec le sauge, le cerfeuil, se... poivre au goût. Mélanger le tout et placer les ingrédients dans un b...

Hacher le pain grossièrement et le mettre dans un bol. Verser le lait d... le bol et laisser tremper jusqu'à ce que le pain ait absorbé le lait. Ensu... mélanger le pain à la farce.

Ajouter l'oeuf, le persil, sel et poivre au goût. Mélanger le tout jusqu'a... que tous les ingrédients soient bien incorporés.

Farcir la dinde avec le mélange. Ficeler la volaille.

Disposer la dinde dans un plat à rôtir et la badigeonner d'huile de m... Assaisonner généreusement la volaille.

Faire rôtir la dinde au four à 350°F pendant 30 minutes par livre.

Percer la cuisse de la dinde, si le liquide qui en coule est clair et non r... la dinde est cuite.

Disposer la dinde sur un plat à servir et la garnir de pommes sauvage... de persil frais.

Etapes pour la préparation de la dinde farcie

1. Les ingrédients principaux.

2. Sauter l'oignon haché dans l'huile de maïs chaude.

3. Mélanger la saucisse de porc à l'oignon.

4. Hacher les pommes.

5. Ajouter les pommes hachées et les épices à la poêle.

6. Verser le lait sur la mie de pain grossièrement hachée.

7. Mettre le contenu de la poêle dans un bol et mélanger le pain trempé à la farce.

8. Casser l'oeuf dans le bol, assaisonner et incorporer.

9. Farcir la dinde.

10. Ficeler la dinde.

11. Disposer la dinde dans un plat à rôtir et la badigeonner d'huile de maïs. Faire cuire au four à 350°F.

153

Faisans à l'impériale

(pour 4 personnes)

2 faisans
1/2 tasse de carottes, émincées
1/2 tasse d'oignons, émincés
1/2 tasse de céleri, émincé
3 clous de girofle
4 c. à soupe d'huile de maïs
1 tasse de Macon Village (vin blanc sec)
3 c. à soupe de vinaigre de vin
2 tranches de citron
1/4 c. à thé de thym
1/2 c. à thé de persil, haché fin
1/4 c. à thé de sariette
sel et poivre
2 tasses de bouillon de poulet, chaud

Préchauffer le four à 300°F.
Nettoyer les faisans et les mettre de côté.
Faire chauffer 2 c. à soupe d'huile de maïs dans une sauteuse à feu vif. Ajouter les légumes et saler et poivrer. Réduire à feu doux et faire mijoter pendant 10 minutes (voir technique).
Ajouter le reste des ingrédients à la sauteuse, sauf l'huile et les faisans; bien mélanger et faire cuire pendant 12 minutes, à feu doux.

Faire chauffer le reste de l'huile dans une grande casserole allant au four, à feu vif. Ajouter les faisans et les faire dorer. Saler et poivrer.
Ajouter les légumes à la casserole; rectifier l'assaisonnement et sceller hermétiquement* la casserole.
Faire cuire au four à 300°F environ 1 heure 30 minutes.

✳ Comment sceller la casserole

Mélanger 3 c. à soupe de farine avec une petite quantité d'eau dans un petit bol, et vous obtiendrez une pâte très épaisse. Placer cette pâte tout autour de la bordure de la casserole; ensuite, fixer le couvercle. Pendant la cuisson, la pâte va durcir et scellera hermétiquement la casserole.

Pour servir, dépecer les faisans; couper les cuisses et séparer les volailles en deux.
Disposer les faisans dans un plat de service chaud, verser la sauce et les légumes dans le plat et garnir de tiges de persil frais.

154

Préparation des faisans

1. Les ingrédients. ➤

Couper le bout des ailes et nettoyer les faisans.

3. Emincer les carottes.

4. Emincer le céleri.

Emincer l'oignon.

6. Faire cuire l'oignon dans l'huile chaude 2 minutes à feu vif.

7. Ajouter le céleri et faire cuire 2 à 3 minutes.

Ajouter les carottes et faire cuire 2 à 3 minutes.

9. Verser le vin dans la sauteuse et ajouter tous les autres ingrédients de cuisson.

10. Faire dorer les faisans dans l'huile chaude.

Faisans rôtis avec pommes de terre et carottes duchesse

(pour 4 personnes)

2	faisans
	sel et poivre
	beurre

sauce

1	carotte, en dés
1	petite branche de céleri, en dés
1	petit oignon, en dés
1	tasse de vin rouge, sec
1	tasse de bouillon de boeuf, chaud
1	c. à soupe de persil
1/4	c. à thé de thym
1	feuille de laurier
	sel et poivre

Préchauffer le four à 400ºF.

Nettoyer et sécher les faisans. Saler et poivrer.

Ficeler les volailles et les mettre dans un plat à rôtir.

Badigeonner les faisans généreusement de beurre et les faire rôtir au four à 400ºF pendant 25 minutes par livre. Tourner et badigeonner les faisans fréquemment pendant la cuisson.

Disposer les faisans rôtis sur un grand plat de service. Retirer la ficelle.

Placer le plat à rôtir à feu vif. Ajouter les légumes en dés et faire cuire 1 minute.

Ajouter le vin et faire réduire de 2/3.

Ajouter le bouillon de boeuf, la feuille de laurier et les autres épices.

Amener le liquide au point d'ébullition et faire réduire de 1/3.

Passer le liquide et les légumes à la passoire, jeter les légumes et servir la sauce dans une saucière ou ver-sez-la directement sur les faisans.

Pommes de terre et carottes duchesse

3	pommes de terre
3	carottes
1	jaune d'oeuf
1	c. à soupe de beurre
3	c. à soupe de crème épaisse
	sel
	poivre blanc du moulin

Faire cuire les pommes de terre et les carottes dans de l'eau bouillante, salée, jusqu'à ce qu'elles soient tendres.

156

Technique des faisans rôtis avec pommes de terre et carottes Duchesse

1. Assaisonner généreusement les faisans avec du sel et du poivre du moulin.

2. Ficeler les volailles.

Badigeonner les faisans de beurre et les faire rôtir au four.

4. Purer les pommes de terre et les carottes dans un passe-légumes.

5. Ajouter le beurre aux légumes.

Ajouter le jaune d'oeuf et mélanger à l'aide d'une cuillère en bois.

7. Verser la crème sur les légumes et bien mélanger. Rectifier l'assaisonnement.

8. Placer le mélange de pommes de terre et de carottes dans une poche à pâtisserie et garnir le plat de service.

Foies de poulet et Bacon sur brochettes

(pour 4 personnes)

3/4   lb. de foies de poulet, nettoyés
4   tranches de bacon, coupées
        en deux
8   gros champignons
2 à 3 tranches d'ananas,
        en dés d'1"
        sel et poivre
1   petit piment vert, gros dés
        (facultatif)
4   brochettes
        quartiers de citron et persil
        frais haché, comme garniture

Plier une demi-tranche de bacon en deux et l'insérer dans une brochette, suivre d'un foie de poulet ou envelopper le foie de poulet dans la demi-tranche de bacon et l'insérer dans la brochette. Insérer un dé de piment vert.

Ensuite, mettre un morceau d'ananas, un champignon et recommencer à nouveau avec une demi-tranche de bacon. Répéter ce opération jusqu'à ce que tous ingrédients aient été insérés sur brochettes.

Assaisonner les ingrédients au g et faire cuire 8 à 10 minutes sur barbecue ou sous le "broil".

Servir sur un lit de riz blanc ou av des pommes de terre cuites sur BBQ et dans du papier d'aluminiu

---

Technique des foies de poulet et bacon sur brochettes

1. *Principaux ingrédients.*

2. *Couper la tête de l'ananas.*

3. *Faire une incision tout autour coeur de l'ananas à l'aide c couteau bien aiguisé. Retire coeur.*

4. *Couper l'écorce de l'ananas; assurez-vous que vous tranchez assez épais afin d'enlever toutes les parties d'écorce. Ensuite, trancher la base.*

5. *Couper l'ananas en tranche de 3/4" d'épaisseur.*

6. *Couper les tranches d'ananas en dés d'un pouce.*

7. *Insérer les ingrédients les brochettes.*

158

Foies de poulet aux champignons

(pour 4 personnes)

1	livre de foies de poulet, nettoyés et coupés en deux
2	c. à soupe d'oignons, hachés
1/2	livre de champignons, coupés en quatre sel et poivre
1	c. à soupe de persil, haché jus d'1/2 citron
2	c. à soupe d'huile de maïs

Faire chauffer 1 c. à soupe d'huile de maïs dans une sauteuse, à feu vif.

Lorsque l'huile commence à fumer, ajouter les foies de poulet et faire sauter 3 à 4 minutes.

Saler et poivrer.

Disposer les foies de poulet dans un plat de service chaud.

Faire chauffer le reste de l'huile dans la sauteuse, ajouter les oignons et faire cuire pendant 1 minute.

Ajouter les champignons, assaisonner avec le sel, le poivre et le persil; faire cuire 4 minutes à feu vif.

Remettre les foies de poulet dans la sauteuse, rectifier l'assaisonnement et bien mélanger.

Ajouter le jus de citron et faire cuire pendant 1 minute afin de bien réchauffer les foies de poulet.

Verser les foies de poulet aux champignons dans le plat de service et servir immédiatement.

Garniture: tige de persil

Foies de poulet aux croûtons

(pour 4 personnes)

1 1/2	lb. de foies de poulet, parés et coupés en deux
2	c. à soupe d'huile de maïs
1	tasse de croûtons, grillés
2	gousses d'ail, hachées et écrasées
1/2	lb. de champignons, boutons seulement sel et poivre
1	c. à soupe de beurre
1	c. à soupe de persil frais, haché

Faire chauffer l'huile dans une gr... de poêle à frire à feu vif. Ajouter foies à l'huile chaude, assaison... et faire sauter 2 minutes de cha... côté.

Mettre les foies de côté.

Ajouter le beurre à la poêle. A l'ap... rition d'écume, ajouter les cham... gnons, assaisonner et faire cuire 3... minutes.

Ajouter les croûtons, l'ail et le pe... bien mélanger.

Remettre les foies dans la poêle, r... langer et faire cuire 1 minute.

Disposer les foies de poulet aux cr... tons sur un plat de service chau... garnir de rondelles de citron.

les petits conseils du **chef**

Braisage: faire saisir une viande rouge ou blanche, à feu vif, dans une casserole allant au four.

Ajouter un liquide: vin rouge ou blanc bouillon de poulet, bouillon de boeuf ou tomates hachées. Couvrir et mettre le tout au four à 350°F pendant 1 1/2 heure ou selon la grosseur.

Foies de Poulet aux Piments

pour 4 personnes

- 2 c. à soupe d'huile de maïs
- 1 lb. de foies de poulet, entiers
- 2 petits oignons rouges, émincés sur la longueur
- 1 gousse d'ail, écrasée et hachée
- 1 piment rouge, émincé
- 1 piment vert, émincé
- sel et poivre

Parer les foies de poulet.

Faire chauffer 1 c. à soupe d'huile de maïs dans une sauteuse, à feu vif. Ajouter les foies de poulet à l'huile chaude et faire cuire 4 minutes. Assaisonner au goût avec le sel et poivre.

Disposer les foies de poulet cuits dans un plat de service chaud.

Faire chauffer le reste de l'huile dans une autre sauteuse. Ajouter les légumes, l'ail, sel et poivre à l'huile chaude et faire cuire 3 à 4 minutes, à feu vif. Verser les légumes sautés sur les foies de poulet et servir.

les petits conseils du chef

La cuisson du roux se fait à chaleur minimum pendant 7 à 8 minutes.

Foies de volailles aux piments

(pour 4 personnes)

1 1/2 lbs de foies de volailles, coupés en deux
1   piment vert, en gros dés
1   piment rouge, en gros dés
1   gousse d'ail, écrasée et hachée
1   petit oignon, haché
     sel et poivre
1   c. à soupe de persil
3   c. à soupe d'huile de maïs

Faire chauffer l'huile de maïs dans une poêle à frire, à feu vif. Ajouter les foies, sel, poivre et faire sauter 2 minutes de chaque côté.

Mettre les foies de côté.

Ajouter l'oignon à la poêle et faire cuire 1 minute. Retourner les foies à la poêle, mélanger et cuire 3 minutes à feu moyen.

Ajouter l'ail, les piments, sel et poivre au goût et faire cuire 3 minutes.

Parsemer de persil et servir sur un lit de riz.

Pâté de foie
de poulet simple

(Donne environ 4 tasses)

lb. de foie de poulet,
entiers
onces de veau, haché
petit oignon, haché
onces de cognac
c. à soupe de beurre
2 tasse de crème à 35%
4 tasse de beurre clarifié
c. à thé de persil, haché
gousse d'ail, écrasée
et hachée
sel et poivre

Nettoyer les foies de poulet et les mettre de côté.

Faire fondre les 2 c. à soupe de beurre dans une casserole, à feu moyen/élevé. A l'apparition d'écume, ajouter l'oignon et le veau. Saupoudrer avec le persil et saler et poivrer.

Ajouter l'ail et faire cuire 3 à 4 minutes, à feu moyen/élevé.

Mettre les foies de poulet dans la casserole; bien mélanger et faire cuire 5 minutes.

Ajouter la crème. Amener le liquide à ébullition, à feu vif et le faire réduire 3 à 4 minutes.

Placer le mélange dans votre robot culinaire ou blender et le purer.

Incorporer le beurre clarifié et le cognac. Rectifier l'assaisonnement.

Verser le pâté dans un moule à pâté. Egaliser la surface du pâté et si désiré, faire un motif à l'aide d'une spatule.

Réfrigérer jusqu'au moment de servir. Présenter le pâté garni de persil frais haché.

Poitrines de poulet à la chinoise

(pour 4 personnes)

4 poitrines de poulet
farine
sel et poivre
2 c. à soupe d'huile de maïs
1 oignon rouge, émincé
1 petite courgette, coupée en deux et émincée
1 oignon vert
1 grosse pomme de brocoli, coupée en longueur de 1"
1 c. à soupe de sauce soya
2 tasses de fèves germées
1/4 tasse de bouillon de poulet chaud
1 c. à thé l'arrowroot

Préchauffer le four à 350°F. Nettoyer le poulet à l'eau froide et bien les sécher.

Saler et poivrer le poulet; plonger le poulet dans la farine et le secouer légèrement pour enlever l'excès de farine.

Faire chauffer l'huile dans une sauteuse allant au four à feu vif. Ajouter les poitrines à l'huile chaude et les faire dorer 2 à 3 minutes de chaque côté.

Couvrir et placer la sauteuse au four pendant 17 minutes.

Disposer le poulet cuit dan[s] plat de service.

Placer la sauteuse sur le p[...] à feu vif et ajouter tous [les] légumes sauf les fèves; as[sai]sonner et faire sauter 2 m[inu]tes.

Ajouter les fèves et le liqu[...] Rectifier l'assaisonnem[ent] couvrir et faire cuire 4 min [...] à feu vif.

Retirer le couvercle épa[...] avec l'arrowroot et verser [les] légumes et la sauce sur [les] poitrines de poulet.

Poulet Chasseur

(pour 4 personnes)

Recette:

Un poulet de 4 lbs en 4 morceaux
sel et poivre
farine
2 c. à soupe de beurre (ou d'huile de maïs)
1/2 lb de champignons, coupés en 4
1 oignon d'Espagne, pelé et émincé
1/2 tasse de vin blanc sec
5 tomates fraîches, pelées et hachées
2 gousses d'ail, écrasées et hachées fin
1/4 c. à thé de thym
1/4 c. à thé de basilic
2 feuilles de laurier.

Préchauffer le four à 350°F.

Enfariner le poulet; le saler et poivrer.

Faire fondre le beurre (ou faire chauffer l'huile de maïs) dans une poêle à frire, à feu vif. Saisir le poulet et le placer dans une casserole allant au four.

Ajouter les oignons à la poêle à frire et les faire cuire pendant 2 à 3 minutes, en remuant à l'occasion. Ajouter les champignons, le thym et la basilic aux oignons; faire sauter pendant 2 à 3 minutes. Déglacer au vin blanc. Ajouter les tomates et l'ail et faire cuire pendant 2 à 3 minutes. Ajouter les feuilles de laurier et verser le tout dans la casserole. Rectifier l'assaisonnement.

Couvrir la casserole et la placer au four. Faire cuire pendant 40 à 50 minutes.

Préparation du poulet chasseur

1 Saisir le poulet dans le beurre (ou l'huile)

6 Faire sauter les champignons dans la poêle

2 Déposer le poulet dans la casserole

7 Déglacer la poêle avec le vin blanc

8 Mettre les tomates dans la poêle

3 Couper les légumes et l'ail

4 Couper les champignons

5 Hacher les tomates

9 Verser les légumes dans la casserole

La méthode de découper le poulet.

Couper la peau entre la cuisse et la poitrine. Plier la cuisse s le bas et couper autour de la ture.

2 Placer le poulet sur le côté. Tracer au couteau une ligne diagonale de la cavité avant jusqu'à la cavité arrière, en passant sous la jointure de l'aile. Séparer la poitrine en coupant avec pression forte, en suivant la ligne guide.

3 Couper le petit os à la base de la portion arrière de la poitrine avec un coup de couteau du chef. En plaçant l'extérieur de la poitrine vers la table, et les ailes vers le haut, ouvrir la poitrine à plat. Parer la chair du cartilage au centre de la poitrine.

Poulet
à l'ancienne

(pour 4 personnes)

1	poulet (3 livres), coupé en 8 morceaux
3	c. à soupe d'huile d'olive
20	petits oignons blancs
2	c. à soupe de farine
1/2	lb. de champignons, têtes seulement
	sel et poivre
5	tasses de bouillon de poulet, chaud
2	jaunes d'oeufs, battus et mélangés à 2 c. à soupe de crème épaisse
1	bouquet garni, composé de:
	1/4 c. à thé de basilic
	1/2 c. à thé de thym
	1/2 c. à thé de cerfeuil (facultatif)
	1 feuille de laurier
	1 c. à soupe de persil

Dépecer le poulet tel qu'indiqué dans la technique.

Mettre les morceaux de poulet dans de l'eau froide et amener l'eau au point d'ébullition. Egoutter et mettre le poulet de côté.

Préchauffer le four à 350°F.

Verser l'huile dans une casserole allant au four et faire chauffer à feu vif. Mélanger la farine à l'huile chaude et faire cuire le mélange 2 à 3 minutes.

Saler et poivrer les morceaux de poulet et les ajouter à la casserole.

Verser le bouillon de poulet sur les ingrédients et ajouter les oignons et les épices. Couvrir la casserole et faire cuire au four pendant 1 heure à 350°F.

Trente minutes avant que le poulet soit cuit, ajouter les champignons et rectifier l'assaisonnement.

Retirer la casserole du four et épaissir la sauce avec le mélange d'oeuf battu et de crème.

Servir avec du riz blanc.

Technique pour dépecer la volaille dans le poulet à l'ancienne

Principaux ingrédients.

Couper le cou du poulet.

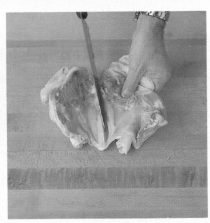

2. Couper le bout des ailes.

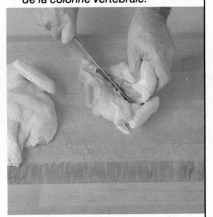

3. Couper le long de chaque côté de la colonne vertébrale.

Enlever la colonne.

5. Séparer le poulet en deux.

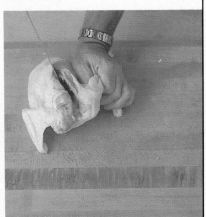

6. Couper les cuisses près de l'articulation de la poitrine.

Séparer les cuisses en deux à l'articulation.

8. Saisir la poitrine près de l'aile.

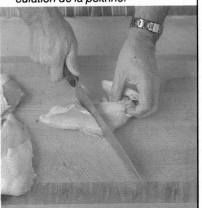

9. Séparer la poitrine en deux. Enlever la peau des morceaux de poulet.

Poulet à la bière

(pour 4 personnes)

- 1 poulet de 3 1/2 lbs
- 1 carotte, émincée
- 2 échalotes sèches ou vertes, émincées
- 1 morceau de lard salé (bacon) de 2 onces, en dés
- 1/2 lb. de champignons, entiers
- 1 c. à soupe de beurre
- 1 feuille de Laurier
- 1/2 c. à thé de thym
- 15 graines de poivre
  sel et poivre au goût
- 2 tasses de bière
- 3 c. à soupe de crème sure
- 2 onces de whisky (facultatif)

Préchauffer le four à
Couper le poulet en
sécher les morceaux
Faire fondre le lard
Ajouter le poulet au
minutes de chaque
Saler et poivrer.

Si désiré, aroser avec

Placer le poulet da
casserole allant au fo
côté.

Faire fondre le beurre
l'apparition d'écume.
épices et faire cuire 4
l'assaisonnement et
bien.

Ve
su
la
pe
Re
dis
pou
Épa
me
que
Sau

170

Préparation du Poulet à la bière

Laver et

auteuse.
dorer 8
n/élevé.

flamber.
ou une
erole de

jusqu'à
es et les
Rectifier
Mélanger

légumes
et placer
à 350°F
utes.
u four et
eaux de
service.
c la crè-
ce ainsi
e poulet.
et servir.

1
Les ingrédients.

2
Découper le poulet en commençant par les cuisses.

3
Séparer les cuisses en deux à l'articulation.

4
Couper le long de la colonne vertébrale. Vous devriez maintenant avoir 6 morceaux de poulet.

5
Saisir le poulet dans le lard salé "bacon" chaud.

6
Faire flamber le poulet doré avec du whisky.

7
Mettre les morceaux de poulet dans une cocotte ou dans une casserole allant au four. Ensuite, faire cuire les légumes et les épices 4 minutes dans la sauteuse. Ajouter la bière.

8
Verser les légumes et le liquide dans la casserole. Couvrir et faire cuire au four à 350°F.

Poulet au currie

(pour 4 personnes)

1	poulet de 3 à 4 livres, nettoyé

Bouillon au currie

2	c. à soupe de poudre de currie
2	branches de céleri, coupées en morceaux
1	oignon, coupé en quatre
1	feuille de laurier
3 ou 4	tiges de persil
	sel et poivre

Remplir une grande casserole d'eau froide. Saler et ajouter la poudre de currie, le céleri, l'oignon, la feuille de laurier, le persil et le poivre au goût.

Mélanger le tout à l'aide d'un fouet. Amener le liquide à ébullition et faire mijoter pendant 15 minutes.

Ajouter le poulet et faire cuire à feu doux environ 40 minutes dépendant de la grosseur du poulet.

Disposer le poulet sur un plat et garder chaud.

Passer le liquide de cuisson au tamis.

...ce au currie

à soupe de margarine
à soupe de poudre
 currie
à soupe de farine
sses de bouillon de
 rrie tamisé
gnon, émincé
 l et poivre
à soupe de persil, haché

 fondre la margarine dans
 casserole jusqu'à l'appari-
on d'écume.

Ajouter l'oignon et faire
cuire 2 à 3 minutes à feu
moyen.

Parsemer l'oignon
de la poudre de
currie et faire
cuire 1 minu-
te.

Ajouter la fa-
rine, bien
mélanger
et faire cui-
re 4 à 5
minutes.

Mélanger
le bouillon
de currie
aux ingré-
dients de
la casserol-
le, à l'aide
d'un fouet.
Saler, poi-
vrer et par-
semer avec le
persil.

Faire cuire la
sauce pendant 15
minutes, à feu doux.

Découper le poulet et
 servir avec la sauce au
 rrie.

 mpagner le poulet au
 e de haricots verts et de
 currie.

Technique du Poulet au currie

1. Principaux ingrédients.

Bouillon au currie

2. Ajouter l'oignon, le céleri et assaisonner l'eau.

3. Ajouter la poudre de currie et le reste des ingrédients du bouillon.

4. Ajouter le poulet.

Sauce au currie

5. Faire fondre la margarine et ajouter l'oignon.

6. Parsemer de poudre de currie.

7. Incorporer la farine.

8. Ajouter le bouillon de currie, tamisé.

Poulet
à la diable

(pour 2 à 4 personnes)

1	poulet (3 livres)
	sel
	poivre assaisonné
	huile de maïs
	paprika
1	c. à thé de persil frais, haché

Couper le poulet et le préparer.

Assaisonner le poulet au goût et faire cuire sur le barbe
pendant 40 minutes; tourner et badigeonner fréquemm
durant la cuisson.

A la mi-cuisson, parsemer le poulet de paprika au goût.

Saupoudrer le poulet cuit de persil frais et servir avec
pommes de terre BBQ et de la crème sure.

Technique du
poulet à la diable

Couper le poulet le long de la colonne vertébrale à l'aide d'un couteau du chef.

2. Couper jusqu'à ce que le poulet se sépare en deux.

3. Séparer le poulet en deux.

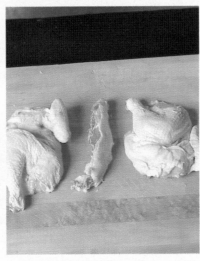

Couper et retirer la colonne vertébrale.

5. Le poulet coupé en deux sans la colonne vertébrale.

6. Faire un trou dans la chair sous la cuisse.

Insérer la patte du poulet dans le trou.

8. Parsemer le poulet de poivre assaisonné.

9. Badigeonner le poulet de tous les côtés avec de l'huile de maïs.

Technique du Poulet au gingembre

1. Principaux ingrédients.

2. Couper le poulet en morceaux et enlever la peau. Frotter les morceaux avec le gingembre et assaisonner de sel et de poivre.

3. Ajouter le poulet au beurre chaud et faire brunir 3 à 4 minutes de chaque côté, à feu vif.

4. Couvrir et faire cuire 20 minutes au four à 350°F ou sur le dessus de la cuisinière à feu doux. Ensuite, disposer le poulet dans un plateau.

5. Ajouter le concombre à la sauteuse.

6. Ajouter les champignons à la sauteuse. Incorporer le gingembre et faire cuire 2 à 3 minutes.

7. Verser le vin sur les ingrédients, assaisonner et incorporer l'arrow-root.

8. Remettre le poulet dans la sauteuse, couvrir et faire cuire pendant 10 minutes. Ensuite, incorporer la crème et servir.

(pour 4 personnes

1	poulet de 3 livres
2	c. à soupe de beurre
1/2	livre de champignons, coupés en deux
1	c. à thé de gingembre fra moulu ou de morceaux gingembre mariné
1	petit concombre, évidé et tranché épais
	sel
	poivre
1	tasse de vin blanc sec
1	c. à soupe d'arrow-root
4	onces de crème sure

garniture: des quartiers de pomme et de la lette hachée

oulet au gingembre

r le poulet en 8 morceaux et
r la peau. Frotter les mor-
avec le gingembre et assai-
r généreusement de sel et
vre.

fondre le beurre dans une
se, à feu vif. A l'apparition
ne, ajouter les morceaux de
et faire brunir 3 à 4 minutes
aque côté.

te, couvrir la sauteuse et
cuire le poulet pendant 20

minutes,* à feu doux. Disposer le
poulet dans un plateau.

Ajouter le concombre, les champignons et les morceaux de gingembre. Faire cuire le mélange 2 à
3 minutes, à feu vif.

Verser le vin sur les ingrédients,
rectifier l'assaisonnement et incorporer l'arrow-root.

Remettre les morceaux de poulet
dans la sauteuse, couvrir et faire

cuire 10 minutes, à feu doux. Enlever le couvercle et incorporer la
crème sure.

Disposer le poulet au gingembre
sur un plateau de service et garnir
avec les quartiers de pomme et la
ciboulette hachée.

*Vous pourriez également faire cuire le
poulet dans un four préchauffé à 350°F
pendant 20 minutes. Assurez-vous
alors que votre sauteuse ou casserole
est à l'épreuve du four.

Poulet à la Kiev

(pour 4 personnes)

2	grosses poitrines de poulet
	sel
	poivre du moulin
8	tranches de beurre d'ail*
3	oeufs
1	c. à soupe d'huile de maïs
1	tasse de farine
2	tasses de chapelure

Une friteuse contenant de l'huile de maïs, chauffée à 350°F.

Préparer les poitrines de poulet tel qu'indiqué dans la technique de la page 5.

Battre les oeufs et l'huile de maïs.

Plonger les morceaux de poulet, un à la fois, dans la farine, dans les oeufs battus et ensui dans la chapelure.

Plonger les morcea de poulet dans l'hui chaude et faire cui jusqu'à ce qu'ils soie dorés.

Retirer la ficelle et ser avec des pommes terre frites.

Technique du
Poulet à la Kiev

Ouvrir les poitrines de poulet.

2. Séparer les poitrines en deux.

3. Couper l'os de la poitrine à la jointure.

Plier la poitrine et retirer l'os de la poitrine doucement en grattant, à l'aide d'un couteau, et en tirant de l'autre main.

5. Enlever l'os.

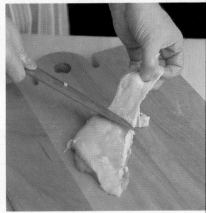

6. Retirer la peau.

Placer la poitrine de poulet sur une feuille de papier ciré avec l'os vers l'extérieur de la feuille.

8. Plier la feuille de papier ciré en deux et aplatir la poitrine avec le plat d'un couperet.

9. Saler et poivrer les morceaux de poulet. Placer une tranche de beurre d'ail sur chaque morceau de poulet. Rouler le poulet et le retenir avec de la ficelle.

Poulet Maryland

1	poulet (3 lb), coupé en 8 morceaux
	sel
	poivre du moulin
3	oeufs, battus avec
	1 c. à soupe d'huile de maïs
1	tasse de farine
1 1/2	tasse de chapelure
3	c. à soupe de beurre
1/2	tasse de crème mélangée à
	2 c. à soupe de beurre fondu
1	c. à thé de persil, haché

Préchauffer le four à 325°F.
Laver le poulet et bien le sécher avec des serviettes de papier.
Saler et poivrer les morceaux de poulet.

Plonger le poulet dans la farine, les oeufs battus et la chapelure.

Faire fondre le beurre dans une poêle allant au four, à feu vif. A l'apparition d'écume, ajouter les morceaux de poulet et faire brunir 8 minutes de chaque côté.

Badigeonner le poulet avec le mélange de crème et faire cuire au four à 325°F pendant 30 minutes ou jusqu'à ce que les plus gros morceaux soient tendres lorsque piqués avec une fourchette. Tourner occasionnellement les morceaux de poulet durant la cuisson.

Parsemer de persil et servir avec des zucchini sautés.

Poulet rôti

(pour 4 à 6 personnes)

**poulet de 4 livres
oignon
sel et poivre
beurre**

SAUCE

**oignon, haché
sel et poivre
c. à soupe de persil
haché
tasse de bouillon
de poulet chaud**

durant la cuisson.

Enlever la ficelle et disposer le poulet sur un plat de service.

Mettre le plat à rôtir à feu vif. Ajouter l'oignon et le faire brunir 2 à 3 minutes.

Verser le bouillon de poulet dans le plat à rôtir, bien mélanger et ajouter le persil, sel et poivre. Faire cuire la sauce 1 minute.

Verser la sauce sur le poulet et accompagner de choux de bruxelles.

Préchauffer le four à 350ºF.

Laver et bien sécher l'intérieur et l'extérieur du poulet.

Saler et poivrer l'intérieur du poulet. Mettre l'oignon à l'intérieur et ficeler le poulet.

Badigeonner la volaille avec du beurre et assaisonner généreusement.

Placer le poulet dans un petit plat à rôtir.

Faire cuire le poulet au four à 350ºF pendant 30 minutes la livre. Tourner et badigeonner occasionnellement le poulet

Poulet de t

(pour 4 personnes)

1	poulet (3 livres), désossé
1	oignon rouge
1/2	chou chinois
1	petit piment vert
1	petit piment rouge
2	c. à soupe d'huile de maïs
1/4	c. à thé de thym
1/4	c. à thé de basilic
1/4	c. à thé de persil, haché
	sel
	poivre du moulin

sosser et enlever la
oulet. Couper les
poulet en lanières.
couper les légumes.

er l'huile de maïs
auteuse, à feu vif.
lanières de poulet,
au goût et faire cuire

gumes et les épices.
mélange 4 minutes.
aisonnement.

le poulet de tous
urs sur un plat de
rvice et servir
avec du riz
blanc.

Préparation des ingrédients pour le Poulet de tous les jours

1. *Ingrédients de base.*

2. *Désosser, enlever la peau et couper le poulet en lanières.*

3. *Séparer le chou chinois en deux.*

4. *Emincer le chou.*

5. *Couper le piment vert.*

6. *Emincer le piment vert.*

7. *Couper et émincer le piment rouge.*

8. *Emincer l'oignon rouge.*

Poulet vol-au-vent

(pour 4 personnes)

1	poulet (3 livres), bouilli, ou des restes (1 lb.) de poulet
2	c. à soupe de beurre
1/2	lb. de champignons, boutons seulement
1	échalote sèche ou oignon vert, émincé sel et poivre
2	c. à soupe de liqueur Irish Mist
1 1/2	tasse de crème épaisse
1	c. à soupe de fécule de maïs mélangée à 1 c. à thé d'eau froide
1	c. à thé de persil haché une pincée de paprika
1	piment vert moyen, coupé en carrés d'1"
1	piment rouge moyen, coupé en carrés d'1"
4	gros vol-au-vent

Enlever la peau, désosser et couper le poulet en gros dés.

Faire fondre 1 c. à soupe de beurre dans une casserole à feu moyen/élevé jusqu'à l'apparition d'écume. Ajouter l'échalote sèche ou l'oignon vert et faire cuire 1 minute. Ajouter les champignons et faire cuire 2 à [?] minutes.

Ajouter la liqueur et le poulet.

Incorporer la crème, assaisonner au goût e[t] faire cuire 5 à 6 minutes, à feu moyen.

Epaissir la sauce avec le mélange de fécul[e] de maïs et garder chaud.

Dans une autre casserole, faire fondre l[e] reste du beurre à feu vif jusqu'à l'apparitio[n] d'écume. Ajouter le piment rouge et le p[i]ment vert, assaisonner et faire cuire 2 à [?] minutes.

Verser les légumes dans le mélange d[e] poulet; bien mélanger. Parsemer de pers[il] et de paprika.

Pour servir, verser le mélange sur les vo[l-] au-vent.

Poitrines de poulet BBQ

(pour 4 personnes)

petites poitrines de poulet
(environ 3 livres), nettoyées
c. à soupe de ketchup
c. à soupe de sauce chilli
c. à soupe de miel
quelques gouttes de sauce
Worcestershire
sel et poivre
Garniture: pommes cuites sur
le barbecue

Badigeonner les poitrines de poulet avec la sauce

Mélanger tous les autres ingrédients et assaisonner au goût.

Badigeonner les poitrines de poulet avec le mélange de sauce.

Mettre les poitrines de poulet sur le barbecue et faire cuire 4 minutes.

Tourner le poulet et badigeonner à nouveau avec la sauce. Continuer de faire cuire la volaille pendant 10 à 12 minutes selon la grosseur des poitrines.

Préparer votre barbecue.

Désosser les poitrines de pou-

let et enlever la peau. Saler et poivrer généreusement.

Badigeonner occasionnellement durant la cuisson.

POISSONS ET CRUSTACÉS

NOTES

Cette poêle à bon marché est fabriquée d'aluminium, revêtue de teflon; elle est disponible dans tous les grands magasins.

— La truite

La truite congelée devrait toujours être dégelée avant la cuisson. Si vous n'avez pas le temps de dégeler la truite au réfrigérateur, la dégeler à l'eau froide courante. Bien nettoyer et assécher la truite, ainsi qu'assaisonner la cavité avant de la faire cuire.

Il est préférable de passer à la farine assaisonnée de sel et de poivre tous les poissons que l'on veut faire griller ou sauter au beurre.

— Épices et condiments

Persil
Oignon vert
Fenouil

Citron — Il est préférable d'utiliser du citron frais; si on n'en a pas, on peut aussi utiliser le jus de citron vendu dans toutes les épiceries.

— Croutons

Pour préparer 2 tasses de croutons, couper du pain français vieux d'un jour en cubes. Placer les morceaux de pain dans une plaque à biscuits huilée et faire cuire au four, à 400°F, jusqu'à ce qu'ils soient dorés. Faire chauffer 2 c. à soupe d'huile de maïs dans une sauteuse. Ajouter les croutons, 3 gousses d'ail hachées et 1 c. à soupe de persil haché et faire cuire à feu élevé pendant 1 à 2 minutes, en remuant.

Brochettes de langoustines

(pour 4 personnes)

32 langoustines
32 têtes de champignons
4   tranches de beurre à l'ail
    (voir semaine no 17)
1   c. à soupe de persil haché
    beurre
    sel et poivre
4   brochettes de 12''
    rondelles de citron

Nettoyer les langoustines, tel qu'indiqué.
Préchauffer le four à "broil".
Plier une langoustine en deux et l'insérer dans une brochette, faire suivre d'un champignon.

Répéter ce procédé jusqu'à ce que toutes les langoustines et les champignons aient été partagés sur les 4 brochettes.
Disposer les brochettes dans un plat allant au four. Badigeonner généreusement les ingrédients de beurre et les saler et poivrer au goût.
Faire cuire 4 minutes de chaque côté au four à "broil".
Parsemer de persil.
Pour servir, placer une tranche de beurre à l'ail sur chacune des brochettes de langoustines et garnir avec des rondelles de citron.

1. *Langoustines crues.*

2. *Couper les langoustines chaque côté avec une pair ciseaux.*

3. *Retirer les crustacés de écailles.*

les petits conseils du **chef**
La meilleure façon de conserver votre beurre au réfrigérateur est de l'envelopper dans du papier aluminium en prenant soin d'éviter le contact de l'air.

Cocktail de crevettes

(pour 4 personnes)

2 lbs de crevettes, cuites*
décortiquer et enlever les veines

SAUCE WEISER
3/4 tasse de mayonnaise
2 c. à soupe de ketchup
1 c. à soupe de sauce chili
quelques gouttes de sauce Worcestershire
1 c. à soupe de whisky
1 c. à thé de persil
sel et poivre

Bien mélanger tous les ingrédients de la sauce dans un bol. Mettre la sauce de côté.
Au préalable, préparer les crevettes. Etant donné qu'il existe plusieurs grosseur de crevettes, je vous suggère pour cette recette d'utiliser la grosseur 18 à 24 crevettes par livre.
Nettoyer les crevettes à l'eau froide;
Plonger les crevettes dans une grosse casserole remplie d'eau froide salée;
porter le liquide au point d'ébullition, à feu vif et faire cuire pendant 2 minutes;
rafraîchir immédiatement les crevettes à l'eau froide.
Disposer les crevettes dans des petits bols de service individuels et garnir de rondelles de citron et de persil frais.
Servir avec la sauce Weiser.
* Une autre façon serait d'utiliser des crevettes Labrador. Celles-ci sont très petites 100 à 125 livre. Suivre la méthode de cuisson indiquée sur l'emballage.
  Pour servir, mélanger les crevettes Labrador directement à la sauce Weiser et disposer dans des coquilles St-Jacques.

Coquille St-Jacques

(Pour 4 personnes)

Recette:

1 1/2 lb de pétoncles dégelées
1/2 tasse de vin blanc sec
3 échalotes sèches hachées fin
1/2 lb de champignons nettoyés et tranchés
jus de 1/2 citron
1/4 c. à thé de fenouil
1 c. à soupe de persil frais

1/2 c. à thé de thym
1 feuille de laurier
sel et poivre au goût
2/3 tasse de crème 35% *
3 c. à soupe de beurre manié *
(2 c. à soupe de beurre mélangé à 1 c. à s
   de farine)
2/3 tasse de fromage gruyère râpé

1 Préparer les ingrédients.
2 Beurrer la poêle à frire.
3 Placer le vin, les pétoncles, les échalotes, les champignons et les herbes dans la poêle. Saler, poivrer et ajouter le jus de citron.
4 et 5 Couper une feuille de papier ciré d'un diamètre un peu plus grand que celui de la poêle. Beurrer un côté du papier ciré et presser le côté beurré sur la surface des ingrédients dans la poêle.
6 Placer la poêle au-dessus d'un feu élevé. Lorsque le liquide commence à bouillir, enlever la poêle

du feu et laisser reposer pendant 15 minutes. Retirer les pétoncles cuites de la poêle et les mettre de côté. Remettre la poêle sur le feu et faire réduire le liquide à feu élevé pendant 2 à 3 minutes.
7 Ajouter la crème au liquide et incorporer le beurre manié à la sauce à feu élevé. Rectifier l'assaisonnement.
8 Mélanger la sauce aux pétoncles et verser dans des coquilles beurrées.
Préchauffer le four à "broil".
Parsemer les coquilles de froma-

ge. Placer au four, à environ d
l'élément supérieur, et faire g
jusqu'à ce que le fromage so
ré.

* On peut aussi préparer la Co
le St-Jacques avec de la s
béchamel. Dans ce cas, élimin
crème et le beurre manié de
cette et les remplacer par 1 t
de sauce béchamel. Elin
l'étage 7 et la remplacer pa
directives suivantes: mélang
sauce béchamel au liquide ré

Préparation de la coquille St-Jacques

1 *Assembler les ingrédients*

3 *Placer le vin, les pétoncles, les échalotes, les champignons et les herbes dans la poêle.*

... la poêle

4 *Beurrer le papier ciré*

...vrir les ingrédients du papier

6 *Retirer les pétoncles cuits de la poêle.*

7 *Epaissir la sauce avec le beurre manié.*

8 *Parsemer de fromage et faire griller au four.*

—Herbes
   Le fenouil, le persil, le thym et le
   laurier
—L'oignon
   Celui que je préfère utiliser est l'oi
   gnon d'Espagne. Il coûte peut-être
   un peu plus cher, mais il a un goû
   plus fin.
Pour peler les oignons sans pleurer
les réfrigérer pendant quelques heu
res avant de les peler.

La coquille naturelle coûte peu cher
On peut préparer la coquille St-Jac
ques et la congeler dans la coquille
naturelle.

La coquille de faïence se trouve dans
les boutiques spécialisées.

Le passe-légumes est un ustensile
des plus pratiques. Il est utilisé pour
passer et épaissir tous les potages de
légumes. On s'en sert également
pour épaissir les sauces avec les
légumes de cuisson, une technique
utilisée dans la nouvelle cuisine. La
taille moyenne est la plus pratique.

Crevettes à la chinoise

(pour 4 personnes)

livre de crevettes cuites, nettoyées
et décortiquées
petit concombre, sans pépins et coupé en dés
tomate, coupée en quartiers
branches de céleri, coupées en dés
piment doux vert, en dés
piment doux rouge, en dés
oignon, en dés
c. à soupe de persil frais, haché
sel et poivre
c. à soupe d'huile de maïs

Faire chauffer l'huile dans une grande poêle à frire. Ajouter les crevettes et faire cuire 2 minutes, à feu vif.

Disposer les crevettes dans un plat de service, chaud.

Ajouter les légumes coupés en dés à la poêle, assaisonner au goût et faire cuire 3 à 4 minutes.

Disposer les légumes dans le plat de service.

Ajouter les quartiers de tomates, assaisonner et mélanger. Saupoudrer de persil et servir.

Crevettes de Matane

pour 4 personnes

1/2 lb. de crevettes de matane
1/2 lb. de champignons, émincés
1 c. à soupe de beurre
1 échalote sèche, hachée
1/2 tasse de vin blanc, sec
1/2 tasse de crème à 35%
1/4 c. à thé d'estragon
sel et poivre
1 beurre manié*

Faire fondre le beurre dans une sauteuse, à feu vif. A l'apparition d'écume, ajouter les champignons, sel et poivre et faire cuire 3 à 4 minutes.

* Beurre manié — mélanger 2 c. à soupe de beurre, ramolli, à 1 c. à soupe de farine.

Ajouter l'échalote et l'estrago faire cuire 1 minute.
Verser le vin sur les ingrédie et faire réduire 3 à 4 minutes feu vif.
Incorporer la crème et épaiss sauce avec le beurre manié; mélanger à l'aide d'un fouet qu'à ce que le beurre manié fondu.
Ajouter les crevettes et faire cuire 2 à 3 minutes, à feu moyen/élevé.
Rectifier l'assaisonnement.
Verser le mélange dans un p de service. Garnir les crevet tes de matane de rondelles d citron.

Crevettes de Pâques avec sauce brandy

(pour 4 personnes)

- **1** lb. de crevettes crues, grosseur 21 à 25
- **4** tasses d'eau froide
  le jus d'1/2 citron
  sel
  rondelles de citron

Plonger les crevettes dans une casserole contenant l'eau, le sel et le jus de citron.

Amener l'eau au point d'ébullition et faire cuire les crevettes 3 à 5 minutes. Rafraîchir les crevettes à l'eau froide.

Nettoyer les crustacés tel qu'indiqué et les servir avec la sauce brandy et les rondelles de citron.

Sauce brandy

- **1/2** tasse de mayonnaise
- **1/2** tasse de crème sûre
- **1** c. à soupe de ketchup
- **1** c. à soupe de brandy
- **1** c. à soupe d'échalote sèche, hachée
  sel et poivre

Mélanger tous les ingrédients et verser la sauce dans un plat de service.

Technique pour nettoyer et faire cuire les crevettes

...er les crevettes dans ...casserole contenant ...au froide, du sel et du ... citron. Amener l'eau ...llition et faire cuire les ...tes 3 à 5 minutes.

2. Rafraîchir les crevettes à l'eau froide et les décortiquer.

3. Faire une incision le long du dos des crevettes avec un couteau bien aiguisé.

4. Rincer les crustacés à l'eau froide afin d'enlever les veines.

Crevettes Provençales

Recette:

2 lbs de crevettes cuites, décortiquées et nettoyées
2 c. à soupe d'huile de maïs
1 boîte de 28 onces de tomates
égouttées et hachées
2 gousses d'ail écrasées et hachées fin
1/2 c. à thé d'estragon
1/2 c. à thé d'origan
sel et poivre
2 c. à soupe de beurre
1 c. à soupe de persil frais.

Faire chauffer l'huile dans une casse
moyenne, à feu vif. Ajouter les toma
l'ail, l'estragon et l'origan. Réduire à
moyen et faire cuire 9 à 10 minutes, s
couvercle, en remuant à l'occasion.
Saler et poivrer.

Dans une sauteuse, faire fondre le be
à feu vif. Ajouter les crevettes et les
sauter 2 minutes, sans couvercle, er
muant fréquemment.

Incorporer la sauce de tomate aux cre
tes et rectifier l'assaisonnement.

Garnir de persil frais.

Cuisses de grenouille à la provençale

(pour 4 personnes)

- cuisses de grenouille (3 onces) ou
- 32 petites cuisses de grenouille
- farine
- c. à soupe de beurre
- c. à soupe d'huile de maïs
- c. à soupe de beurre d'ail
- sel et poivre
- le jus d' 1/4 de citron
- c. à thé de persil, haché
- rondelles de citron comme garniture

Préchauffer le four à 400°F. Nettoyer les cuisses de grenouille à l'eau froide et les sécher. Plier les cuisses de grenouille tel qu'indiqué.

Saler et poivrer les cuisses de grenouille et les enduire légèrement de farine.

Faire chauffer le beurre et l'huile de maïs dans une sauteuse à feu moyen.

Ajouter les cuisses de grenouille et les faire brunir 4 minutes de chaque côté.

Disposer les cuisses de grenouille brunies dans un plat de service allant au four.

Dans une autre poêle faire fondre le beurre d'ail à feu moyen. Ensuite, ajouter le persil et le jus de citron.

Verser la sauce à l'ail sur les cuisses de grenouille et placer le plateau au four à 400°F. pendant 35 minutes.

1. *Pour croiser les cuisses de grenouille, faire une incision entre la chair et l'os de la partie inférieure d'une des cuisses. Ensuite, insérer l'autre cuisse dans l'incision.*

2. *Les cuisses non cuites.*

Garnir avec des rondelles de citron et servir.

Les petits conseils du chef

Pour éviter le brunissement sur la surface coupée des fruits, il suffit de les arroser de jus de citron.

Darnes de saumon maître d'hôtel

(pour 4 personnes)

4 **Darnes de saumon**
1 **c. à soupe de beurre**
1 **c. à soupe d'huile de maïs**
  sel
  poivre du moulin
4 **tranches de beurre maître d'hôtel**

Préchauffer le four à "broil". Faire chauffer l'huile et le beurre ensemble dans une grande poêle à frire, à feu moyen/élevé.

Ajouter le saumon et faire cuire 7 à 8 minutes de chaque côté. Saler et poivrer. Disposer les darnes dans un plat de service allant au four et placer une tranche de beurre maître d'hôtel sur chaque tranche. Faire fondre le beurre au four à broil. Servir les darnes de saumon avec des rondelles de citron et accompagner de choux de Bruxelles ou petits oignons glacés.

▲ Saumon cru

▼ Les darnes de saumon maître d'hôtel

Beurre maître d'hôtel

(donne 1/2 livre)

1/2 lb de beurre ram‹
2 c. à soupe de pe‹ frais, haché
1 c. à thé de cibou‹ te, haché fin
  jus d' 1/2 citron
  sel et poivre
  quelques gouttes sauce Worcest‹ shire
  quelques gouttes sauce Tabasco

Mélanger tous les grédients dans un à mélanger.
Verser le mélar sur une feuille papier d'aluminiu Plier la feuille deux et rouler. S‹ ler le papier aux trémités.
Ce beurre se c serve 3 mois c gelé.

Doré aux fines herbes

(pour 4 personnes)

filets de doré
c. à soupe d'huile de maïs
c. à soupe de beurre
c. à soupe de persil, haché
c. à soupe de cerfeuil
c. à thé de ciboulette
sel et poivre
le jus d'1/2 citron

Faire chauffer l'huile dans une poêle à frire. Lorsque l'huile deviendra très chaude, ajouter les filets et faire cuire 3 minutes de chaque côté, à feu vif. Saler et poivrer au goût.
Disposer le poisson sur un plat de service chaud.

Faire fondre le beurre dans la poêle à frire, ajouter les fines herbes et faire cuire pendant 1 minute. Arroser avec le jus de citron et verser le mélange sur les filets de doré.
Servir immédiatement.

Pour empêcher les fonds d'artichaut de noircir, il faut les faire mariner dans le jus de citron.

201

Technique des Darnes de saumon à la marseille

1. Assaisonner les darnes avec la coriandre.

2. Trancher le piment vert.

3. Emincer les tranches de [p]
vert.

4. Couper les tomates en quartiers et hacher les échalotes vertes.

5. Les ingrédients prêts pour la cuisson.

6. Faire cuire le saumon dans
chaude pendant 4 à 5 minu[
chaque côté, à feu moyen/e[

7. Disposer les darnes de saumon dans un plat de service et garder chaudes dans le four à 150°F.

8. Faire chauffer le reste de l'huile, ajouter les tomates et assaisonner au goût.

9. Ajouter l'ail, les échalote[
piment vert et faire cuire 3 [
tes. Incorporer le jus de citro[

arnes de saumon à la marseille

(pour 4 personnes)

darnes de saumon
grosses tomates, pelées et coupées
en quartiers
gousses d'ail, écrasées et hachées
échalotes vertes, hachées
piment vert, émincé
graines de coriandre, écrasées
c. à soupe de jus de citron
c. à soupe d'huile de maïs
sel et poivre au goût
niture: tiges de persil et zeste de citron

chauffer le four à 150°F.

aisonner les darnes de saumon avec la
ndre, le sel et le poivre au goût.

e chauffer 1 c. à soupe d'huile de maïs
s une sauteuse. Ajouter les darnes à
e chaude et les faire cuire 4 à 5
utes de chaque côté, à feu
en/élevé.

oser le poisson dans
lat de service et gar-
chaud dans le four.

Faire chauffer le reste de l'huile dans la sauteuse. Ajouter les tomates, assaisonner au
goût et faire cuire 1 minute.

Ajouter l'ail, les échalotes, le piment vert et
faire cuire les ingrédients 3 minutes, à feu
moyen/élevé.

Incorporer le jus de citron et rectifier l'assaisonnement.

Retirer les darnes de saumon du four et verser le mélange de légumes dans le plat de
service.

Garnir avec le persil frais
et le zeste de citron.

Eperlans frits

(pour 4 personnes)

1 lb. d'éperlans,
dégelés
sel et poivre

2 tasses de farine,
assaisonnée

3 oeufs, légèrement
battus avec

1 c. à soupe d'huile de
maïs

2 tasses de chapelure

Une friteuse contenant de l'huile de maïs chauffée à 350°F.
Sécher les éperlans et les assaisonner au goût de sel et poivre.
Mettre la farine, les oeufs et la chapelure dans 3 bols séparés.
Plonger chaque éperlan dans la farine, les oeufs et la chapelure. Répéter cette opération jusqu'à ce que tous les éperlans aient été bien enduits.
Plonger les éperlans dans l'huile chaude et les faire cuire jusqu'à ce qu'ils soient bien dorés.
Servir avec des quartiers de citron.

les petits conseils du **chef**

Les recettes de plats au gratin sont: des légumes, des viandes ou des poissons liés à une sauce et saupoudrer de fromage ou de chapelure.

Escargots à la provençale sans coquille

(pour 4 personnes)

1 boîte (2 douzaines) d'escargots
3 gousses d'ail, écrasées et hachées
1 c. à soupe de persil, haché
1 c. à soupe de ciboulette, hachée
4 c. à soupe de beurre
   ou margarine
   jus d'1/2 citron
2 c. à soupe de
   mie de pain
   sel et poivre

Préchauffer le four à broil.

Faire fondre le beurre ou la margarine dans une poêle, à feu moyen.

A l'apparition d'écume, ajouter les escargots et faire cuire 2 minutes. Saler et poivrer.

Ajouter tous les autres ingrédients, sauf la mie de pain et le citron, et faire cuire 3 à 4 minutes, à feu vif.

Disposer les escargots dans un plat allant au four, parsemer de mie de pain et arroser avec le jus de citron.

Placer les escargots à la provençale sous le broil pendant 3 minutes et servir.

Garniture: rondelles de citron.

Filets de perche aux tomate

Filets de perche non-cuits

pour 4 personnes

8 filets de perche
sel et poivre

5 tomates, pelées *
  et hachées

2 gousses d'ail, écrasées et
  hachées

3 c. à soupe d'huile de maïs

1 échalote sèche, hachée

1/4 c. à thé de fenouil

Faire chauffer la moitié de l'huile dans une sauteuse, à
vif. Saler et poivrer les filets et les ajouter à l'huile chau
Faire cuire le poisson 3 minutes, le retourner et le faire
re 2 minutes.

Simultanément, faire chauffer le reste de l'huile dans
autre sauteuse, à feu vif. Ajouter les tomates à l'huile ch
de, assaisonner au goût et incorporer l'ail, l'échalote e
fenouil. Faire cuire le mélange 5 minutes.

Disposer les filets de perche sur un plat de service chau
verser les tomates sur les filets.

Si désiré, garnir le plat de quartiers de citron.

* Afin de peler des tomates facilement, plongez les pen
  30 secondes dans l'eau bouillante avant de les peler.

206

Filet de perche amandine

(pour 4 personnes)

8 filets de perche
Farine
Sel et poivre
2 c. à soupe d'huile de maïs
2 c. à soupe de beurre
3 c. à soupe d'amandes effilées
1 c. à thé de persil, haché
1 c. à soupe de jus de citron

Nettoyer les filets à l'eau froide et les égoutter. Assaisonner.

Plonger les filets dans la farine et secouer légèrement pour enlever l'excès de farine.

Faire chauffer l'huile de maïs dans une poêle à frire (approximativement 12'' de diamètre). Ajouter les filets à l'huile chaude et faire cuire à feu moyen 3 à 4 minutes de chaque côté.

Disposer les filets de perche sur un plat de service chaud.

Faire fondre le beurre dans la poêle jusqu'à l'apparition d'écume. Ajouter les amandes et faire cuire 1 à 2 minutes.

Ajouter le persil et le jus de citron.

Verser cette sauce sur les filets de perche. Servir garni de rondelles de citron et de persil frais.

Filets de sole frits

(pour 4 personnes)

1 lb de filets de sole
2 oeufs, battus avec 1 c. à
   soupe d'huile de maïs
1/2   tasse de farine
1 1/2 tasse de chapelure
sel et poivre

Remplir la moitié d'une friteuse avec de l'huile de maïs. Faire chauffer l'huile.

Couper les filets de sole en lanière d'un pouce de largeur. Assaisonner au goût.

Mettre la farine, les oeufs et la chapelure dans trois bols séparés.

Plonger chaque lanière de filet de sole dans la farine, les oeufs et la chapelure. Rép cette opération jusqu'à ce que toutes le nières aient été bien enduites.

Plonger les lanières dans l'huile de maï faire cuire jusqu'à ce qu'elles soient bier rées.

Servir avec une sauce tartare

Sauce tartare

(pour 4 personnes)

3   c. à soupe de votre mayonnaise
   préférée
2   cornichons de grosseur moyenne,
   hachés fin
sel et poivre

1   c. à soupe de jus de citron

Mélanger tous les ingrédients ensembl rectifier l'assaisonnement.
Servir sur des feuilles de laitue.

208

Flétan à l'orientale

(pour 4 personnes)

4 tranches de flétan (6 onces)
  sel et poivre
2 c. à soupe d'huile de maïs
1 c. à soupe de beurre ou margarine
1 piment vert, émincé
1 piment rouge, émincé
2 oignons verts, émincés
1/2 c. à thé de persil, haché
1/4 c. à thé de fenouil

Bien nettoyer les tranches de flétan. Saler et poivrer.

Faire chauffer l'huile de maïs dans une grande poêle à frire à feu vif. Ajouter le poisson à l'huile chaude; réduire à feu moyen et faire cuire 4 minutes de chaque côté.

Disposer le flétan dans un plat de service.

Faire fondre le beurre dans la poêle à feu vif jusqu'à l'apparition d'écume. Ajouter les légumes, le fenouil, le persil, le sel et le poivre et faire cuire 4 minutes.

Verser les légumes sur les tranches de flétan et servir.

Les petits conseils du chef

Le roux est le mélange d'un corps gras et de farine. Il se conserve cuit, dans un contenant hermétique, pendant 2 à 3 semaines au réfrigérateur et pendant 2 à 3 mois au congélateur.

Filets de sole
dans l'aluminium
(pour 4 personnes)

4	filets de sole sel et poivre poivre de citron au goût le jus d'un citron	2	échalotes vertes, hachées
		1	branche de céleri, haché
1	c. à soupe de persil frais, haché	2	c. à soupe de margarine
		1	grande feuille de papier aluminium

Plier les filets de sole en deux et les disposer dans la feuille de papier aluminium. Assaisonner de sel, de poivre et de poivre de citron. Arroser avec le jus de citron et parsemer de persil.

Mettre les échalotes et le céleri sur les filets et placer le morceau de margarine au centre.

Sceller les filets dans le papier et faire cuire sur le barbecue pendant 15 minutes.

Servir les filets de sole avec des petites tomates sautées.

Tomates "cerises"
sautées

(pour 4 personnes)

16	petites tomates "cerises"
1	c. à soupe de beurre sel et poivre
1	c. à soupe de persil, haché

Faire fondre le beurre dans une poêle à frire, à feu vif, jusqu'à l'apparition d'écume.

Ajouter les tomates, assaisonner au goût et faire cuire 3 à 4 minutes. Parsemer de persil et servir avec les filets de sole.

Note: Si votre grille à barbecue est très large, vous pourriez faire sauter les tomates sur le barbecue en même temps que les filets.

Technique des filets de sole dans l'aluminium

Principaux ingrédients

2. Plier les filets en deux et les disposer dans la feuille d'aluminium; éviter de superposer les filets.

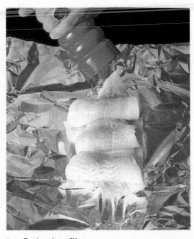

3. Saler les filets.

Ajouter le jus de citron.

5. Généreusement poivrer les filets.

6. Parsemer avec le persil.

Ajouter les échalotes et le céleri hachés.

8. Mettre la margarine sur les filets.

9. Sceller le poisson dans la feuille d'aluminium. Si vous désirez préparer le poisson à l'avance, vous pourriez à cette étape, placer le tout au réfrigérateur pendant 2 heures. Ensuite, faire cuire sur le barbecue.

Flétan à la péruvienne

(pour 4 personnes)

2	livres de flétan
1	oignon, émincé
	sel et poivre
1	c. à soupe de beurre
1	(28 onces) boîte de tomates, égouttées et hachées
1	c. à thé de persil, haché
1/2	tasse de vin blanc sec, tel que Macon Village

Faire fondre le beurre dans une poêle à frire jusqu'à l'apparition d'écume.

Ajouter l'oignon et faire cuire 2 minutes.

Ajouter le flétan, saler et poivrer au goût.

Réduire à feu moyen et ajouter les tomates. Saupoudrer de persil.

Verser le vin sur les ingrédients et couvrir la poêle.

Faire cuire le flétan 5 minutes de chaque côté.

Disposer le flétan sur un plat de service chaud et faire réduire la sauce 5 à 6 minutes à feu vif.

Rectifier l'assaisonnement et verser le mélange sur le poisson.

les petits conseils du **chef**

Le bouillon de volaille est préparé avec une poule ou des os de volaille.

212

Flétan cuit dans l'aluminium

(pour 4 personnes)

2   steaks de flétan
    sel et poivre
    le jus d'un citron
1   c. à soupe de beurre
1   c. à soupe de persil haché
1   échalote verte, hachée
4   champignons, nettoyés et tranchés
1   grande feuille de papier aluminium
    Garniture: rondelles de citron et tiges
    de persil

Disposer les steaks de flétan dans le papier aluminium et ajouter les échalotes et les champignons. Saler et poivrer au goût.

Mettre le beurre sur les ingrédients et arroser avec le jus de citron. Parsemer avec le persil.

Sceller le poisson dans le papier et faire cuire 20 minutes sur le barbecue.

Accompagner le flétan d'épis de blé d'Inde et d'une salade.

Homard
à la crème

(pour 4 personnes)

2	homards (1 1/2 lb.), cuits
1	c. à soupe de beurre
1	c. à soupe d'échalotes
	sèches, hachées
	paprika au goût
1/2	lb. de champignons, têtes
	seulement
3	c. à soupe de vin blanc, sec
1	tasse de crème épaisse
2	oeufs, battus et
	mélangés à
	2 c. à soupe de crème
	épaisse
1	c. à thé de fécule de maïs
	mélangée à
	1 c. à thé d'eau
	sel et poivre au goût

Plonger les homards vivants, un à la fois, dans une marmite remplie au trois-quart d'eau salée, bouillante et, faire cuire les homards 17 minutes. Refroidir les homards à l'eau courante.

Retirer la chair de la queue, des pinces et du corps des homards. Couper la chair de homard en morceaux de 3/4'', en biais.

Faire fondre le beurre dans une casserole à feu vif jusqu'à l'apparition d'écume. Ajouter la chair d'homard et les échalotes; faire cuire 2 minutes et mettre la chair de côté. Saupoudrer le homard de paprika au goût.

Ajouter les champignons à la casserole, assaisonner et faire sauter pendant 3 minutes. Verser le [...] sur les champignons et faire c[...] 3 à 4 minutes.

Incorporer la crème et faire cui[...] minutes, à feu vif.

Graduellement incorporer le m[...] lange d'oeufs aux ingrédie[...] Ajouter le mélange de fécule [...] maïs et faire cuire 2 minutes; [...] couer la casserole constamme[...] Rectifier l'assaisonnement.

Remettre la chair de homard da[...] la casserole; bien mélanger et [...] re réchauffer le tout pendant [...] secondes; secouer la casser[...] constamment.

Disposer les homards à la crè[...] dans un plat de service et se[...] immédiatement.

Les homards foncés sont vivants et les rouges sont cuits.

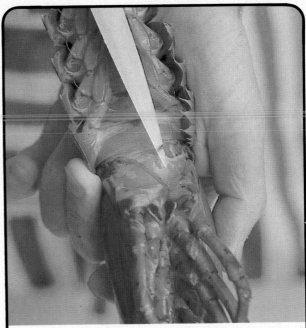

2. *Nous voyons ici un homard femelle, les stylets sont très petits; chez le mâle, les stylets sont beaucoup plus gros.*

. *Pour retirer la chair d'un homard, il est nécessaire de le faire cuire et ensuite à l'aide de ciseaux, couper de chaque côté de la carapace.*

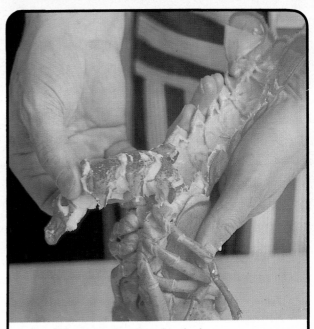

4. *Séparer et retirer la chair.*

Le velouté est un potage lié avec un roux.
Composition du roux: 40% de beurre
                                    60% de farine
La cuisson du roux se fait très lentement.

Homards en bellevue

(pour 4 personnes)

4	homards, d'une livre
1	lb. de crevettes (grosseur 21 à 25), cuites, décortiquées et nettoyées
1/2	tasse de mayonnaise
6	oeufs durs (12 minutes), coupés en deux persil frais haché et des quartiers de citron comme garniture

Faire bouillir les homards 15 minutes et les laisser refroidir.

Retirer la chair tel qu'indiqué dans la technique.

Rebâtir les carapaces des homards et les disposer dans un grand plat de service.

Trancher la chair des homards et la disposer sur les carapaces. Enduire la chair de mayonnaise.

Retirer les jaunes des oeufs durs et les passer au tamis. Mettre les blancs de côté.

Mélanger les jaunes avec

2	c. à soupe de mayonnaise
1	c. à soupe de persil haché une pincée de cayenne sel et poivre

Placer le mélange dans une poche à pâtisserie farcir les moitiés d'oeufs.

Disposer les oeufs farcis et les crevettes sur le pl d'homards.

Garnir de persil frais et de quartiers de citron.

Servir les Homards en Bellevue avec du vin blan tel que le Macon Village.

Mayonnaise (donne 1 tasse)

2	jaunes d'oeufs
1/2	c. à thé de moutarde sèche
3/4	tasse d'huile d'olive
1	c. à thé de vinaigre de vin sel poivre blanc du moulin jus de citron au goût

Dans un petit bol à mélanger, fouetter les jaune d'oeufs et la moutarde jusqu'à ce que les oeu deviennent très épais.

Ajouter l'huile, goutte par goutte, en fouetta constamment.

L'huile peut s'ajouter en filets dès que le mélang épaissit.

Incorporer le vinaigre de vin, le sel, le poivre et jus de citron à la mayonnaise.

Les homards cuits.

2. Couper les pinces aux articulations.

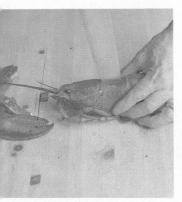

Trancher le homard en commençant par l'extrémité juste au niveau de la queue.

4. Continuer de couper tout droit le long du centre du dos.

5. Couper la queue en deux. Utiliser les deux mains pour presser sur la lame du couteau.

Le homard séparé en deux.

7. Retirer les intestins de chacune des moitiés.

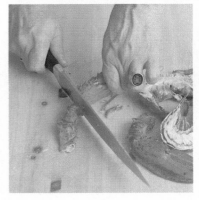

8. Hacher les pinces.

Frapper les pinces et ouvrir l'écaille.

10. Retirer la chair des pinces.

11. Mettre toute la chair des homards dans un bol.

Huîtres Mornay

(pour 4 personnes)

1	lb. d'huîtres en vrac
1	échalote ou petit oignon rouge, haché
1	c. à thé de beurre
1 1/2	tasse de sauce blanche chaude
1/2	tasse de fromage, râpé
1	c. à soupe de persil sel et poivre

Préchauffer le four à ''broil''. Egoutter les huîtres et conserver le liquide.

Faire fondre le beurre dans une casserole, à feu moyen, jusqu'à l'apparition d'écume. Ajouter l'oignon haché et faire cuire, sans couvercle, 2 minutes.

Ajouter les huîtres et assaisonner au goût.

Verser le liquide des huîtres dans la casserole, réduire à feu doux, et faire pocher les huîtres 2 minutes.

A l'aide d'une cuillère à trous, retirer les huîtres et les mettre dans un bol à mélanger.

Remettre la casserole sur le poêle et faire réduire le liquide de 2/3, à feu élevé. Verser liquide réduit sur les huîtres.

Ajouter la sauce blanche et moitié du fromage aux huîtres. Rectifier l'assaisonnement. Bien mélanger et verser le mélange dans un plat de service ou des plats de service allant au four.

Parsemer avec le persil et reste du fromage.

Placer les huîtres Mornay au four à ''broil'' jusqu'à ce que fromage soit fondu. Servir immédiatement.

(pour 4 personnes)

24 crevettes, cuites, décortiquées
    et nettoyées
12 petites tomates "cerises"
1 piment rouge, en gros dés
1 piment vert, en gros dés
1 branche de céleri, en dés
1 c. à thé de persil, haché
    sel et poivre
4 brochettes
    huile de maïs
comme garniture:
    des quartiers
    de citron

Kebob aux crevettes

Les ingrédients .

2. *Couper le piment rouge en tranches.*

3. *Couper chaque tranche en deux sur la longueur.*

Trancher les moitiés en gros dés.

5. *Insérer les ingrédients sur les brochettes. Commencer par insérer une crevette, suivie d'une tomate, d'un morceau de céleri, un piment vert, une crevette et un dé de piment rouge.*

6. *Noter la façon verticale que les légumes sont insérés dans les brochettes. Si vous les insérez dans un autre angle, il est tout probable qu'ils se sépareront en deux.*

er et poivrer les brochettes de crevettes. Les badigeonner d'huile de maïs et faire cuire 4 minutes sur le barbecue sous le "broil"; tourner les brochettes fréquemment durant la cuisson.
Saupoudrer de persil et servir avec du riz et des tomates. Garnir avec les quartiers de citron.

1. *Ouïes. Que les ouïes du maque-reau soient rouges, est un indice de fraîcheur.*

2. *Faire de petites incisions sur le dos du poisson.*

3. *Couper les nageoires avec des ciseaux.*

4. *Couper les nageoires du dos.*

5. *Généreusement saler et poi poisson. Ajouter 1/4 c. à t fenouil dans la cavité et e badigeonner d'huile de maïs.*

6. *Mettre une feuille de laurier dans la cavité du poisson.*

7. *Arroser le poisson avec du jus de citron.*

8. *Arroser la cavité avec du j citron.*

9. *Remplir la cavité avec du persil frais et des tranches d'échalotes sèches.*

10. *Ficeler le poisson.*

11. *Badigeonner la grille d'hu maïs. Badigeonner le po d'huile de maïs et le mettre grille.*

aquereau avec
uce aux oignons
rts

ur 2 personnes)

- maquereau, nettoyé
  (2 livres)
- jus d'1 citron
- sel
- poivre du moulin
- échalotes, tranchées
- tiges de persil frais
- c. à thé de fenouil

uce

- c. à soupe d'échalotes ou
  d'échalotes sèches,
  hachées
- c. à soupe de persil, haché
- c. à soupe de beurre ou
  margarine
- poivre du moulin
- jus d'1/2 citron
- sel

garniture: tiges de persil frais
et 1 citron

Préparer votre maquereau comme indiqué dans la technique.

Faire cuire le poisson sur le barbecue à feu moyen pendant 7 à 10 minutes de chaque côté, dépendant de la grosseur du maquereau.

Lorsque le poisson est presque cuit, préparer votre sauce. Faire fondre le beurre ou la margarine dans un poêlon jusqu'à l'apparition d'écume.

Ajouter tous les autres ingrédients de la sauce, amener au point d'ébullition et faire cuire 1 à 2 minutes.

Disposer le maquereau cuit sur un plat de service et l'arroser de la sauce aux oignons verts. Garnir avec le persil et le citron.

Melon à l'orientale

(pour 2 personnes)

1	petit melon "honey-dew"
4	onces de crème sure ou de yogourt
1/2	livre de petites crevettes, décortiquées et nettoyées
1	c. à thé de poudre de cari
1	c. à soupe de jus de citron une pincée de paprika
8	tomates cerises, coupées en deux
1	c. à thé de ciboulette, hachée sel et poivre

garniture: 2 rondelles d'orange

Faire des dentelures tout autour du melon et séparer en deux. Enlever les pépins.

Retirer la chair et la couper en cubes d'1/2". Mettre les moitiés de melon de côté.

Placer les cubes de melon dans un bol à mélanger. Ajouter tous les autres ingrédients et assaisonner au goût; bien mélanger.

Remplir les moitiés de melon avec le mélange et garnir l'entrée des rondelles d'orange.

Morue à l'indienne

(pour 4 personnes)

- 12 onces de morue
- 1 oignon, émincé
- 3 c. à soupe de beurre
- 3 c. à soupe de poudre de cari
- 2 tasses de court-bouillon ou de bouillon de poulet, chaud
- 1 c. à thé de safran d'Inde
- 1 c. à thé de persil, haché
- sel et poivre
- 1/2 c. à soupe de fécule de maïs mélangée à:
  - 1 c. à soupe d'eau

Ingrédients de base.

Faire fondre le beurre dans une poêle ou un plat allant au four et qui couvre deux éléments chauffants.

A l'apparition d'écume, ajouter l'oignon et faire brunir 2 minutes, à feu moyen. Ensuite, saupoudrer l'oignon avec la poudre de cari, bien mélanger et faire cuire 2 à 3 minutes.

Ajouter le poisson et l'arroser avec le bouillon.

Assaisonner avec le sel, le poivre, le persil et le safran d'Inde. Couvrir et bien sceller l'intérieur du plat avec une feuille de papier ciré. Amener le liquide au point d'ébullition et faire cuire la morue 4 minutes. Tourner le poisson, couvrir à nouveau et faire cuire 5 minutes à feu doux.

Disposer le poisson sur un plat de service chaud. Verser le liquide de cuisson et l'oignon dans une petite casserole. Ajouter le mélange de fécule de maïs, bien mélanger et faire cuire la sauce 7 à 8 minutes, à feu vif.

Verser la sauce sur le poisson et servir.

---

es petits conseils du chef

Pour dissoudre la gélatine, il faut la saupoudrer sur de l'eau froide puis mettre à chauffer en remuant continuellement jusqu'à dissolution complète.

223

Moules marinières

(pour 4 personnes)

- **5 lb. de moules,
  bien nettoyées**
- **2 échalotes sèches,
  hachées fin**
- **2 c. à soupe de persil,
  haché
  poivre du moulin
  le jus d'1/4 de citron**
- **4 onces de vin blanc sec,
  tel que Macon Village**
- **1/2 tasse de crème épaisse
  (35%)**

Placer les moules, les é-chalotes, le vin blanc, le jus de citron, le persil et le poivre dans une grande casse-role. Couvrir et faire cuire les moules à feu vif jusqu'à ce que les coquilles soient ouvertes.

Egoutter le liquide des mou-les et les retirer de la cas-serole.

Disposer les moules dans un plat de service.

Remettre la casserole con-tenant le liquide de cuisson à feu vif et faire réduire 2/3.

Incorporer la crème et fa cuire jusqu'à ce que la sa ce épaississe.

Verser la sauce sur moules.

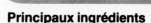

Principaux ingrédients

Pamplemousse
en surprise

pour 4 personnes

4 petits pamplemousses
1/2 lb de crevettes du Labrador
2 c. à soupe de mayonnaise
1/2 c. à thé de câpres
jus d'1/2 citron
sel et poivre
1 boîte (4 onces) de saumon

GARNITURE: 4 feuilles de laitue
persil frais

Couper les pamplemousses en forme de triangles à 1'' du haut.

Evider les pamplemousses et les mettre de côté. Conserver la chair des pamplemousses.*

Plonger les crevettes dans une grosse casserole remplie d'eau bouillante salée et additionnée de 1 c. à soupe de jus de citron. Faire cuire les crevettes 1 minute et les refroidir à l'eau froide.

Mélanger le reste des ingrédients, sauf pour la garniture, assaisonner au goût et farcir les pamplemousses.

Servir les pamplemousses farcis sur les feuilles de laitue et garnir de persil frais.

* La chair des pamplemousses peut servir à préparer une salade de fruit ou du jus de pamplemousse.

Pain de sole

(pour 4 personnes)

3	c. à soupe de beurre, ramolli
3	c. à soupe de chapelure
3	tranches de pain, mie seulement
4	c. à soupe de crème épaisse
1	oignon, haché
2 1/2	tasses de filets de sole, cuits
	jus d'1/2 citron
	sel et poivre
	une pincée de cayenne
	une pincée de fenouil
1	c. à thé de persil haché
3	jaunes d'oeufs
3	blancs d'oeufs

Préchauffer le four à 350ºF.

Beurrer un moule à pain de 4 tasses avec 2 c. à soupe de beurre et saupoudrer le fond du moule avec la chapelure.

Verser la crème sur le pain dans un bol à mélanger et laisser reposer 10 à 15 minutes.

Faire fondre le reste du beurre dans une poêle à frire à feu moyen. Ajouter l'oignon et faire sauter 3 à 4 minutes. Parsemer l'oignon de persil et saler et poivrer.

Ajouter l'oignon au pain et incorporer le poisson. Ajouter tous les autres ingrédients, sauf les oeufs. Mélanger le tout environ 4 minutes à l'aide d'un mélangeur électrique ou jusqu'à ce que tous les ingrédients soient bien incorporés.

Ajouter les jaunes, un à un, et mélanger quelques minutes.

Monter les blancs en neige dans un autre bol à mélanger. Incorporer les blancs au mélange.

Mettre le mélange du pain de sole dans le moule. Placer le moule dans un bain-marie contenant de l'eau chaude au centre du four.

Faire cuire le pain de sole à 350ºF pendant environ 1 heure 15 minutes. Le dessus du pain devrait être ferme au toucher.

TECHNIQUE DU
Pain de sole

1. *Verser la crème sur les tranches de pain et laisser reposer 10 à 15 minutes.*
2. *Ajouter les oignons cuits au pain.*
3. *Ajouter le poisson au mélange et ensuite incorporer tous les autres ingrédients, sauf les oeufs.*
4. *Ajouter les jaunes d'oeufs.*
5. *Fouetter les blancs d'oeufs et les incorporer au mélange. Mettre le mélange dans un moule à pain et faire cuire;*

1.

2.

3.

4.

5.

les petits conseils du **chef**

La cuisson à la vapeur peut se faire à la pression ou avec une marguerite.

Pâté au thon

1   boîte (7 onces) de thon
2   c. à soupe de persil frais, haché
2 à 3   gouttes de sauce Tabasco
1   c. à soupe de câpres, hachées
       le jus d'1/2 citron
1/2   tasse de crème épaisse (35%),
       fouettée
       sel et poivre.

Passer tous les ingrédients, sauf la crème
fouettée, au "blender" et mettre le mélange
dans un bol à mélanger.

Incorporer la crème fouettée à l'aide d'une spatule.

Beurrer deux moules et les remplir avec le pâté
au thon.

Placer les moules au réfrigérateur durant
heures, avant de servir.

Si désiré, servir directement des moules. Garni
le pâté de zeste de citron.

Accompagner le pâté au thon de céleri, radis e
biscuits salés.

Paupiettes de sole à la Duxelle

pour 4 personnes

8 filets de sole, selon la
ṣseur
poivre
ṣe de vin blanc, sec
ạsse d'eau
e 1/2 citron
ạlote sèche, hachée
soupe de beurre
vre de champignons, ha-
es
thé de persil
soupe de crème à 35%
ṛe manié*

Rouler les filets de sole et les disposer dans une poêle beurrée. Saler et poivrer le poisson.

Ajouter l'échalote et tous les liquides, sauf la crème, à la poêle. Couvrir et bien sceller l'intérieur de la poêle avec du papier de cuisine.

Amener le liquide à ébullition, retourner le poisson et retirer la poêle du feu. Laisser les filets dans le liquide de cuisson pendant 5 minutes. Ensuite, disposer les filets dans un plat de service chaud et mettre le liquide de côté.

Faire fondre le beurre dans une sauteuse. A l'apparition d'écume, ajouter les champignons, le persil, le sel et le poivre et faire cuire 7 minutes, à feu moyen.

Faire réduire le liquide de cuisson de 2/3 et l'ajouter aux champignons. Rectifier l'assaisonnement.

Incorporer la crème au mélange et épaissir la sauce avec le beurre manié.

Verser la sauce aux champignons sur les paupiettes de sole et garnir avec des rondelles de citron.

* pour préparer le beurre manié, mélanger 2 c. à soupe de beurre ramolli à 1 c. à soupe de farine.

Pour écailler facilement les oeufs durs, il faut les laisser refroidir sous l'eau froide du robinet pendant 10 minutes.

Technique de la Perche du pêcheur

1. *Couper les nageoires avec des ciseaux.*

2. *Couper les os dorsaux.*

3. *Hacher le persil.*

4. *Mettre tous les ingrédients de la farce dans un bol à mélanger; bien écraser.*

5. *Farcir le poisson et l'assaisonner généreusement.*

6. *Ficeler la perche. Badigeonner le poisson d'huile de maïs avant de le placer sur la grille à poisson.*

Perche du pêcheur

(…r 4 personnes)

…rche de 2 livres, nettoyée
…à soupe d'échalotes, hachées
…à soupe de persil, haché
…à soupe de chapelure
…à soupe de beurre
…s d'1 citron
…el
…oivre du moulin

…arer votre barbecue.

…yer et parer le poisson comme
…ué dans la technique.

…e les échalotes, le persil, la

chapelure, le beurre, le jus de citron, le sel et poivre au goût dans un bol à mélanger; bien mélanger.

Assaisonner le poisson et le remplir du mélange.

Ficeler le poisson et le badigeonner d'huile de maïs.

Disposer le poisson dans une grille à poisson et le faire cuire environ 8 à 10 minutes de chaque côté. Badigeonner la perche occasionnellement avec de l'huile de maïs durant la cuisson.

Technique des Petits Pâtés de poisson

1. Mettre le poisson et les pommes de terre en purée dans un grand bol à mélanger.

2. Bien mélanger à l'aide d'une cuillère en bois.

3. Ajouter les jaunes d'oeufs et bien incorporer.

4. Râper l'oignon rouge et l'ajouter aux ingrédients. Saler et poivrer.

5. Hacher les anchois.

6. Ajouter les anchois.

7. Incorporer les anchois au mélange, couvrir avec du papier ciré et placer au congélateur pendant 1 heure.

8. Retirer du congélateur et former des petits pâtés avec le mélange de poisson.

9. Fouetter les oeufs avec 1 c. à thé d'huile de maïs.

10. Plonger les pâtés dans la farine.

11. Les plonger dans les oeufs battus.

12. Les enduire généreusement de chapelure. Vous pourriez à cette étape congeler les pâtés de poisson ou les cuire tel qu'indiqué dans la recette.

(pour

2 jau
1 tass
1 tass
2 oeu
   de
6 filet
1 oign
1 tass
1 tass
2 c. à
   sel

232

Petits pâtés de poisson

erre en purée

. à thé d'huile

és

maïs

Mélanger le poisson et les pommes de terre. Ajouter les jaunes et bien incorporer.

Râper l'oignon et l'ajouter au mélange de poisson. Saler et poivrer au goût.

Hacher les anchois et les incorporer au mélange. Couvrir le bol d'un papier ciré; presser le papier sur les ingrédients. Mettre le mélange 1 heure au congélateur.

Retirer le mélange du congélateur et former des petits pâtés.

Aligner trois bols contenant les oeufs, la farine et la chapelure.

Plonger les pâtés dans la farine, dans les oeufs battus et ensuite dans la chapelure.

Faire chauffer l'huile de maïs dans une grande poêle à frire à feu vif. Ajouter les pâtés de poisson et faire cuire 7 à 8 minutes de chaque côté, à feu moyen.

Disposer les petits pâtés de poisson sur un plat de service et les servir garnis de rondelles de citron, cornichons et de mayonnaise.

Pétoncles
aux piments

(pour 4 personnes)

3/4 lb. de pétoncles
1 c. à soupe d'huile de maïs
1 piment rouge
1 piment vert
1/4 lb. de champignons
1 petit zucchini
1/4 c. à thé de tarragon
1 c. à soupe de beurre
sel et poivre
quelques gouttes de jus de citron
rondelles de citron comme garniture

Emincer tous les légumes.

Faire chauffer l'huile de maïs dans une sauteuse à feu vif. Ajouter, le zucchini, les piments rouge et vert à l'huile chaude, saisonner et faire cuire 3 minutes à feu

Placer les légumes dans un plat.

Faire fondre le beurre dans la sauteuse l'apparition d'écume, ajouter les cham gnons et les pétoncles.

Assaisonner avec le tarragon, sel et po et faire cuire 3 à 4 minutes à feu vif.

Remettre les légumes dans la sauteuse bien mélanger.

Ajouter le jus de citron et disposer pétoncles avec les légumes dans un pla service.

Garnir de rondelles de citron et servir.

Pétoncles nouvelle cuisine

(pour 4 personnes)

livre de pétoncles
sel et poivre
le jus d'1 citron
tasse d'eau froide
piment vert, émincé
piment rouge doux, émincé
champignons, tranchés
échalotes vertes, hachées
c. à soupe de beurre

n laver les pétoncles.

cer les pétoncles dans une sauteuse beurrée. er et poivrer.

uter le jus de citron et l'eau. Couvrir, amener à llition et faire cuire 2 minutes, à feu moyen.

irer la sauteuse du feu et à l'aide d'une cuillère à

trous enlever les pétoncles.

Disposer les pétoncles sur un plat de service allant au four, couvrir d'un papier aluminium et garder chaud dans un four préchauffé à 100°F.

Faire fondre le beurre dans une casserole jusqu'à l'apparition d'écume. Ajouter le piment vert, le piment rouge et les champignons. Saler et poivrer au goût.

Faire sauter les légumes 2 à 3 minutes à feu vif. Ajouter les échalotes hachées et rectifier l'assaisonnement.

Retirer les pétoncles du four et enlever le papier.

Verser le mélange de légumes sur les pétoncles et servir.

Accompagner les pétoncles nouvelle cuisine de riz.

Pétoncles vénétiennes

(pour 4 personnes)

1	livre de pétoncles
1	échalote sèche, hachée
1	c. à thé de beurre
3	onces de vin blanc, sec
	sel et poivre
1	c. à thé de jus de citron

garniture: des rondelles de citron

Sauce

1/4	tasse de chapelure
1/2	tasse de persil, haché fin
3	c. à soupe d'huile de maïs
2	oeufs
2	c. à soupe de fromage parmesan râpé
2	gousses d'ail, écrasées et hachées
	sel et poivre

Préchauffer le four à grill "broil".

Combiner les pétoncles, l'échalote, le beurre, le vin blanc, le jus de citron dans une sauteuse. Saler, poivrer au goût et couvrir avec une feuille de papier ciré, beurrée; presser sur le papier jusqu'à ce qu'il touche et scelle bien les ingrédients.

Amener le liquide à ébullition, à feu vif. Ensuite, retirer la sauteuse du feu et laisser reposer 2 minutes.

Enlever les pétoncles, à l'aide d'une cuillère à trous, et les disposer dans un plat à gratiner ou dans des coquilles individuelles.

Ajouter les ingrédients de la sauce au liquide de cuisson, à l'aide d'un fouet. Verser la sauce sur les pétoncles.

Placer les pétoncles vénétiennes sous le broil pendant minutes et servir garni de rondelles de citron.

Si désiré, accompagner les pétoncles de champignons sautés.

Poisson 'Boston Blue' aux palourdes

(pour 4 personnes)

- filets 'boston blue'
- boîte (5 onces) de palourdes, égouttées
- sel et poivre
- c. à soupe d'huile de maïs
- c. à soupe de beurre
- champignons, en dés
- asse de farine
- citron, en dés
- c. à soupe de persil, haché

ver et sécher les s. Saler et poi- le poisson.

nger les filets ns la farine et couer l'excès de ne.

re chauffer l'hui- de maïs dans e poêle à frire.

uter les filets à uile chaude et e cuire le sson de 3 à 4 nutes de cha- côté à feu yen/ élevé.

Disposer les filets dans un plat de service chaud.

Faire fondre le beurre dans la poêle. Ajouter les champignons, assaisonner et faire cuire 2 minutes. Ajouter les palourdes, mélanger et faire cuire 2 minutes.

Ajouter le citron, parsemer de persil et rectifier l'assaisonnement.

Verser le mélange sur les filets de poisson et servir.

Comment couper e citron

Couper les deux bases du citron.

2 A l'aide d'un couteau bien aiguisé, trancher le zeste et la peau du citron.

Rouget "Red Snapper"

Technique du

1. Placer la moitié d'une botte de persil sur une grande feuille de papier aluminium et mettre le poisson nettoyé sur le persil.

2. Assaisonner le poisson avec le sel, le poivre et le fenouil.

3. Couvrir le poisson de tiges de

le papier d'aluminium

(pour 2 personnes)

1	rouget "red snapper" de 2 livres, nettoyé
	sel
	poivre du moulin
1	c. à thé de fenouil
1	botte de persil frais
2	c. à soupe de beurre, brisé en morceaux
	jus d'1 citron
4	onces de vin blanc sec
1	grande feuille de papier aluminium

Préparer votre barbecue.

Nettoyer et parer le poisson.

Mettre la moitié de la botte de persil sur la feuille de papier aluminium et placer le poisson sur le persil.

Ajouter les ingrédients tel qu'indiqué dans la technique. Envelopper le poisson dans le papier et le faire cuire sur le barbecue pendant environ 20 minutes.

Servir avec une sauce au beurre de citron.

Sauce au beurre de citron

2	c. à soupe de beurre
	jus d'1/4 de citron
	poivre
1/4	c. à thé de persil, haché fin

Faire fondre le beurre, incorporer le jus de citron, le persil et poivrer au goût.

Verser sur le rouget et servir.

"Red Snapper

ettre des morceaux de beurre le persil. Ajouter quelques mor-aux d'échalotes sèches, si dis-nible.

5. Ajouter une feuille de laurier et arroser les ingrédients de 4 onces de vin blanc sec.

6. Arroser avec du jus de citron. Couvrir avec le papier aluminium et faire cuire environ 20 minutes sur le barbecue.

Sole de Douvres Meunière

Pour 4 personnes

4 Soles de Douvres, nettoyées et égouttées
Sel et poivre
Farine
1 c. à soupe de beurre
1 citron, pelé et coupé en dés
1 c. à thé de persil, haché fin

Préchauffer le four à 400°F.

Saler, poivrer et fariner le poisson. Secouer l'excès de farine.

Faire fondre le beurre dans une grande sauteuse allant au four. A l'apparition d'écume, ajouter le poisson et faire cuire 4 minutes de chaque côté, à feu moyen.

Ajouter le citron et le persil et faire cuire les soles de Douvres au four à 400°F pendant 17 minutes.

Disposer les soles cuites dans un plat de service. Verser le contenu dans la sauteuse sur le poisson et servir garni de persil frais et de rondelles de citron.

les petits conseils du chef

Le riz pilaf est cuit au four à 350°F.

Braiser:

- Les viandes à être braisées doivent contenir une certaine quantité de gras afin de les garder juteuses.

- On doit faire saisir la viande à feu vif afin de sceller et conserver son jus et sa saveur.

- Saler la viande seulement après l'avoir fait saisir.

- Une fois que la viande a été saisie, la braiser dans un four doux, soit entre 325° - 350°F.

Pour ôter la peau d'une sole de Douvres

Soles de Douvres sur glace.

A l'aide d'un couteau, en commençant par la queue, tirer sur le bord du poisson et tailler les os.

Répéter ce mouvement de l'autre côté. Parer les côtés.

Couper la queue et dégager la peau noire en la grattant.

Bien saisir le poisson et enlever la peau. Couper la tête près de ouïes.

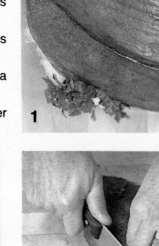

1

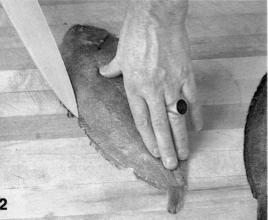

2

3

4

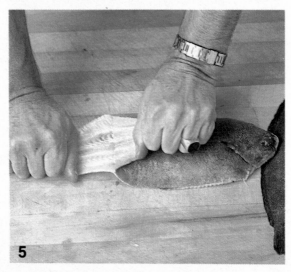

5

Sauce à spaghetti aux palourdes

(pour 4 personnes)

1 c. à soupe d'huile de maïs
1 oignon moyen, en dés
1 branche de céleri, en dés
2 gousses d'ail, écrasées
1 c. à thé d'origan
1 c. à thé de basilic
1 c. à soupe de persil, haché
1 tasse de bouillon de poulet
1 boîte (5 1/2 onces) de pâte de tomates
1 feuille de laurier
1 c. à thé de sucre
1 boîte (28 onces) de tomates
1 boîte (8 onces) de palourdes, égouttées
  sel et poivre

Accompagner de fromage parmesan, râpé et
de persil frais (facultatif)

Faire chauffer l'huile de maïs dans une grande casserole, à feu vif. Ajouter l'oignon et faire cuire 2 minutes.

Ajouter tous les autres ingrédients, sauf les palourdes. Saler et poivrer au goût.

Couvrir partiellement la casserole et faire mijoter la sauce à spaghetti pendant 1 heure. Au moment de servir, ajouter les palourdes et bien mélanger.

Préparer les pâtes à spaghetti pour 4 personnes. Les faire cuire "al dente" et bien égoutter.

Disposer les pâtes à spaghetti dans un plat de service et arroser de la sauce.

Parsemer au goût avec le fromage parmesan râpé et si désiré, saupoudrer avec 1 c. à soupe de persil haché fin.

---

les petits conseils du chef

On n'utilise généralement que la partie blanche des poireaux, la partie verte étant plus amère.

242

r 4 personnes)

uites de 12 onces
vre de champignons,
upés en deux
el et poivre
nces de bacon,
upés en dés
ignon rouge, coupé
n dés
chalote verte, hachée
itron pelé et coupé
n dés
à thé de persil,
aché
à soupe de beurre

Nettoyer les truites et les assécher. Saler et poivrer les truites.

Faire fondre le bacon dans une grande poêle à frire à feu moyen-élevé. Ensuite, ajouter les truites et les faire cuire à feu moyen 8 minutes de chaque côté.

Disposer les truites sur un plat de service chaud et garder au chaud.

Faire fondre le beurre dans la poêle à frire jusqu'à l'apparition d'écume. Ajouter les champignons, assaisonner et faire cuire 2 à 3 minutes à feu vif.

Ajouter les oignons et faire cuire 1 minute.

Incorporer les dés de citron, rectifier l'assaisonnement et verser le mélange sur les truites.

Parsermer de persil et servir.

---

s
tits
onseils
du
chef

La béchamelle est une sauce blanche à base de lait chaud et de roux. La béchamelle devient sauce au fromage avec l'addition de fromage râpé.

Truites aux raisins

(pour 4 personnes)

4	truites de 10 onces
	sel et poivre
1	tasse de lait
1	tasse de farine
2	c. à soupe d'huile de maïs
1	c. à soupe de beurre
2	échalotes, hachées
1	c. à soupe de persil frais, haché
1/4	livre de raisins verts, sans pépins
1/4	livre de raisins rouges, sans pépins
	jus de 1 1/2 citron

garniture: quartiers de citron

Nettoyer, couper et préparer les truites tel qu'indiqué da technique.

Ensuite, verser l'huile de maïs dans une poêle à frire, à feu m élevé.

Ajouter le poisson à l'huile chaude et faire sauter 2 mi

Tourner le poisson et faire cuire 12 minutes, à feu doux; ret occasionnellement les truites durant la cuisson.

Disposer les truites sur un plat de service chaud.

Faire fondre le beurre dans la poêle jusqu'à l'apparition d'é

Ajouter les échalotes et le persil, et faire cuire 2 minutes, à fe

Ajouter les raisins, mélanger et ajouter le jus de citron.

Mélanger et ensuite verser le mélange sur les truites. Garni les quartiers de citron et servir.

Technique des truites aux raisins

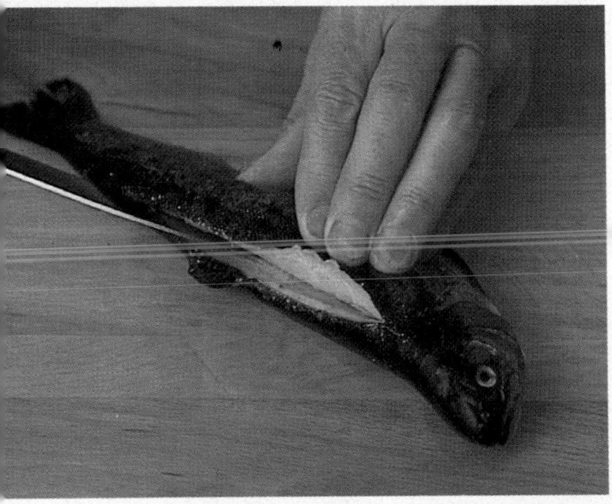

◀ **1.** *Couper les truites le long du dos, en commançant à la tête.*

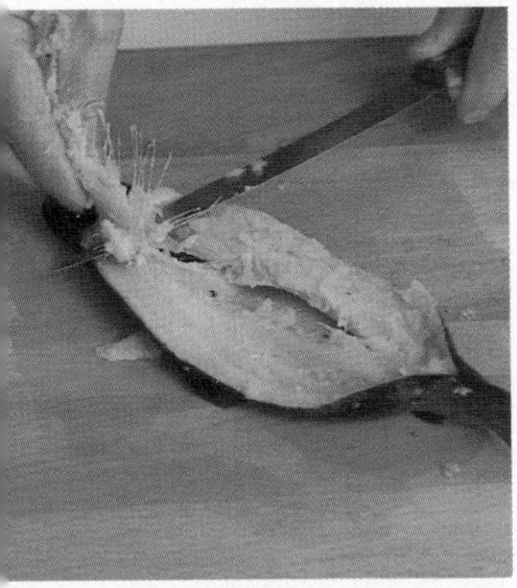

ouper de chaque côté de la ɔlonne vertébrale. Détacher et ˥lever la colonne vertébrale ain- que les arêtes.

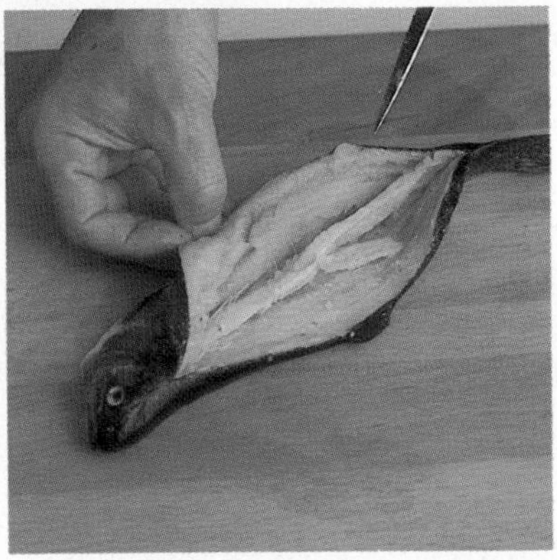

3. *Parer les nageoires et reformer les truites.*

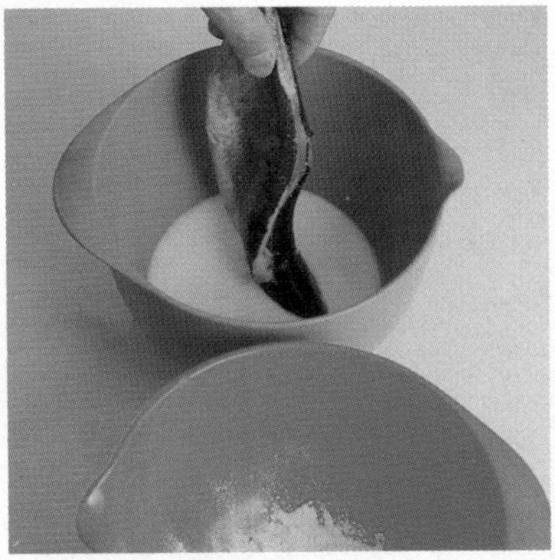

4. *Saler, poivrer et tremper les truites dans le lait.*

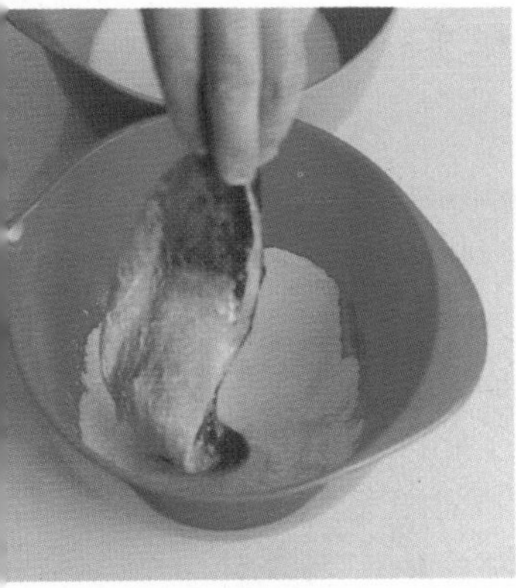

.es plonger dans la farine.

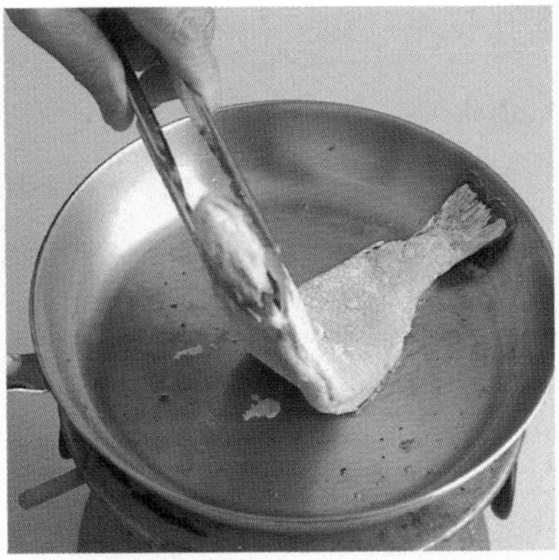

6. *Ajouter le poisson à l'huile chaude et faire cuire 2 minutes. Ensuite tourner le poisson et faire cuire 12 minutes.*

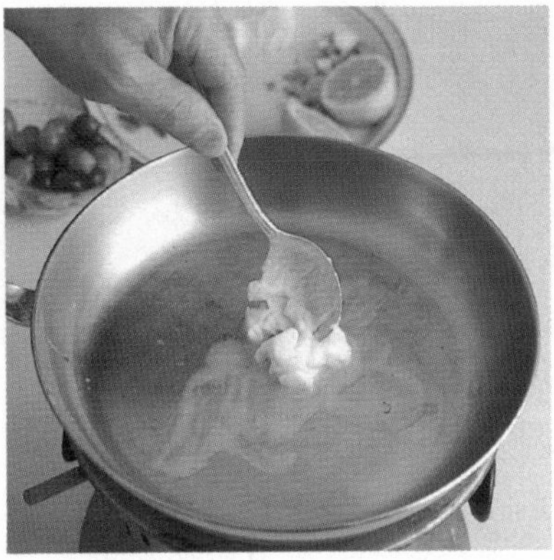

7. *Disposer le poisson sur un plat de service et faire fondre le beurre dans la poêle.*

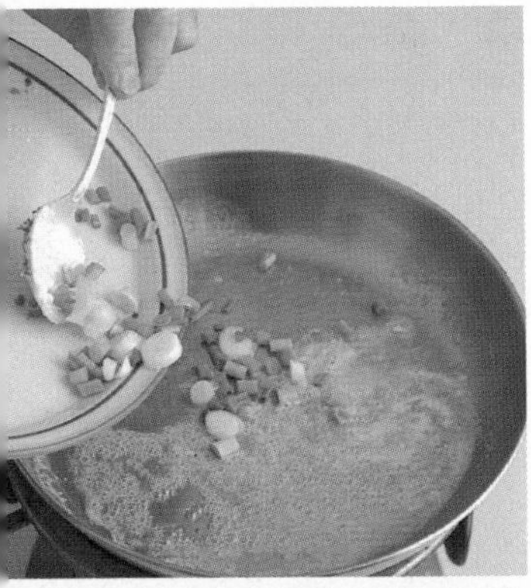

Ajouter les échalotes et le persil au beurre chaud.

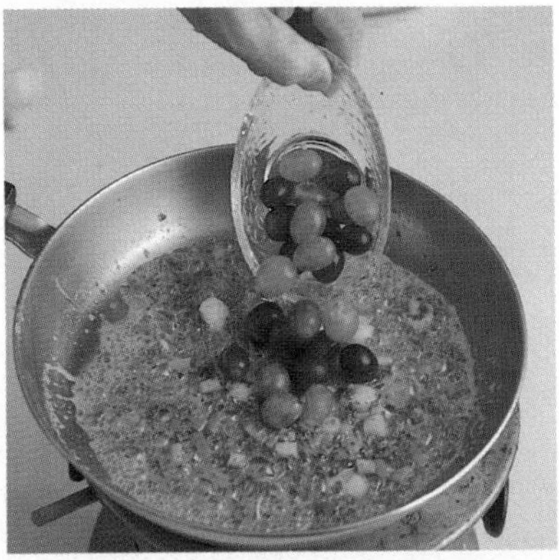

9. *Ajouter les raisins.*

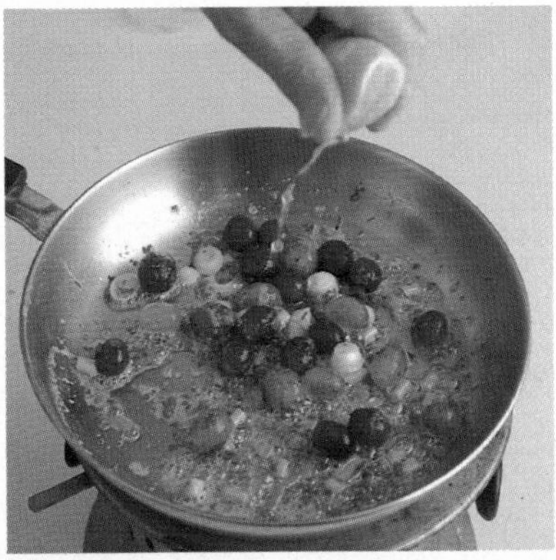

10. *Ajouter le jus de citron et verser le mélange sur les truites.*

TRUITE FARCIE
(Pour 4 personnes)

Recette:

4 truites de 7 à 8 onces, dégelées et nettoyées
2 c. à soupe d'huile de maïs
3 oignons verts, hachés
1 petite branche de céleri, tranchée mince
7 à 8 champignons, tranchés mince
2 c. à soupe de persil frais, haché
1/4 c. à thé de fenouil
1 oeuf battu
1/2 tasse de chapelure sel et poivre
4 c. à soupe de beurre à la température de la pièce jus de 1/2 citron

Faire chauffer l'huile de maïs dans une sauteuse.

Ajouter l'oignon vert et le céleri et faire cuire pendant 3 à 4 minutes, à feu moyen. Ajouter les champignons et les herbes, et faire cuire le tout jusqu'à ce que les légumes soient tendres.

Verser les légumes dans un bol et y mélanger l'oeuf battu et la chapelure. Saler et poivrer au goût.

Préchauffer le four à 350° F.

Saler et poivrer la cavité des truites. Farcir chaque truite et coudre la cavité en utilisant de la ficelle de cuisine et une aiguille à brider.

Disposer les truites dans un plat à gratin beurré.

Badigeonner les truites de beurre et les arroser de jus de citron. Faire cuire les truites au four pendant 6 minutes.

Préparation de la truite farcie:

: *Assembler les ingrédients*

2: *Sauter les champignons, oi-gnons, céleri et persil*

3: *Verser les légumes dans un bol*

Mélanger l'oeuf et la chapelure aux légumes

5: *Farcir les truites*

6: *Ficeler les truites en deux mou-vements*

7: *Disposer les truites dans un plat et les badigeonner de beurre*

247

Turbot au gratin

(pour 4 personnes)

4	filets de turbot
1/2	lb de champignons, têtes seulement
1	échalote, coupée en rondelles
	le jus d'1/2 citron
1/2	tasse d'eau
1/2	tasse de vin blanc sec, tel que Macon Village
	sel et poivre
1	recette de beurre manié:
	2 c. à soupe de beurre mélangé à:
	2 c. à soupe de farine
1	c. à soupe de persil, haché
	paprika au goût
1/2	tasse de fromage mozzarella, râpé fin

Préchauffer le four à "broil". Beurrer une sauteuse et ajouter les filets de turbot. Saler et poivrer.

Ajouter les champignons, l'échalote, l'eau, le jus de citron, le vin; saler et poivrer au goût. Couvrir les ingrédients d'un papier ciré beurré.

Amener le liquide au point d'ébullition et faire cuire 2 minutes à feu moyen. Retourner le poisson, couvrir à nouveau et faire cuire 3 minutes.

Dispos
de ser
der au
Remet
et épa
beurre
ge sur
Parser
fromag
au fou
le from
Saupo
de per

Technique du
Turbot au gratin

1. *Principaux ingrédients.*

2. *Beurrer la poêle.*

3. *Disposer le poisson dans la poêle beurrée.*

4. *Assaisonner le poisson.*

5. *Ajouter les champignons et les rondelles d'échalote.*

6. *Verser le vin blanc dans la poêle. Sceller le poisson avec un papier, amener le liquide au point d'ébullition et faire cuire 5 minutes.*

dans un plat
four et gar-

use à feu vif
uce avec le
ser le mélan-

persil et le
cer le turbot
squ'à ce que
du.
rika et garnir

Truites BBQ

(pour 4 personnes)

4 (10 onces) truites
   des lacs, nettoyées
   le jus d'un citron
   sel et poivre
3 c. à soupe d'huile de maïs

Sauce au beurre

2 c. à soupe de beurre
   sel et poivre
   le jus d'1/2 citron
1 c. à thé de persil frais,
   haché

1. *Faire plusieurs petites entailles, en biais, sur un côté des truites.*

2. *Saler et poivrer généreuseme[nt] l'intérieur et l'extérieur des tr[ui]tes. Ensuite, arroser avec le [jus] de citron et badigeonner ave[c] c. à soupe d'huile de maïs.*

Régler votre grille à barbecue à 4'' de hauteur et ajouter les truite[s]. Faire cuire 6 à 7 minutes, ensuite les tourner et faire cuire [5] minutes; badigeonner occasionnellement le poisson avec le res[te] de l'huile.

Préparer votre sauce. Faire fondre le beurre dans une poêle, à fe[u] vif, soit sur votre cuisinière ou sur votre barbecue. A l'appariti[on] d'écume, assaisonner au goût et ajouter le jus de citron et le persil. Disposer les truites dans un plat de service et arroser avec la sauc[e] au beurre.

Garnir avec des quartiers de citron et du persil frais.
Accompagner avec les pommes de terre dans l'aluminium.

NOTES

OEUFS

NOTES

Coquille d'oeufs

(pour 4 personnes)

oeufs durs
b. de champignons, tranchés
tasses de sauce blanche*,
chaude
c. à soupe de beurre
tasse de fromage, râpé
c. à soupe de persil
sel et poivre

cher les oeufs et les ajouter à la
ce blanche; garder chaud.

e fondre le beurre dans une sau-
e à feu moyen/élevé. A l'appari-
d'écume, ajouter les champi-
ns, saler, poivrer et faire cuire 3 à
nutes.

semer les champignons de persil
es ajouter à la sauce. Rectifier
aisonnement.

ésiré, vous pourriez interrompre
uisson; refroidir la sauce, couvrir

d'un papier ciré et la conserver 2 jours au réfrigérateur.

Pour servir, diviser la sauce aux oeufs froide dans 4 coquilles et faire réchauffer le tout dans un four préchauffé à 350°F pour 30 minutes. Ensuite, saupoudrer les coquilles avec le fromage et faire fondre le fromage à "broil" pendant 2 minutes.

Ou, verser la sauce aux oeufs chaude dans 4 coquilles, saupoudrer avec le fromage et placer au four à "broil" pendant 2 minutes ou jusqu'à ce que le fromage soit fondu.

Servir immédiatement.

*Sauce blanche

3   tasses de lait mélangé avec 1 c. à
      soupe d'eau
3   c. à soupe de beurre
3   c. à soupe de farine
1/4 tasse de fromage, râpé
      une pincée de cayenne
1/4 c. à thé de muscade
      sel et poivre

Amener le lait à ébullition dans une petite casserole.
Faire fondre le beurre dans une autre casserole, à feu moyen. Ajouter la farine et faire cuire le roux 2 minutes; remuer constamment avec une cuillère en bois.
Ajouter 1/3 du lait au roux et faire cuire à feu doux jusqu'à ce que le mélange devienne pâteux; remuer constamment.
Tout en remuant, verser un autre 1/3 du lait dans la casserole; bien remuer jusqu'à ce que le mélange devienne lisse.
Ajouter le reste du lait, et les épices. Saler et poivrer au goût.
Laisser mijoter la sauce 15 minutes, à feu doux.
Ajouter le fromage et remuer jusqu'à ce qu'il soit fondu. Rectifier l'assaisonnement.

Oeufs Bénédictine

pour 4 personnes

- **4** oeufs
- **4** tranches de jambon
- **4** onces de sauce Hollandaise
- **1** c. à thé de persil, haché
  quelques gouttes de jus de citron
  sel et poivre au goût
- **4** tranches de pain français

Préchauffer le four à "broil" grill.

Porter une quantité d'eau salée au point d'ébullition dans une grande casserole.

Casser les oeufs dans l'eau bouillante en vous assurant que l'eau bout avant l'addition de chaque oeuf.

Faire pocher les oeufs 4 minutes et les retirer à l'aide d'une cuillère à trous. Egoutter les oeufs sur une serviette de papier.

Tailler le bord des oeufs et les mettre de côté.

Faire griller le pain de chaque côté et le disposer dans un plat de service allant au four.

Couvrir les tranches de pain grillées avec le jambon; plier chaque tranche de jambon en deux ou en trois dépendant de la grandeur.

Disposer un oeuf poché sur chaque tranche de jambon. Assaisonner au goût.

Verser 2 c. à soupe de sauce Hollandaise sur chaque oeuf et parsemer légèrement avec le persil et le jus de citron.

Faire dorer les oeufs au four à "broil" pendant 2 minutes; garder la porte du four ouverte, autrement la sauce se séparera.

Servir immédiatement.

Plusieurs recettes requièrent un bouquet garni. Pour préparer un bouquet garni, vous pouvez placer un minimum de trois épices, tel que des tiges de persil, du thym, des feuilles de laurier, dans un coton fromage et les attacher avec de la ficelle ou, comme je le fais, placer les épices entre deux morceaux de céleri et les retenir avec de la ficelle.

Technique de la Préparation des Oeufs Bénédictine

*Les ingrédients requis pour préparer les oeufs bénédictine: **oeufs pochés, tranches de jambon, pain grillé, sauce hollandaise, persil et citron.*** ▶

Amener l'eau salée au point d'ébullition.

2. Casser les oeufs dans l'eau bouillante. Porter le liquide au point d'ébullition avant l'addition de chaque oeuf.

3. Retirer les oeufs pochés du liquide à l'aide d'une cuillère à trous et les égoutter sur une serviette de papier.

Tailler le bord des oeufs et les mettre de côté.

5. Trancher 4 tranches de pain français et les faire griller de chaque côté.

6. Disposer les tranches de pain grillées dans un plat de service allant au four et placer une tranche de jambon sur chacune des rôties.

Placer un oeuf poché sur chaque tranche de jambon.

8. Etendre 2 c. à soupe de sauce hollandaise sur chaque oeuf.

9. Légèrement parsemer les oeufs bénédictine de persil et de jus de citron. Faire dorer les oeufs au four à "broil" grill pendant 2 minutes; garder la porte du four ouverte car autrement la sauce se séparera.

Oeufs brouillés
chasseur

(pour 4 personnes)

6	**oeufs, légèrement battus**
2	**tranches de bacon, en dés**
1	**petit oignon, haché fin**
1/4	**lb. de champignons, coupés en quatre**
1 1/2	**c. à soupe de beurre persil frais comme garniture sel et poivre**

Faire fondre le bacon dans une poêle à frire, à feu vif. Ajouter l'oignon et faire cui⟨ minutes.

Ajouter les champignons, assaisonne⟨ faire cuire 4 à 5 minutes, à feu moyen/éle⟨

Dans une autre poêle, faire fondre le be⟨ à feu vif, jusqu'à l'apparition d'écume. ⟨ suite, ajouter les oeufs et faire cuire 2 ⟨ minutes; remuer constamment à l'aide ⟨ fouet.

Saler et poivrer les oeufs.

Disposer les oeufs brouillés dans un pla⟨ service. Verser le mélange de champign⟨ sur les oeufs.

Parsemer de persil frais haché et servir.

Oeufs farçis

oeufs
1/2 c. à thé de mayon-
naise
c. à soupe de persil
haché
échalote, hachée
fin
sel et poivre

GARNITURE:

Paprika et
des Olives émincées

Faire bouillir les
oeufs 10 minutes.
Les rafraîchir à l'eau
froide.

Peler et couper les
oeufs en deux sur la
longueur.

Retirer les jaunes et
les mettre dans un
tamis. Disposer les
blancs d'oeufs sur
un plat de service.

Forcer les jaunes à
travers le tamis et
les mettre dans un
bol à mélanger.

Ajouter le persil, l'é-
chalote, la mayon-
naise, le sel et poivre
au goût et bien mé-
langer le tout.

Placer le mélange
dans une poche à
pâtisserie et farcir
les oeufs.

Saupoudrer les
oeufs farçis de pa-
prika et garnir avec
les morceaux d'oli-
ves.

Préparation

1. Principaux ingrédients.

2. Peler les oeufs bouillis et les couper en deux sur la longueur.

3. Retirer les jaunes et les placer dans un tamis. Attention de ne pas briser les blancs d'oeufs. Disposer les blancs dans un plat de service.

4. Forcer les jaunes à travers le tamis.

5. Mélanger les jaunes aux autres in-grédients de la farce.

6. Mettre le mélange dans une poche à pâtisserie et farcir les oeufs.

259

Oeufs jardinière

(allouer 2 oeufs par personn

8	oeufs durs, coupés en deux
2	c. à soupe de votre mayonnaise préférée
1	c. à soupe de moutarde française, style dijon

farce

1	branche de céleri coupée en petits dés
2	carottes, pelées et coupées en petits dés
1	piment vert, coupée en petits dés sel et poivre
3	c. à soupe de votre mayonnaise préférée quelques gouttes de sauce Tabasco

Garniture: feuilles de laitue et des tranches de radis.

Faire bouillir les oeufs 12 minutes. Ensuite, les égoutter et les faire refroidir sous l'eau froide pendant 5 à 6 minutes. Enlever la coquille des oeufs.

Mettre les légumes en dés dans une casserole, couvrir d'une demie tasse d'eau salée et amener au point d'ébullition. Faire cuire les légumes pendant 2 minutes. Bien égoutter et les placer dans un bol à mélanger.

Mélanger les 2 c. à soupe de mayonnaise aux légumes et saler et poivrer au goût.

Ajouter quelques gouttes de sauce Tabasco et bien mélanger. Réfri-

gérer les légumes.

Couper les oeufs en deux et lever les jaunes. Mettre les jaun dans un petit bol et incorporer moutarde et la mayonnaise.

Remplir les blancs d'oeufs avec mélange de légumes froids. Tap ser un plat de service avec c feuilles de laitue et disposer oeufs farcis sur la laitue.

Mettre le mélange de jaunes da une poche à pâtisserie et garnir oeufs et le plateau avec ce mélange d'oeufs.

Décorer avec les tranches de ra et servir.

Oeufs au gratin

(pour 2 personnes)

oeufs*
sel
poivre du moulin
2 c. à thé de beurre
c. à soupe de fromage gruyère, râpé
pincée de persil finement haché

réchauffer le four à 400ºF.

ettre le beurre, 1 c. à soupe de fromage
ruyère et le persil dans un petit plat à
ratiner. Placer le plat au centre du four

pour 4 à 5 minutes.
Casser les oeufs dans le plat, assaisonner
au goût et saupoudrer avec le reste du
fromage.
Faire cuire les oeufs 5 minutes au four à
375ºF.

*Vous avez sans doute remarqué que la photo de la
recette montre 3 jaunes. Notre fournisseur cette
semaine nous a envoyé des oeufs à coquilles brunes et pour une raison qui nous est inconnue,
presque tous les oeufs de cette douzaine conte-
naient deux jaunes.

Omelette espagnole

pour 2 personnes

OMELETTE

4 oeufs
1 c. à soupe d'eau ou de crème légère
1 c. à soupe de beurre
1/4 c. à thé de sel
poivre au goût

FARCE

2 tomates, coupées en 8
1 petit oignon rouge, émincé
1 gousse d'ail, écrasée et hachée
1 petit oignon vert, émincé
1 c. à soupe d'huile de maïs
1 c. à thé de persil, haché
sel et poivre

Faire chauffer l'huile de maïs dans une sauteuse, à feu vif. Ajouter les oignons à l'huile chaude et faire cuire jusqu'à ce qu'ils deviennent transparents. Ajouter les tomates, l'ail, le sel et poivre et faire cuire 5 minutes. Saupoudrer de persil et mettre la farce de côté.
Servir immédiatement.

Méthode de cuisson d'une omelette farcie

I.

2.

1. Principaux ingré-
   dients de l'ome-
   lette espagnole.

2. Casser les oeufs
   dans un bol à mé-
   langer.

3. Saler et poivrer.
   Ajouter l'eau.

4. Légèrement bat-
   tre les oeufs, à
   l'aide d'une four-
   chette.

5. Faire fondre le
   beurre dans une
   poêle, à feu vif.

6. Ajouter les oeufs.
   Secouer la poêle
   vigoureusement
   et souvent jus-
   qu'à ce que les
   oeufs soient
   presque 'pris'.

7. A l'aide d'une
   fourchette, plier
   le bord droit de
   l'omelette vers le
   milieu.

8. Ajouter la farce
   chaude au milieu
   de l'omelette.

9. Glisser douce-
   ment l'omelette
   vers la gauche
   jusqu'à ce que le
   bord gauche dé-
   passe de la poêle
   d'un demi-pouce.

10. Renverser
    l'omelette sur
    un plat chaud et
    servir immédia-
    tement.

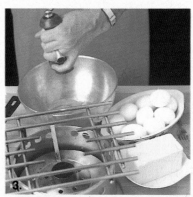

3.

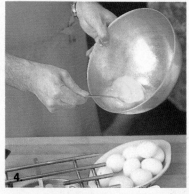

4.

5.

6.

7.

8.

9.

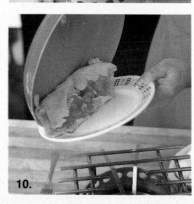

10.

une présen-
différente,
er 2 c. à
e de la farce
disposer-les
omelette au
nt de servir.

Omelette aux foies de poulet

(pour 2 personnes)

1   lb. de foies de poulet, coupés en deux
1   oignon, en dés
1   morceau de bacon (2 onces), en dés
1   gousse d'ail, écrasée et hachée
1   c. à thé de persil
3   c. à soupe de votre sauce tomate
préférée (facultatif)
    sel et poivre

omelette

4   oeufs
1   c. à soupe d'eau
1   c. à soupe de beurre
    sel
    poivre du moulin

Nettoyer, parer et couper les foies de poulet en deux.

Faire fondre le bacon dans une poêle à frire, à feu vif. Ajouter l'oignon, les foies de poulet assaisonner et faire cuire 2 minutes de chaque côté.
Ajouter l'ail et le persil; faire cuire le mélange pendant 1 minute. Mettre le mélange de foies de poulet de côté et préparer votre omelette.

Légèrement battre les oeufs, l'eau, le sel et le poivre dans un bol à mélanger, à l'aide d'une fourchette.
Faire fondre le beurre dans une poêle à frire, à feu vif, jusqu'à l'apparition d'écume. Ajouter les oeufs battus et faire cuire l'omelette à feu vif.
Secouer fréquemment la poêle jusqu'à ce que les oeufs soient presque "pris". A l'aide d'une fourchette, plier le bord droit de l'omelette vers le milieu.
Ajouter le mélange de foies de poulet, plier l'omelette et la renverser sur un plat de service chaud.
Si désiré, verser la sauce tomate sur l'omelette.

Omelette aux asperges

(pour 1 personne)

2 oeufs
1 c. à thé d'eau
Sel et poivre
6 asperges blanches ou vertes,
   coupées en longueur d'1/2''
1/4 c. à thé de persil
1 c. à soupe de beurre

Battre légèrement les oeufs, l'eau, les asperges, le sel et le poivre dans un bol, à l'aide d'une fourchette.

Faire fondre le beurre dans une poêle à omelettes, à feu très vif. Le beurre doit huiler le fond de la poêle.

Aussitôt que l'écume du beurre disparaît, ajouter les oeufs battus. Faire cuire l'omelette à feu très vif.

Secouer la poêle vigoureusement et souvent jusqu'à ce que les oeufs soient presque 'pris'.

À l'aide d'une fourchette ou d'une cuiller, plier le bord droit de l'omelette vers le milieu.

Glisser doucement vers la gauche jusqu'à ce que le bord gauche de l'omelette dépasse de la poêle d'un demi-pouce.

Renverser l'omelette sur un plat chaud. Servir garnie de 3 ou 4 pointes d'asperges et de persil frais.

les petits conseils du **chef**

La marinade a pour but d'attendrir les viandes rouges et les viandes blanches.

Technique du Soufflé aux carottes

1. Mettre les carottes dans le passe-légumes.

2. Passer les carottes au passe-légumes.

3. Placer les carottes en purée dans une casserole et faire cuire 3 à 4 minutes, à feu moyen; saler et poivrer.

4. Ajouter les jaunes d'oeufs et bien mélanger.

5. Monter les blancs d'oeufs en neige et incorporer 3 c. à soupe de blancs d'oeufs aux carottes.

6. Plier le reste des blancs d'oeufs au mélange de carottes; ne pas mélanger.

7. Verser le mélange dans un plat à soufflé. Faire un collet autour du plat et attacher avec de la ficelle.

Soufflé aux carottes

4 personnes)

Peler les carottes et les couper en deux.

Mettre les carottes dans une casserole contenant de l'eau bouillante, salée et les faire cuire environ 16 minutes ou jusqu'à ce qu'elles soient tendres.

Égoutter et passer les carottes au passe-légumes.

Placer la purée de carottes dans une casserole et à feu moyen, faire cuire 3 à 4 minutes ou jusqu'à ce que la plus grande partie du liquide soit évaporé; remuer occasionnellement.

Assaisonner au goût avec le sel, le poivre et le poivre de cayenne.

Disposer les carottes dans un bol à mélanger, ajouter les jaunes d'oeufs et bien mélanger.

Monter les blancs d'oeufs en neige ferme. Ensuite, incorporer 3 c. à soupe des blancs d'oeufs aux carottes.

Plier le reste des blancs d'oeufs au mélange de carottes; ne pas mélanger.

Verser le mélange dans un plat à soufflé, beurré. Faire un collet autour du moule avec du papier ciré et attacher avec de la ficelle.

Faire cuire le soufflé dans un four préchauffer à 425°F pendant 20 à 25 minutes.

ottes
yennes

vre du moulin
nes d'oeufs
ncs d'oeufs
e pincée de
vre de cayenne

Soufflé au fromage

(pour 4 personnes)

4 blancs d'oeufs
4 jaunes d'oeufs
1 tasse de sauce béchamel*
1 tasse de fromage gruyère, râpé
   sel et poivre au goût

Préchauffer le four à 400°F.

Préparer votre sauce blanche (béchamel). Ensuite, à l'aide d'un fouet, incorporer les jaunes d'oeufs, un à la fois, à la sauce; bien mélanger avant chaque addition. Rectifier l'assaisonnement, verser la sauce dans un bol à mélanger et mettre le bol de côté.

Monter les blancs en neige ferme.

Ajouter le fromage râpé à la sauce et bien mélanger. Ensuite, incorporer 3 c. à soupe de blancs d'oeufs au mélange de fromage; bien mélanger.

Plier le reste des blancs d'oeufs dans le mélange, à l'aide d'une spatule; plier jusqu'à ce que les deux mélanges soient bien incorporés.

Beurrer et légèrement parsemer de fromage quatre plats à soufflé individuels.

Remplir chaque plat jusqu'à 3/4'' du haut avec le mélange à soufflé.

Faire cuire le soufflé au fromage 10 minutes dans un four chauffé à 400°F. Garnir de persil et servir immédiatement.

* Sauce béchame[l]

1 c. à soupe de beurre
1 c. à soupe de farine
1 tasse de lait chaud
   sel et poivre blanc au go[ût]

Faire fondre le beurre dans u[ne] casserole, à feu vif. A l'appari[tion] d'écume, ajouter la farine et fa[ire] cuire le mélange pendant 1 mi[nu]te; remuer constamment avec [un] fouet ou une cuillère en bois.

Graduellement ajouter le [lait] remuer constamment. Assais[on]ner au goût et faire cuire la sau[ce] à feu moyen, environ 10 minu[tes] ou jusqu'à ce que vous obten[iez] une sauce blanche épaisse; [re]muer constamment pendan[t la] cuisson.

Plats à soufflé

es plats à soufflé sont disponibles dans plu-
eurs grandeurs — moule individuel, pour six,
our huit et même plus grand.

eurs prix varient selon la qualité et la gran-
eur. Ils sont disponibles en porcelaine —
paque, blanc, à motifs et même en verre

transparent tel que montré.

Assurez-vous, lorsque vous achetez des moules à soufflé qu'ils peuvent aller au four et aussi
dans votre lave-vaisselle pour ceux d'entre-
vous qui en possèdent un.

LÉGUMES

NOTES

Chou-fleur à l'italienne
Artichauts aux champignons

Artichauts aux champignons

(pour 4 personnes)

4	fonds d'artichaut, émincés
1/2	livre de champignons, têtes seulement
1	c. à soupe de persil, haché
1	gousse d'ail, écrasée et hachée
1	c. à soupe de beurre le jus d'1/4 de citron sel et poivre

Faire fondre le beurre dans une sauteuse, à feu vif. A l'apparition d'écume, ajouter les têtes de champignons et les artichauts émincés; assaisonner au goût et faire cuire 3 à 4 minutes. Ajouter l'ail et mélanger.

Arroser avec le jus de citron et saupoudrer avec le persil. Faire cuire le mélange pendant 1 minute.

Rectifier l'assaisonnement et disposer dans un plat de service.

Chou-fleur à l'italienne

(pour 4 à 6 personnes)

1	chou-fleur
1 1/2	tasses de sauce tomate, préparée
2	c. à soupe de fromage mozzarella, râpé fin sel et poivre
1	c. à thé de persil, haché

Préchauffer le four à 400°F. Faire cuire le chou-fleur à la vapeur pendant 9 minutes. Enlever les feuilles vertes et couper le chou-fleur en bouquets.

Beurrer un plat allant au four et ajouter les bouquets. Saler et poivrer au goût.

Verser la sauce tomate sur les bouquets et parsemer avec le fromage râpé.

Placer le plat au four à 400°F pendant 15 minutes. Saupoudrer avec le persil et servir.

273

Artichauts farcis (pour 4 personnes)

1 boîte de fonds d'artichauts, égouttés

Farce

2 c. à soupe de mayonnaise
1 c. à soupe de ketchup
2 branches de coeur de céleri, en dés d'1/2"
1 once de noix, coupée en deux
   sel et poivre
   quelques gouttes de jus de citron

1 c. à soupe d'huile d'olive
1 c. à thé de persil
   grandes feuilles de laitue et des rondelles de citron comme garniture.

Mettre les feuilles de laitue dans un plat d[e] service. Disposer les fonds d'artichauts s[ur] la laitue.

Combiner tous les autres ingrédients et fa[r]cir les fonds d'artichauts.

Garnir avec les rondelles de citron.

Canapés de saumon (allouer 5 canapés par personne)

   tranches très minces de saumon fumé
   pain français grillé
   oeufs durs, coupés en deux
1 c. à soupe de câpres
   poivre du moulin
   quartiers de citron

Couvrir le montant de tranches de pain fran-çais grillé avec le saumon fumé. Couper les tranches en bâtonnets. Disposer les bâton-nets sur un plat de service.

Rouler des petits morceaux de saumon fumé et les placer sur les moitiés d'oeufs. Disposer les oeufs sur le plat de service.

Assaisonner les canapés avec le poivre et garnir de câpres et de quartiers de citron.

Artichauts hollandaise

(pour 4 personnes)

- oîte de petits fonds d'artichauts, égouttés
- oîte d'asperges lanches, égouttées et oupées en deux
- . à soupe de beurre
- c. à thé de persil, haché
- sel et poivre
- sauce hollandaise

chauffer le four à "broil".
e fondre le beurre dans une
serole, a feu vif. A l'appari-
d'écume, ajouter les arti-
uts, les asperges, sel et
re au goût. Réchauffer les
mes 2 à 3 minutes à feu
en/doux.
oser les fonds d'artichauts
un plat de service allant au
et les remplir avec les moi-
d'asperges.
ser la sauce hollandaise sur
légumes et placer au four à
pendant 2 minutes.
nir de persil frais haché et
ir.

Sauce hollandaise (3/4 tasse)

2   jaunes d'oeufs
2   c. à soupe d'eau
    froide
6   onces de beurre clarifié,
    fondu
    sel
    poivre blanc du moulin
    jus d'1/4 de citron

Placer les jaunes d'oeufs dans un bol en acier inoxydable ou dans la casserole supérieure d'un bain-marie. Incor-

porer l'eau aux oeufs avec un fouet.

Placer le récipient sur une casserole à demi remplie d'eau presque bouillante et fouetter sans arrêt jusqu'à ce que les jaunes d'oeufs épaississent considérablement.

Ajouter le beurre clarifié en filets en fouettant constamment.
Saler, poivrer et incorporer le jus de citron aux jaunes d'oeufs.

alade aux endives avec des oeufs durs

(pour 4 personnes)

1   oignon rouge, coupé en rondelles
4   endives Belge, nettoyées et séparées
2   oeufs durs, en quartiers
1   c. à soupe de persil haché
    le jus d'1/2 citron

vinaigrette

1   c. à soupe d'échalotes sèches, hachées fin
3   c. à soupe de vinaigre de vin
7 à 9   c. à soupe d'huile d'olive
        poivre du moulin
1/4   c. à thé de sel
2   c. à soupe de crème sure

Placer l'oignon, les endives et le jus de citron dans un bol de service; mélanger.
A l'aide d'un fouet, combiner tous les ingrédients de la vinaigrette, sauf l'huile et la crème sure, dans un bol.
Ajouter l'huile d'olive en filets en fouettant constamment.
Incorporer la crème sure et rectifier l'assaisonnement.
Ajouter les quartiers d'oeufs et le persil aux endives.
Ajouter la vinaigrette et bien mélanger.

275

L'artichaut vinaigrette

1 échalote, hachée fin
1 c. à soupe de moutarde Dijon
1/4 c. à thé de cerfeuil
sel et poivre
2 c. à soupe de vinaigre de vin
4 c. à soupe d'huile d'olive
quelques gouttes de jus de citron
1 c. à soupe de crème sure, facultatif

Mélanger l'échalote, la moutarde, le cerfeuil, le vinaigre de vin, le sel et le poivre dans un bol.

Ajouter l'huile d'olive en filets, en fouettant constamment.

Ajouter le jus de citron; bien incorporer. Rectifier l'assaisonnement.

Si désiré, ajouter la crème sure juste au moment de servir. Bien mélanger.

Comment faire cuire
les artichauts

...hauts, citron, ficelle et cou-
...d'office.

...er le base de l'artichaut.

... une tranche de citron à la
... de l'artichaut.

...er l'artichaut.

...rtichauts ficelés. Plonger les
...hauts dans de l'eau bouillan-
...lée et contenant 1 c. à soupe
...s de citron. Faire cuire les ar-
...uts avec un couvercle 30 à 40
...tes.

...ite, rafraîchir les artichauts à
... froide et les faire égoutter.

1

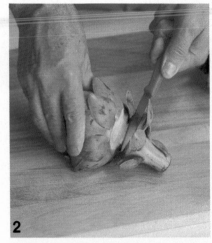

2

4

5

présentation des artichauts

...er le coeur de l'artichaut.

7. Inverser et disposer le coeur dans l'artichaut.

8. Couper le foin de l'artichaut.

7

8

Asperges à la crème

(pour 4 personnes)

2	bottes d'asperges fraîches ou 2 boîtes d'asperges

sauce

2	c. à soupe de beurre ou margarine
2	c. à soupe de farine
1 1/2	tasses de lait, chaud
1/4	c. à thé de muscade sel et poivre
1/4	tasse de fromage parmesan, râpé

Asperges fraîches

Couper la base et éplucher avec un grattoir de légumes chacune des asperges fraîches.

Laver les asperges et ensuite les plonger dans de l'eau bouillante, salée. Faire blanchir les asperges pendant 10 minutes. Egoutter et rincer les asperges sous l'eau.

Asperges en boîte

Egoutter les asperges.

Ensuite, faire chauffer les asperges 7 à 8 minutes à feu doux dans une poêle contenant 1 c. à soup de beurre ou margarine fondu.

Disposer les asperges chaudes sur un plat de service et arroser de la sauce.

Sauce

Faire fondre le beurre ou la margarine dans une petite casserole, à feu moyen. A l'apparition d'écume, ajouter la farine et faire cuire le roux 3 à 4 minutes; remuer constamment à l'aide d'une cuillère en bois ou d'un fouet.

Ajouter le lait graduellement et faire cuire jusqu'à ce que le mélange devienne lisse; remuer constamment.

Saler, poivrer et ajouter la muscade. Bien mélanger et faire cuire 7 à 8 minutes, à feu très doux.

Ajouter le fromage parmesan, mélanger et servir.

Zucchini grillés

(pour 4 personnes)

gros ou 4 petits zucchini, non-pelés
huile de maïs
gousses d'ail, écrasées et hachées

3 c. à soupe de chapelure
2 c. à soupe de beurre
le jus d' 1/2 citron
1 c. à soupe de ciboulette fraîche, hachée
sel et poivre
garniture: échalotes vertes

Préchauffer le four à "broil".

Couper les zucchini en deux sur la longueur et enlever les pépins. Saler et poivrer au goût.

Disposer les moitiés de zucchini dans un plat de service allant au four. Badigeonner les zucchini d'huile de maïs et les faire cuire sous le broil pendant 8 minutes de chaque côté.

Ensuite, mélanger tous les autres ingrédients et badigeonner les zucchini grillés de ce mélange.

Remettre les zucchini sous le broil et faire cuire 2 minutes ou jusqu'à ce que le beurre ait fondu.

Servir garnis d'échalotes vertes.

Asperges avec sauce fromage

(pour 4 personnes)

livre d'asperges

sauce
donne: 2 tasses

c. à soupe de beurre
c. à soupe de farine
tasses de lait chaud
une pincée de muscade
sel
poivre blanc
2 tasse de fromage cheddar blanc, doux et râpé

Couper la base et éplucher chaque asperge.
Amener 1" d'eau salée à ébullition dans une casserole. Ensuite, ajouter les asperges, couvrir et faire blanchir 7 minutes. Egoutter.
Les asperges sont cuites lorsque la base devient tendre. Pour savoir si elles sont prêtes, piquer la base avec la pointe d'un couteau office.
Faire fondre le beurre dans une casserole, à feu moyen, jusqu'à apparition d'écume. Ajouter la

farine et faire cuire le roux pendant 2 minutes; remuer constamment à l'aide d'une cuillère en bois ou d'un fouet.
Ajouter 1 tasse de lait chaud et faire cuire à feu doux jusqu'à ce que le mélange devienne lisse; remuer constamment.
Incorporer graduellement, en remuant constamment, le reste

du lait. Ajouter la muscade, le sel et le poivre au goût.
Faire mijoter la sauce 15 minutes à feu doux. Ensuite, ajouter le fromage et remuer jusqu'à ce qu'il soit fondu. Rectifier l'assaisonnement.
Disposer les asperges cuites dans un plat de service et les arroser de la sauce au fromage.

Aubergines à ma façon

(pour 4 personnes)

2	**aubergines moyennes**
3	**c. à soupe d'huile de maïs**
	sel et poivre
1 1/2	**tasse de sauce aux tomates, préparée**
2	**gousses d'ail, écrasées et hachées**
1	**c. à soupe de persil, haché**
1/4	**tasse de fromage gruyère ou parmesan, râpé**

Peler et trancher les aubergines 1/4" d'épaisseur.

Verser l'huile de maïs dans une grande poêle à frire, à feu vif.

Assaisonner les tranches d'aubergines et les faire cuire 15 minutes dans l'huile chaude, à feu moyen/élevé. Tourner occasionnellement les tranches d'aubergines; faire attention de ne pas les briser.

Disposer les aubergines dans un plat à gratiner. Saler, poivrer et mettre le plat de côté.

Ajouter l'ail et la sauce aux toma-

Principaux ingrédients

tes à la poêle à frire. Amen(...) point d'ébullition et ensuite v(...) sur les tranches d'aubergines

Saupoudrer avec le persil fromage râpé.

Mettre les aubergines dans un(...) préchauffé à 350ºF pendan(...) minutes.

les petits conseils du chef

Les crevettes fraîches peuvent être remplacées par des crevettes du Labrador, moins dispendieuses. On obtient de 70 à 120 crevettes à la livre. Elles se présentent précuites en contenant surgelé qu'il suffit simplement de réchauffer.

Aubergines à la meunière

(pour 6 à 8 personnes)

c. à soupe de farine
aubergines moyennes, tranchées 1/4"
d'épaisseur
sel et poivre
jus de citron au goût
c. à soupe de persil, haché
c. à soupe d'huile de maïs

réchauffer le four à 400°F.

ettoyer mais ne pas éplucher les aubergines.
rancher les aubergines sur la longueur.

isposer les tranches d'aubergines sur un plateau
t les saupoudrer de sel. Laisser les tranches
eposer pendant 15 minutes à la température de la
ièce.

nsuite, avec des serviettes de papier, éponger
es aubergines.

aupoudrer les tranches d'aubergines avec la
arine.

Faire chauffer l'huile de maïs dans une plaque à
rôtir. Ajouter les aubergines à l'huile chaude,
saler, poivrer et faire cuire au four à 400°F pendant
30 à 35 minutes.

Arroser les aubergines de jus de citron et saupoudrer avec le persil.

Si désiré, vous pouvez servir les aubergines avec
un beurre meunière.

Beurre meunière

2   c. à soupe de beurre
1   c. à thé de persil, haché
    poivre du moulin
    jus d'1 1/2 citron

Faire fondre le beurre dans une poêle et ajouter le
jus de citron.

Poivrer au goût et ajouter le persil.

Verser le beurre meunière sur les aubergines.

Aubergine frite en bâtonnets

(pour 4 à 6 personnes)

1 petite aubergine
1 recette de pâte à frire
 sel et poivre
 une friteuse contenant de l'huile de maïs chauffée à 350°F.

Couper l'aubergine en tranches d'1/2 pouce d'épaisseur et ensuite en bâtonnets de 2 à 3 pouces de longueur.
Saler et poivrer au goût.
Plonger les morceaux d'aubergine dans la pâte à frire et les faire dorer dans l'huile chaude.

PÂTE À FRIRE

8 onces de farine, tamisée
1/2 c. à thé de sel
2 c. à soupe d'huile de maïs
2 tasses d'eau, tiède
2 blancs d'oeufs, montés en neige

Verser la farine dan un bol à mélanger e ajouter le sel. Inco porer l'huile de maïs l'aide d'une cuillère e bois et bien mélanger Graduellement ajoute l'eau au mélange; re muer constamment. Incorporer les blancs la pâte à l'aide d'un spatule.

Carottes Vichy

(pour 4 personnes)

4 grosses carottes, coupées en rondelles
1 feuille de laurier
1 c. à thé de cerfeuil
 sel et poivre
1 c. à thé de sucre
1 1/2 tasse de bouillon de poulet, chaud
1 c. à thé de persil, haché
 beurre

Placer les carottes dans une poêle beurrée, e saupoudrer avec le sucre, sel et poivre a goût.
Ajouter la feuille de laurier et le cerfeuil. Verse le bouillon de poulet sur les carottes et scelle la poêle avec un papier ciré.
Mettre la poêle à feu moyen et faire cuire le carottes 5 minutes.
Retirer le papier ciré, augmenter à feu vif e faire cuire 3 à 4 minutes.
Rectifier l'assaisonnement, disposer les carot tes dans un plat de service et parsemer d persil.

Aubergine frite

pour 4 à 6 personnes

1	aubergine, pelée
2	c. à soupe de farine
	sel et poivre
4	blancs d'oeufs
	friteuse contenant de l'huile de maïs chaude

Couper l'aubergine en deux sur la longueur et trancher les moitiés.
Assaisonner et saupoudrer les morceaux d'aubergine de farine.
Battre les blancs jusqu'à ce qu'ils soient mousseux.
Tremper les morceaux d'aubergines dans les blancs d'oeufs et ensuite les mettre dans la friteuse.
Faire dorer les morceaux d'aubergines et servir immédiatement.

Chou-fleur au gratin

pour 4 à 6 personnes

chou-fleur
tasse de sauce béchamel, chaude
/4 tasse de fromage parmesan, râpé
sel et poivre

réchauffer le four à «broil».
aire cuire le chou-fleur à la vapeur squ'à ce qu'il soit tendre, environ 15 à 17 minutes. Assaisonner au goût.
Mettre le chou-fleur dans un plat de service allant au four.
Verser la sauce chaude sur le légume et parsemer avec le fromage râpé.
Faire dorer le fromage au four à «broil».

SAUCE BECHAMEL
(donne: 3 1/2 tasses)

4	c. à soupe de beurre
4	c. à soupe de farine
4	tasses de lait, chaud
1	oignon piqué d'un clou de girofle
	sel
	poivre blanc du moulin
	une pincée de muscade

Faire fondre le beurre dans une casserole, à feu vif jusqu'à l'apparition d'écume. Ajouter la farine et faire cuire le roux 5 minutes à feu moyen, sans couvercle, en remuant constamment.
Retirer la casserole du feu et ajouter 1 tasse de lait chaud. Bien mélanger à l'aide d'une cuillère en bois.
Remettre la casserole sur le poêle, à feu doux et ajouter le reste du lait chaud, une tasse à la fois; remuer constamment.
Ajouter l'oignon, la muscade et le sel et poivre.
Laisser mijoter la sauce pendant 30 minutes, sans couvercle; remuer à l'occasion.
Enlever l'oignon avant d'utiliser la sauce.
Cette sauce se conserve 2 jours au réfrigérateur. Presser un papier ciré sur la surface de la sauce avant de réfrigérer.

Avocats farcis au crabe

(pour 4 personnes)

2 avocats
1 boîte de crabe, cuits (10 onces)

SAUCE
2 c. à soupe de mayonnaise
2 c. à soupe de ketchup
1 c. à thé de sauce chili
jus de 1/2 citron
sel et poivre
1 c. à soupe de crème sure
quelques gouttes de sauce Worcestershire

Couper les avocats en deux sur la longueur et retirer les noyaux.

Retirer la chair d'avocat avec une cuiller et la placer dans un bol. Mettre de côté les moitiés d'avocats évidées.

Mélanger tous les ingrédients de la sauce. Ensuite, incorporer le crabe et la chair d'avocat. Rectifier l'assaisonnement.

Mettre le mélange dans les moitiés d'avocat évidées.

Servir chaque moitié d'avocat farcie sur une feuille de laitue et garnir avec des quartiers de citron.

AVOCATS VINAIGRETTE
(Pour 4 personnes)

Recette:
- avocats mûrs *
- c. à soupe de vinaigre de vin
- c. à thé de moutarde Dijon
- c. à soupe de persil frais haché
- échalotes sèches, hachées fin
- 1 pincée de thym
- 1/2 c. à thé de cerfeuil
- sel et poivre au goût
- c. à soupe d'huile d'olive
- jus de 1/4 de citron
- 1/2 pomme, évidée, pelée et tranchée très mince
- 1 jaune d'oeuf battu

Garniture:
1 c. à soupe de persil frais haché
4 tranches d'orange

* La pelure d'un avocat mûr est souvent marquée de taches brunes ou noires. Sa chair devrait avoir la même texture, au toucher, qu'une pêche mûre.

Couper les avocats en deux sur le sens de la longueur et les dénoyauter. Découper la chair en boules en utilisant une cuiller à pommes de terre parisienne. Placer la chair dans un bol et l'arroser d'un peu de jus de citron. Mettre les pelures évidées de côté.

Placer le vinaigre de vin, la moutarde, les herbes, l'échalote, le sel et poivre dans un bol. Mélanger au fouet. Y ajouter l'huile d'olive, en filet, en fouettant constamment. Y ajouter le jus de citron, en fouettant. Mélanger le jaune d'oeuf battu à la vinaigrette.

Ajouter les tranches de pomme aux avocats, et y mélanger assez de vinaigrette pour bien humecter et rehausser la saveur des ingrédients.

Placer le mélange dans les pelures réservées. Garnir de tranches d'orange et de persil haché.

Bananes aux raisins secs

(pour 4 personnes)

2 bananes, tranchées en diagonal, en longueur 1 1/2"
1 c. à soupe de beurre
1 c. à thé de cassonade
 quelques gouttes de jus de citron
3 c. à soupe de raisins secs
garniture: persil

Faire fondre le beurre dans une poêle à frire jusqu'à l'apparition d'écume. Ajouter les bananes et les faire cuire 2 à 3 minutes, à feu élevé.

Saupoudrer les bananes avec la cassonade et incorporer les raisins; faire cuire 1 minute.

Arroser avec le jus de citron et garnir d'un peu de persil.

Beignets au maïs

(pour 4 personnes)

1/2 tasse de maïs en conserve ou congelé
2 oeufs, bien battus
1/2 c. à thé de poudre à pâte
2 c. à soupe de farine
 sel
4 c. à soupe d'huile de maïs OU de shortening

Vous pourriez utiliser du maïs frais, mais vous d● l'enlever de l'épi.

Combiner le maïs et les oeufs battus.

Ensuite, combiner la farine, la poudre à pâte et le Ajouter les ingrédients secs au mélange de maïs et ● gérer pendant 1 heure.

Faire chauffer l'huile ou le shortening dans une poê frire, à 325ºF.

Verser la pâte de maïs, à l'aide d'une cuillère, dans le chaud et faire frire les beignets de chaque côté.

Écorces de petits pois aux pommes

(pour 4 à 6 personnes)

1	c. à thé de persil
1	lb. d'écorces de petits pois
1/2	pomme, évidée et émincée
1/4	oignon rouge, coupé en rondelles
1	c. à soupe d'huile de maïs sel et poivre

Faire chauffer l'huile de maïs dans une poêle à frire, à feu vif. Ajouter l'oignon et faire cuire 1 minute.

Ajouter les pommes et les pois; saler, poivrer et faire cuire 4 minutes, à feu vif.

Parsemer de persil et servir.

Blé d'Inde à la crème

(pour 4 personnes)

1	(10 onces) paquet de blé d'Inde congelé
2	c. à soupe d'oignon râpé
1/2	piment rouge, petits dés sel et poivre
1	c. à soupe de margarine
2	c. à soupe de fromage parmesan, râpé

sauce

2	c. à soupe de margarine
2	c. à soupe de farine
1 1/2	tasse de lait chaud - ajouter:
	1 c. à thé d'eau
	une pincée de muscade
	sel
	poivre

Faire fondre les 2 c. à soupe de margarine dans une casserole, à feu moyen. Saupoudrer avec la farine et faire cuire le mélange 2 minutes; remuer constamment avec une cuillère en bois ou un fouet.

Ajouter le lait chaud, la muscade, le sel et poivre au goût. Réduire à feu doux et faire mijoter la sauce 6 minutes.

Faire fondre la c. à soupe de margarine dans une autre casserole jusqu'à l'apparition d'écume. Ajouter l'oignon râpé et le piment rouge; faire cuire le mélange 2 minutes, à feu doux.

Ajouter le blé d'Inde, rectifier l'assaisonnement et bien mélanger.

Verser la sauce blanche sur le mélange de blé d'Inde et faire mijoter 3 à 4 minutes.

Disposer le mélange dans un plat de service allant au four et parsemer avec le fromage râpé.

Mettre le blé d'Inde à la crème sous le broil jusqu'à ce que le fromage ait fondu.

287

Petits oignons glacés

(pour 4 personnes)

20 petits oignons blancs, pelés
1 c. à soupe de beurre
sel et poivre
1 c. à soupe de persil frais, haché

Faire blanchir les oignons 5 minutes dans de l'eau bouillante salée.

Faire fondre le beurre dans une sauteuse. A l'apparition d'écume, ajouter les oignons et faire sauter 3 à 4 minutes, à feu moyen/élevé.

Saler et poivrer. Saupoudrer de persil et servir.

Brocoli au beurre

(pour 4 personnes)

Le brocoli est un légume originaire
❯ d'Italie.

1 brocoli, coupé en bouquets
sel et poivre
jus de citron au goût
2 c. à soupe de beurre, ramolli

Placer le brocoli dans une étuveuse "marguerite" et le cuire 6 minutes à la vapeur.
Saler et poivrer.
Disposer les bouquets de brocoli dans un plat de service roser de jus de citron.
Ajouter le beurre ramolli et garnir de rondelles de citron.

Brocoli en moule
avec sauce Mornay

(pour 12 personnes)

paquets de brocoli,
parés
/2 tasse de crème épaisse
/2 tasse de chapelure
oeufs
une pincée de muscade
sel et poivre

eurrer un moule à ressort
pouces).

réchauffer le four à 325°F.

aire cuire le brocoli 6 minutes
la vapeur.

acher le brocoli cuit dans un
asse-légumes ou un robot
ulinaire.

corporer les oeufs, un à la
is.

jouter les autres ingrédients
bien mélanger.

erser le mélange de brocoli
ans le moule et mettre le

moule dans un bain-marie contenant de l'eau chaude jusqu'à la moitié du moule. Faire cuire le brocoli au four à 325°F pendant 35 à 40 minutes, ou jusqu'à ce qu'il soit pris.

Détacher le brocoli des côtés du moule, à l'aide d'un couteau bien aiguisé.

Démouler le mélange de brocoli sur un plat de service chaud. Arroser le brocoli en moule de la sauce Mornay et servir.

Sauce Mornay

2   c. à soupe de beurre
2   c. à soupe de farine
2   tasses de lait, chaud
1   jaune d'oeuf
     sel et poivre
1/4 tasse de fromage
     gruyère, râpé

Faire fondre le beurre dans une casserole épaisse, à feu vif. A l'apparition d'écume, réduire à feu moyen, ajouter la farine et faire cuire le roux 5 minutes, sans couvercle, en remuant constamment.

Retirer la casserole du feu et ajouter une tasse de lait chaud; mélanger à l'aide d'une cuillère en bois jusqu'à ce qu'il soit bien incorporé.

Remettre la casserole sur le poêle à feu doux et incorporer le reste du lait.

Légèrement battre le jaune d'oeuf et l'ajouter à la sauce; bien mélanger. Assaisonner au goût.

Incorporer le fromage et remuer jusqu'à ce que le mélange devienne lisse.

Verser la sauce Mornay sur le brocoli en moule.

Salade d'artichaut et de crevette

(pour 4 personnes)

1 petite boîte de fonds d'artichaut
1 lb. de crevettes cuites, décongelées, nettoyées et décortiquées
1 oignon rouge, coupé en rondelles
 tranches de citron et
 laitue iceberg comme garniture

Sauce Hellmann's

3 c. à soupe de mayonnaise
1 c. à soupe de ketchup
1 c. à soupe de sauce chili
1 c. à thé de raifort
1 c. à thé de jus de limette
 sel et poivre
1 c. à thé de crème sure

Mettre tous les ingrédients de la sauce dans bol à mélanger; bien mélanger et rectifier l'as sonnement. Ajouter les fonds d'artichaut et crevettes; bien mélanger.
Tapisser un plat de service avec de la laitue berg. Disposer les artichauts et les crevettes la laitue.
Garnir avec les rondelles d'oignons et les ches de citron.

Brocoli et Chou-fleur au Curry

(pour 6 à 10 personnes)

1 tête de brocoli, coupé en bouquets
1 tête de chou-fleur, coupé en bouquets

Garniture:

1 petit oignon, coupé en rondelles
 radis et céleri

Vinaigrette au curry

1/4 c. à thé de sel
 poivre du moulin
1 c. à thé de moutarde française, telle que Dijon
1 c. à soupe d'échalote sèche, haché fin
1 c. à thé de persil frais, haché fin
3 c. à soupe de vinaigre de vin
9 c. à soupe d'huile de maïs
 le jus d'1/4 de citron
 quelques gouttes de sauce Tabasco
1 c. à thé de poudre de curry
 le jaune d'un oeuf cuit dur

Faire blanchir les bouquets de brocoli et de chou-fleur pendant 6 minutes. Rafraîchir à l'eau froide et bien égoutter.
Préparer votre vinaigrette. Passer le jaune d'oeuf au tamis et l'incorporer à la moutarde.

Combiner le mélange de moutarde, le sel, le poivre, l'échalote, le persil et le vinaigre dans un bol à mélanger.
Ajouter l'huile de maïs en filets; remuer constamment à l'aide d'un fouet.
Incorporer la poudre de curry et le jus de citron. Ajouter la sauce Tabasco et rectifier l'assaisonnement.
Mélanger la vinaigrette aux bouquets et laisser mariner pendant une demi-heure avant de servir.
Ensuite, disposer les bouquets de brocoli et de chou-fleur dans un plat de service et garnir avec l'oignon, les radis et les morceaux de céleri.

rocoli Hollandaise

(pour 4 personnes)

botte de brocoli, coupée
en longueur de 1"
Jus de citron au goût
c. à soupe de beurre,
fondu
el et poivre

Faire cuire le brocoli frais à la vapeur pendant 6 minutes; le brocoli congelé 4 minutes.

Assaisonner le brocoli. Ajouter quelques gouttes de jus de citron et le beurre fondu.

Servir avec une Sauce Hollandaise.

Voir page 2 pour la technique et la recette de la Sauce Hollandaise.

(pour 4 personnes)

4 petits navets

Sel et poivre

2 c. à soupe de beurre

**1 c. à soupe de persil,
haché**

eler et couper les navets en
uartiers.

Navet au beurre

Plonger les quartiers de navets dans une casserole remplie d'eau bouillante salée et faire blanchir les navets 15 minutes à feu vif.

Rafraîchir les navets à l'eau froide.

Faire fondre le beurre dans une sauteuse à feu vif, jusqu'à l'apparition d'écume.

Ajouter les navets, sel, poivre et le persil et faire cuire à feu vif pendant 8 minutes.

Brocoli moderne

(pour 4 personnes

- 2 branches de céleri, en ...
  les bouquets de 2
  branches de brocoli
- 1 petit piment vert, en dé...
- 2 échalotes vertes, en dé...
- 1 gousse d'ail, écrasée et
  hachée
- 2 c. à soupe d'huile de ma...
  sel et poivre

Garniture: rondelles de
          citron

Faire chauffer 1 c. à so...
d'huile de maïs dans ...
sauteuse, à feu vif. Lors...
l'huile devient très chau...
ajouter les bouquets de b...
coli, saler, poivrer et fa...
cuire 2 minutes avec un c...
vercle.

Incorporer le reste de l'h...
et ajouter tous les autres
gumes.

Assaisonner au goût et fa...
cuire les légumes 4 à 5 ...
nutes, à feu élevé.

Disposer le brocoli mode...
dans un plat de service ...
garnir avec les rondelles ...
citron.

Sauce à la bretonne

(pour 4 personnes)

- 1 c. à soupe de moutarde
  française importée
- 2 jaunes d'oeufs
- 1 c. à soupe de vinaigre
  de vin
  sel et poivre
- 1 c. à soupe de beurre fon...
- 1 c. à soupe de fines herbe...
  mélangées

Mélanger la moutarde et l...
jaunes.

Ajouter le vinaigre et saler
poivrer au goût.

Incorporer le beurre fond...
les herbes et bien mélange...

Verser la sauce dans u...
saucière ou un bol de ser...
ce.

Servir cette sauce froi...
avec des oeufs durs, d...
échalotes et des tomates.

arottes en purée

(pour 4 personnes)

6 grosses carottes, pelées et tranchées
2 c. à soupe de beurre
1 petit oignon, émincé
1 tasse de bouillon de poulet, chaud
1 feuille de laurier
1 c. à thé de cerfeuil
sel et poivre

Faire fondre 1 c. à soupe de beurre dans une casserole, à feu moyen.

Ajouter l'oignon, couvrir et faire cuire 5 minutes.

Ajouter les carottes, la feuille de laurier, le cerfeuil, le sel et le poivre.

Verser le bouillon de poulet sur les ingrédients, couvrir et faire cuire 30 minutes ou jusqu'à ce que les carottes soient tendres. Enlever la feuille de laurier.

Passer le mélange de carottes au passe-légumes.

Incorporer le reste du beurre et disposer la purée de carottes dans un plat de service. Garnir de persil frais.

---

pour 4 personnes)

. de choux de Bruxelles, arés
etits oignons blancs
anches de bacon d'1/2"
'épaisseur, en dés
el et poivre
uelques gouttes de jus
e citron

blanchir les choux de
elles 7 minutes dans de
bouillante, salée.

s une autre casserole,
blanchir les oignons 7
ites.

utter les légumes et les
re de côté.

fondre le bacon dans
grande poêle à frire, à
noyen/élevé. Ajouter les
ux et les oignons, saler,
rer au goût, et faire cuire
minutes.

erger de jus de citron et
ir.

Choux de Bruxelles au bacon

Carottes et Oignons cuits dans l'aluminium

(pour 4 personnes)

4 carottes
4 oignons
    le jus d'1/4 de citron
1 feuille de laurier
2 c. à soupe de beurre
    sel
    poivre du moulin
1 c. à soupe de persil haché
1 feuille de papier aluminium

Préparer votre barbecue.

Peler les légumes. Laisser les oignons entiers et couper les carottes en deux.

Disposer tous les ingrédients dans la feuille d'aluminium, et saler et poivrer au goût.

Sceller le papier et faire cuire les légumes 30 à 35 minutes sur le barbecue.

Pour servir, garnir de quartiers de citron.

Carottes et oignons prêts pour la cuisson.

294

Carottes et tomates en hors d'oeuvres
(pour 4 à 6 personnes)

Carottes

6   carottes, pelées
2   c. à soupe de vinaigrette*
2   c. à soupe de mayonnaise
1   c. à soupe de persil, haché fin
    sel et poivre au goût
    jus de 1/4 de citron

Râper les carottes en julienne.
Placer la vinaigrette, la mayonnaise, le persil, le jus de citron, le sel et poivre au goût dans un bol. Bien mélanger. Ajouter les carottes râpées julienne et mélanger. Rectifier l'assaisonnement. Laisser reposer une heure.

Tomates

4   tomates, émincées
3   c. à soupe de vinaigrette*
1   petit oignon rouge, émincé
    sel et poivre au goût

Disposer les tomates dans un plat de service.
Mélanger les autres ingrédients et les verser sur les tomates.
Laisser reposer une heure.
Pour servir, disposer les carottes au centre du plat de service.

*Vinaigrette

1   échalote sèche, hachée fin
    sel et poivre du moulin
1   c. à soupe de persil, haché fin
2   c. à soupe de vinaigre de vin
5   c. à soupe d'huile d'olive

Mélanger tous les ingrédients de la vinaigrette dans un petit bol.

Oignons et champignons glacés

(pour 4 personnes)

1/2 livre de champignons entiers, nettoyés
1   tasse de petits oignons blancs, pelés
    sel et poivre
1   c. à soupe de persil frais, haché
2   c. à soupe de beurre

Faire blanchir les petits oignons pendant 5 minutes. Egoutter et mettre les oignons de côté.
Faire fondre le beurre dans une sau-teuse à feu vif.
A l'apparition d'écume, ajouter les oignons blanchis, assaisonner et faire cuire 2 minutes.
Ajouter les champignons, le se[l], poivre et faire cuire 4 à 5 minutes. Saupoudrer les légumes avec le [per]sil et servir.

Céleri bonne femme

(pour 4 à 6 personnes)

1   pied de céleri, entier
1   c. à soupe de persil, haché
1   c. à soupe de beurre
1   tasse de bouillon de poulet, chaud
    sel et poivre
1/4 tasse de fromage mozzarella, râpé fin

Préchauffer le four à 400ºF.
Parer, nettoyer et séparer les branches de céleri. Couper les branches en longueur de trois pouces.
Faire fondre le beurre dans un plat allant au four. Disposer les morceaux de céleri dans le plat.
Généreusement saler et poivrer les morceaux de céleri.
Verser le bouillon de poulet sur le légume et couvrir le plat de papier d'aluminium.
Faire cuire le céleri au four à 400ºF approximativement 1 heure.
Enlever le papier d'alumini[um] et parsemer le céleri avec[c] fromage.
Placer le plat au four à b[...] jusqu'à ce que le fromage [...] fondu. Saupoudrer avec [...] persil et servir.

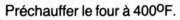

Céleri braisé à l'italienne

(pour 4 personnes)

1 pied de céleri
jus d'un 1/2 citron
2 c. à soupe de beurre
1 1/2 tasse de sauce
   tomate, préparée
1 feuille de laurier
une pincée de persil
1/4 tasse de fromage
   parmesan, râpé
sel et poivre

Parer la base du pied de célerie et enlever le feuillage. Couper les branches de céleri en deux.

Faire blanchir le céleri dans l'eau bouillante salée, contenant également le jus d'un 1/2 citron, pendant 7 minutes.

Rafraîchir le céleri à l'eau froide afin d'arrêter la cuisson. Bien égoutter.

Préchauffer le four à grill "broil".

Faire fondre le beurre dans une sauteuse, à feu moyennement élevé. A l'apparition d'écume, ajouter les morceaux de céleri, sel et poivre au goût et faire cuire 2 minutes.

Couvrir et faire cuire le céleri pendant 4 minutes de chaque côté.

Retirer le couvercle, ajouter la sauce tomate, la feuille de laurier et le persil. Rectifier l'assaisonnement et faire cuire 4 minutes.

Parsemer de fromage parmesan et gratiner le fromage au four.

Choux de Bruxelles et fèves de Lima

(pour 6 personnes)

1	lb. de choux de Bruxelles
8	onces de fèves de Lima
1/4	d'un piment rouge, émincé
1	c. à thé de persil, haché
	sel et poivre
1	c. à soupe de beurre

Placer les choux de Bruxelles dans une étuveuse. Mettre l'étuveuse dans une casserole contenant de l'eau bouillante. Assaisonner les choux et les faire cuire à la vapeur 8 minutes, à feu vif. Dans une autre casserole, faire cuire les fèves de Lima à la vapeur, 6 minutes. Ensuite, faire fondre le beurre dans une grande sauteuse, à feu vif. A l'apparition d'écume, ajouter le piment rouge et faire sauter 1 minute.

Ajouter les choux de Bruxelles et les fèves de Lima et faire cuire 1 minute. Saler poivrer au goût.

Saupoudrer de persil et disposer les légumes dans un plat de service.

298

Chou-fleur à la grecque

(pour 6 à 10 personnes)

tasses de chou-fleur cru, en bouquets*
onces d'huile de maïs
jus de 3 citrons
c. à soupe de vinaigre de vin
grains de coriandre
feuilles de laurier
échalotes sèches, émincées
2 grains de poivre
une pincée de sel
poivre du moulin

Couper le chou-fleur en bouquets.

Placer tous les autres ingrédients dans une casserole à feu vif. Amener le liquide au point d'ébullition.
Ajouter les bouquets et faire cuire 6 minutes à feu vif.
Retirer la casserole du feu et laisser tiédir les chou-fleurs dans le liquide de cuisson.
Egoutter les bouquets et les servir comme hors-d'oeuvre.
Vous pouvez préparer ces hors-d'oeuvre à l'avance car les légumes se conservent, dans la marinade, 48 heures au réfrigérateur.
Accompagner les chou-fleurs à la grecque d'oeufs farcis.

*Vous pourriez remplacer les chou-fleurs par des bouquets de brocoli.

Retirer les feuilles du chou-fleur et coupez-le en petits bouquets. Si quelques-uns des bouquets sont trop gros, coupez-les en deux.

Coeurs de céleri

MÉLANGE DE FROMAGE

4 onces de fromage roquefort, pilé
4 onces de fromage Philadelphia, pilé
sel et poivre
1 c. à soupe de crème à 35%
1 c. à thé de paprika
quelques gouttes de sauce Worcestersh
poivre de cayenne

Bien mélanger les deux fromages. Le fr
doit être à la température de la pièce.
Saler et poivrer.
Ajouter la crème, la sauce Worcestershi
paprika.
Mélanger le tout.
Placer une douille dans la poche à pâ
et mettre le mélange dans la poche à
d'une cuillère en bois.
Préparer les coeurs de céleri et les rem
mélange de fromage. (Voir technique pa
Disposer les coeurs de céleri dans un
service garni de cresson et de zeste de
Saupoudrer les coeurs de céleri avec du
de cayenne.

Canapés de champignons

1/2 livre de champignons, émincés
1 c. à soupe de beurre
1 échalote sèche, hachée fin

1 c. à soupe de farine
1/2 c. à thé de persil frais, haché
1/2 tasse de vin blanc, sec

2 tasses de lait, chaud*
sel et poivre
1/2 tasse de fromage chedda
4 à 6 tranches de pain français
    grillées des deux côtés
petits champignons comme
    garniture

Faire fondre le beurre dans un
teuse, à feu vif. A l'apparition
me, ajouter les champignons
cés, saler et poivrer. Faire cui
champignons 2 à 3 minutes.
Ajouter l'échalote et parsemer
rine; bien mélanger et faire c
minute.
Saupoudrer de persil et assais
au goût.
Ajouter le vin et le faire rédui
2/3.
Ensuite, incorporer le lait chau
Ajouter la moitié du fromage; m
ger bien.
Couper les tranches de pain gr
en deux et les disposer sur un
que à rôtir.
Etendre le mélange de champig
sur les rôties.
Saupoudrer les canapés avec l
te du fromage râpé. Faire dore
canapés au four à "broil".
A l'aide d'une spatule, dispose
canapés sur un plat de service
nir les canapés de petites têt
champignons sautés et de
frais.

* 1 c. à soupe d'eau devrait
    ajoutée au lait lorsque vous
    tes chauffer.

oeurs de céleri

1. ingrédients — coeurs de cé-
assaisonnement, mélange au
age, poche à pâtisserie avec
lle.

2. Remplir la poche à pâtisserie
avec la farce au fromage.

3. Remplir les coeurs de céleri
taillés avec le mélange de
fromage. Pour remplir, tenir le
céleri d'une main et avec l'autre
forcer le mélange sur le céleri à
petites pressions.

anapés de champignons

1. ingrédients

2. Faire fondre le beurre dans une
sauteuse.

3. Ajouter les champignons émincés au beurre chaud.

4. ...ter les échalotes hachées.

5. Saupoudrer de farine; bien mélanger.

6. Parsemer de persil et assaisonner au goût.

7. ...ser le vin dans la sauteuse et
...ire réduire de 2/3.

8. Incorporer le lait chaud.

9. Ajouter le fromage râpé.

Comment enlever les pépins d'un concombre

1 Couper le concombre en deux sur la longue[ur] l'aide d'un couteau d'office, faire une incisi[on] biais tout autour des pépins.

2 Enlever les pépins à l'aide d'une cuillère.

Essoreuse à laitue

L'essoreuse à laitue e[st] vraiment un atout po[ur] toutes les ménagères.

Elle vous est offerte en différents formats et en différentes couleurs – orange, jaune et brune.

Cet appareil sèche no[n] seulement la laitue, ma[is] également tous le[s] légumes.

La force centrifuge géné[é]ré par la rotation du bo[u]ton manuel de l'essoreus[e] extrait tout excès d'ea[u] des ingrédients.

Le panier intérieur pe[ut] être enlevé pour facilite[r] le nettoyage de l'essoreu[e]se.

Cette essoreuse a l'ava[n]tage de pouvoir être utili[i]sée comme récipient.

Concombres au beurre

(pour 4 personnes)

Recette:

4 concombres
1/4 tasse de beurre
sel et poivre au goût
2 c. à soupe de persil frais
  haché

ler les concombres et les évider. uper les concombres en tran-es de 1/2 pouce d'épaisseur. ire blanchir les concombres 2 nutes à l'eau bouillante salée. fraîchir les concombres à l'eau ide et les égoutter.

Faire fondre le beurre dans une sauteuse. Ajouter les concombres, saler et poivrer. Couvrir la sauteuse et faire cuire les concombres 10 minutes à feu doux. Parsemer de persil frais et servir immédiatement.

Concombres farcis

(pour 4 personnes)

Recette:

- 4 concombres
- 1 paquet d'épinards nettoyés. Parer les tiges
- 1 c. à soupe d'huile de maïs
- 2 tomates fraîches hachées
- 1/2 c. à thé de cerfeuil
- 1/4 c. à thé de thym
- 1 pincée de muscade
- sel et poivre au goût
- 1/2 tasse de sauce béchamel chaude
- 1/2 tasse de fromage parmesan râpé

Couper une tranche d'un quart de pouce d'épaisseur sur toute la longueur du concombre. Enlever les pépins avec une cuillère et les jeter. Retirer la chair du concombre.

Hacher la chair et la mettre de côté. Blanchir les combres évidés à l'eau bouillante salée pend minutes. Bien égoutter et mettre de côté.

Faire cuire les épinards à la vapeur 2 à 3 minutes hacher.

Préchauffer le four à 400°F.

Faire chauffer l'huile dans une poêle à frire. Ajou chair de concombre hachée, les épinards, tomates, les herbes, la muscade, saler et po

Faire cuire à feu moyen jusqu'à ce que les légu soient tendres. Mélanger la sauce aux légum rectifier l'assaisonnement.

Saler et poivrer l'intérieur des concombres évid les disposer dans un plat à gratin beurré. Farc concombres du mélange et les parsemer de from Faire cuire au four pendant 7 à 8 minutes. Ens faire dorer le fromage à "broil".

Épinards
aux amandes
pour 4 personnes

paquets (10 onces)
d'épinards frais
sel et poivre
c. à soupe de beurre
us d'1/2 citron
c. à soupe d'amandes
effilées

ver les épinards soigneusement
parer les côtes avant de les faire
re.

cer les épinards dans une mar-
erite. Mettre l'étuveuse dans une
serole contenant de l'eau bouil-
te. Assaisonner les épinards et
faire cuire à la vapeur 3 minutes,
eu vif.

sser les épinards entiers ou si
siré les hacher. Mettre les épi-
ds de côté.

re fondre le beurre dans une
teuse à feu moyen. A l'appari-
d'écume, ajouter les épinards et
anger.

uter les amandes et faire cuire 2
utes. Assaisonner au goût.
ser le jus de citron sur les ingré-
nts. Disposer les épinards aux
andes dans un plat de service et
vir.

Poireaux
vinaigrette
pour 4 personnes

4   petits poireaux ou 2 gros
    jus d'1/2 citron
    VINAIGRETTE
1/4 c. à thé de sel
    poivre du moulin
1   c. à thé de moutarde de Dijon
1   c. à soupe d'oignon rouge,
    haché fin
1   c. à thé de persil frais, haché
    fin
3   c. à soupe de vinaigre de vin
7 à 9 c. à soupe d'huile d'olive ou
    de maïs
    jus d'1/4 de citron

Parer et jeter presque toutes les feuilles vertes d
poireaux.
Trancher les poireaux, en croix, sur la longue
jusqu'à 1/2'' de la base. Bien laver les poireau
l'eau froide.
Ficeler les poireaux.
Verser le jus de citron dans une casserole remp
d'eau salée bouillante. Ajouter les poireaux et
faire mijoter 25 à 30 minutes.
Rafraîchir les poireaux 4 à 5 minutes sous l'e
froide. Enlever·la ficelle et faire égoutter les p
reaux sur des serviettes de papier.
Disposer les poireaux dans un plat de service
les mettre de côté.
Combiner tous les ingrédients de la vinaigre
sauf l'huile, dans un bol, à l'aide d'un fouet. Ajou
l'huile en filets en fouettant constamment. Rectif
l'assaisonnement.
Verser la vinaigrette sur les poireaux et réfrigé
pendant une heure ou deux avant de servir.
Servir avec des quartiers de citron.

Salade verte avec vinaigrette à la crème sure

Epinard vapeur

<table>
<tr><td>(pour 4 personnes)</td><td>(pour 4 personnes)</td></tr>
</table>

1 laitue iceberg	2 paquets (10 onces) d'épinards frais
1 c. à soupe de persil frais, haché	sel et poivre
1 c.à thé de moutarde française	1 c. à soupe de beurre fondu
sel et poivre	jus de citron au goût
1 c. à soupe de vinaigre de vin	
8 c. à soupe d'huile d'olive	
1 c. à thé de jus de citron	
1 c. à soupe de crème sure	

Jeter les feuilles de laitue défraîchies. Laver et bien sécher les feuilles de laitue.

Déchiqueter les feuilles de laitue et les palcer dans un bol à salade. Mettre de côté.

Mélanger le persil, la moutarde, le vinaigre dans un petit bol. Saler et poivrer.

Ajouter l'huile d'olive en filets en fouettant constamment.

Incorporer la crème sure et ensuite le jus de citron.

Rectifier l'assaisonnement.

Ajouter la vinaigrette à la laitue et bien mélanger la salade.

Laver les épinards soigneusement et parer les côtes avant de faire cuire.

Placer les épinards dans une étuveuse. Mettre l'étuveuse dans une casserole contenant de l'eau bouillante. Assaisonner les épinards et les faire cuire à la vapeur 3 minutes, à feu vif.

Disposer les épinards dans un plat de service. Parsemer avec le beurre fondu et le jus de citron. Saler et poivrer au goût.

Petits conseils

Poivre vert: est le grain entier.
Poivre noir: plus fort que le poivre blanc, car la coque du grain de poivre est conservée. Si vous désirez conserver l'arôme et la saveur du poivre, vous vous servirez d'un moulin à poivre.

Poivre blanc: un peu plus doux que le poivre noir. Il est utilisé dans les sauces blanches et lorsque vous désirez éviter de petits grains noirs dans vos préparations.

RECETTE EXPRESSE

Fonds d'artichauts

(pour 4 personnes)

boîte de fonds d'artichauts, égouttés
petit oignon, émincé
tasse de petits pois
c. à soupe de beurre
c. à thé de persil frais, haché
sel et poivre

Faire fondre le beurre dans une poêle à frire jusqu'à l'apparition d'écume, à feu moyen/élevé.

Ajouter l'oignon et faire cuire 2 minutes.

Ajouter les artichauts et les pois, assaisonner et faire cuire 3 minutes.

Saupoudrer de persil.

Disposer les fonds d'artichauts dans un plat de service et les remplir de pois.

Salade aux pommes et endives

(pour 4 à 6 personnes)

3 pommes
4 endives Belge
le jus d'1/2 citron
1 c. à soupe de persil, haché
sel et poivre
4 grandes feuilles de laitue Boston, comme garniture

vinaigrette

1/4 c. à thé de sel
poivre du moulin au goût
1 c. à soupe d'échalotes sèches, hachées fin
1 c. à thé de persil frais, haché fin
3 c. à soupe de vinaigre de vir
7 à 9 c. à soupe d'huile de maï
2 c. à soupe de mayonnaise
1 c. à soupe de crème sure

Peler, évider et couper les pommes en tranches épaisses.

Nettoyer et séparer les feuilles des endives Belge. Placer les pommes et les feuilles d'endives dans un bol et arroser avec le jus de citron.

Préparer votre vinaigrette. Mélanger avec un fouet, le sel, le poivre, les échalotes, le persil et le vinaigre de vin.

Ajouter graduellement l'huile en filets; remuer constamment.

Rectifier l'assaisonnement.

Incorporer la mayonnaise et la crème sur à la vinaigrette juste avant de la verser s les ingrédients de la salade.

Disposer les feuilles de laitue dans un pla de service. Assaisonner au goût le pommes et les endives.

Ajouter la vinaigrette aux pommes endives et bien mélanger.

Disposer la salade sur les feuilles d boston et parsemer de persil. Servir.

Haricots blancs à l'américaine

(pour 4 personnes)

1 livre d'haricots blancs
sel et poivre
11/2 tasse de sauce tomate, chaude

Nettoyer et parer les haricots dans une étuveu se, saler et faire cuire à la vapeur jusqu'à c qu'ils soient tendres.

Disposer les haricots dans un plat de service e saler et poivrer au goût.

Verser la sauce tomate chaude sur les har cots. Employer votre sauce tomate préférée

Haricots verts et piments marinés

(pour 4 personnes)

tasse de haricots verts
piment vert, émincé
piment rouge, émincé
gousses d'ail, écrasées
et hachées
sel au goût
poivre du moulin
c. à soupe d'huile d'olive
le jus de 1 citron
une pincée de fines herbes
quelques gouttes de
sauce Tabasco
le jaune d'un oeuf cuit dur
(facultatif)

Faire blanchir les haricots verts dans de l'eau salée pendant 6 minutes. Bien égoutter.

Mélanger, l'ail, le sel, le poivre, les herbes, la sauce Tabasco et le jus de citron dans un bol à mélanger.

Incorporer graduellement l'huile d'olive et rectifier l'assaisonnement.

Ajouter les haricots et les piments émincés à la vinaigrette; bien mélanger.

Laisser les légumes reposer pendant 1 heure à la température de la pièce.

Disposer les légumes marinés sur un plat de service et, si désiré, passer le jaune d'oeuf au tamis et le saupoudrer sur les légumes.

Accompagner ce plat d'olives noires marinées.

Salade minceur

ur 1 personne)

onces de fromage cottage
orange, pelée et tranchée en rondelles
pomme McIntosh, pelée et tranchée
pomme verte Délicieuse, pelée
et tranchée
banane, coupée en rondelles
tranche de cantaloup, en quartiers
petites grappes de raisins noirs
jus d'1/4 de citron
c. à thé de sucre (facultatif)
grandes feuilles de laitue Boston
quelques gouttes de grenadine (facultatif)

e les tranches de pomme et de banane
un bol. Saupoudrer avec le sucre et le jus
tron; laisser reposer quelques minutes.

sser un plat de service avec les feuilles de
Boston et placer le fromage au centre et
siré, arroser avec la grenadine.

ser tous les fruits autour du fromage
ge et servir immédiatement.

Laitue braisée

(pour 4 personnes)

1	laitue pommée (iceberg)*
2	c. à soupe de beurre
2	tranches de bacon de 1/2" d'épaisseur, en dés
2	oignons, émincés sel et poivre
1/4	tasse de fromage parmesan, râpé

Préchauffer le four à 400°F.

Couper la laitue en deux et faire b[lan]chir les moitiés de 2 à 3 minutes [dans] de l'eau bouillante, salée. Egoutte[r].

Faire fondre le beurre dans [une] grande sauteuse, à feu moyen/él[evé] jusqu'à l'apparition d'écume. Ajo[uter] les moitiés de laitue et les faire b[runir] de chaque côté. Saler et poivrer.

Disposer la laitue dans un plat be[urré] allant au four et mettre de côté.

Ajouter le bacon et les oignons [à la] sauteuse et faire cuire 3 à 4 minut[es à] feu moyen/élevé. Saler et poivrer.

Verser les oignons et le bacon su[r les] moitiés de laitue et rectifier l'assai[son]nement.

Faire cuire au four à 400°F pendan[t 40] minutes.

Pour servir, saupoudrer la laitue b[rai]sée avec le fromage râpé.

*Des laitues différentes peuvent également ê[tre] braisées.

Technique — Laitue braisée

1. Couper la pomme de laitue en deux.

2. Faire blanchir les moitiés de laitue dans de l'eau bouillante, salée.

3. Faire brunir la laitue dans l[e beurre] chaud. Assaisonner.

4. Disposer la laitue dans un plat allant au four. Mettre la laitue de côté.

5. Faire sauter le bacon et les oignons.

6. Verser le mélange de bac[on et oi]gnons sur les moitiés de laitu[e et] cuire au four 40 minutes.

Oignons blancs
aux raisins secs

(pour 4 personnes)

oignons blancs moyens
c. à soupe de beurre ou de margarine
sel et poivre
tasse de raisins secs
échalote, hachée
jus d'1/2 citron

Rafraîchir les oignons sous l'eau froide pendant 2 à 3 minutes. Bien égoutter et mettre de côté.

Faire fondre le beurre ou la margarine dans une sauteuse. Ajouter les oignons et les raisins; faire cuire 2 à 3 minutes, à feu moyen/élevé.

Assaisonner au goût et ajouter l'échalote.

...er les oignons et faire cuire dans de l'eau ...illante salée pendant 20 minutes.

Incorporer le jus de citron et servir.

311

Petits pois à la française

Recette:

1 lb de pois frais écossés
1 pomme de laitue romaine nettoyée
2 c. à soupe de beurre
1 oignon d'Espagne tranché mince
1 c. à thé de sucre
1/4 c. à thé de thym
1/2 c. à thé de cerfeuil
sel et poivre au goût
1 c. à thé de persil frais haché

Faire blanchir les pois pendant 7 minutes dans de l'eau bouillante salée. Egoutter les pois et les mettre de côté. Faire blanchir la laitue pendant 3 minutes, et bien l'égoutter. Faire fondre le beurre dans une casserole. Ajouter l'oignon, couvrir et le faire cuire à feu doux jusqu'à ce qu'il devienne transparent.

Ajouter la laitue, couvrir et faire cuire 3 à 4 minutes. Ajouter les pois, le sucre, le t[...] et le cerfeuil, sale[...] poivrer. Couvrir [...] nouveau et faire c[...] à feu doux jusqu'à[...] que les pois so[...] tendres. Parsemer[...] persil frais.

Ratatouille niçoise

(pour 4 personnes)

1	petite aubergine, pelée et émincée
1	zucchini, coupé sur la longueur et émincé
1/2	oignon, pelé et émincé
4	tomates, en quartiers
2	gousses d'ail, écrasées et hachées
2	c. à soupe d'huile de maïs sel et poivre
1	pincée d'origan
1	c. à soupe de persil frais, haché

Faire chauffer l'huile de maïs dans une grande sauteuse. Ajouter l'oignon et faire cuire 2 à 3 minutes. Ajouter l'aubergine, couvrir et faire cuire 15 minutes à feu moyen-doux. Ajouter les tranches de zucchini et faire cuire 7 minutes; remuer fréquemment. Incorporer le reste des ingrédients, sauf le persil, et faire cuire 15 minutes, sans couvercle, à feu moyen-doux; remuer occasionnellement.

Garnir de persil frais haché et servir.

Petits pois au bacon

(pour 4 à 6 personnes)

1	livre de pois frais, écossés
1	oignon rouge, émincé
2	tranches de bacon, d'1/2" d'épaisseur, en dés
1	c. à thé de persil frais, haché sel et poivre

Faire blanchir les pois pendant 7 minutes dans de l'eau bouillante, salée. Egoutter les pois et les mettre de côté.

Faire fondre le bacon dans une poêle à frire, à feu moyen-élevé. Ajouter l'oignon et faire cuire 2 à 3 minutes.

Ajouter les pois, assaisonner et faire cuire le mélange avec un couvercle jusqu'à ce que les pois soient tendres.

Saupoudrer de persil et servir.

Piments farcis

(pour 4 personnes)

1   c. à soupe d'huile de maïs
1   oignon, haché fin
1/4 lb. de champignons, hachés fin
1/2 lb. de boeuf, haché
    sel
    poivre du moulin
1/4 c. à thé de basilic
2   tasses de sauce tomate préparée
2   piments verts*
2   piments rouges*
3   c. à soupe de fromage gruyère, râpé

Préchauffer le four à 350°F.
Hacher l'oignon et les champignons tel qu'indiqué dans la technique de la page 4.
Faire chauffer l'huile de maïs dans une poêle à frire, à feu vif. Ajouter l'oignon haché à l'huile chaude et faire cuire 2 minutes.
Ajouter les champignons. Saler et poivrer.
Mélanger le boeuf aux ingrédients de la poêle et ajouter le basilic, le sel et poivre au goût. Faire cuire le mélange 7 à 8 minutes, à feu vif.
Ensuite, incorporer 1 1/2 tasse de sauce tomate et rectifier l'assaisonnement. Faire cuire la farce 20 minutes à feu moyen/élevé.
Faire blanchir les piments 6 minutes, ensuite les couper en deux. Retirer les graines des piments tel que montré dans la technique et disposer les moitiés dans un plat beurré allant au four.
Farcir les piments avec le mélange de boeuf et arroser avec le reste de la sauce tomate. Faire cuire les piments 30 minutes au four à 350°F.
Ensuite, parsemer les piments avec le fromage râpé et placer sous le broil jusqu'à ce que le fromage soit fondu.
Servir avec du riz.

*selon la disponibilité, vous pourriez n'utiliser que des piments verts ou que des piments rouges.

1. *Faire chauffer 1 c. à soupe d'huile de maïs dans une poêle.*

2. *Hacher l'oignon fin.*

3. *Ajouter l'oignon haché à l'huile chaude.*

4. *Faire plusieurs incisions horizontales et verticales dans les champignons.*

5. *Hacher les champignons.*

6. *Mettre les champignons hachés fin dans la poêle; saler et poivrer.*

7. *Ajouter le boeuf haché et bien mélanger. Rectifier l'assaisonnement et faire cuire 7 à 8 minutes.*

8. *Ajouter la sauce tomate, mélanger et faire cuire le mélange 20 minutes, à feu moyen/élevé.*

9. *Faire blanchir les piments 6 minutes et ensuite les couper en deux.*

10. *Retirer les graines des piments et ensuite les farcir avec le mélange. Faire cuire les piments farcis 30 minutes à 350°F.*

Etuveuse

Plusieurs modèles d'étuve[u]
à prix varié, sont disponible[s]
le marché. Par contre[,]
Marguerite, illustrée ici e[st]
plus courante car elle est d[ispo]
nible dans tous les grands [ma]
gasins et boutiques spé[ciali]
sées. Elle est fabriquée en [acier]
inoxydable et se vend à très [bon]
marché.

Lorsque vous achetez une [Mar]
guerite, exigez le modèle [en]
acier inoxydable; autremen[t les]
tiges rouillent et tombent é[ven]
tuellement.

Cette Marguerite a les ava[nta]
ges d'être auto-réglable e[t de]
s'adapter à la plupart des ca[sse]
roles. De plus, elle se refe[rme]
sur elle-même et se range fa[cile]
ment.

Aspects culinaires:
Les légumes cuits à la va[peur]
dans une étuveuse conser[vent]
leur saveur naturelle et leur [cou]
leur.

Mode d'emploi:
Verser 1'' à 1 1/2'' d'eau [dans]
une casserole. Placer l'étuv[euse]
dans la casserole, porter l'e[au à]
ébullition; ajouter le légume[s,]
saisonner, couvrir et faire cu[ire à]
la vapeur jusqu'à ce que [le légu]
ment soit cuit.

Les poireaux - Comment les nettoyer

Faites une incision sur la longueur du poireau avec un couteau bien aiguisé en commençant à 3/4'' de la base.

Retourner le poireau et répéter le même mouvement. Bien laver le poireau à l'eau froide.

Etant donné qu[e les] poireaux con[tien] nent beaucou[p de] sable, il est i[mpor] tant de toujou[rs les] laver tel qu'ind[iqué.]

Salade niçoise

ur 4 personnes

/2 tasses de pommes de terre,
cuites et coupées en dés
/2 tasses de fèves vertes,
oupées en deux
2 c. à thé de poivre de citron
2 c. à thé de fines herbes
etites boîtes d'anchois,
gouttés et hachés
. à soupe de câpres
asse d'olives noires, dénoyautées
2 c. à thé d'estragon
oîte (4 onces) de thon

RNITURE
randes feuilles de laitue
omates, en quartiers
sil frais, haché

NAIGRETTE
c. à thé de sel
vre du moulin
goût
. à thé de moutarde
Dijon
. à soupe d'échalote
he, hachée
. à soupe de vinaigre
vin
9 c. à soupe d'huile
live
s d'un 1/4 de citron

Mélanger tous les ingrédients, sauf la moitié des anchois, la garniture et la vinaigrette, dans un bol de service; mettre de côté.

Combiner tous les ingrédients de la vinaigrette, sauf les deux derniers, dans un bol.

Ajouter l'huile d'olive en filets en fouettant constamment.

Incorporer le jus de citron et rectifier l'assaisonnement.

Ajouter la vinaigrette à la salade et bien mélanger.

Servir la Salade Niçoise sur les feuilles de laitue et garnir avec le reste des anchois, les quartiers de tomates et le persil frais.

Si désiré, ajouter le beurre fondu au moment de servir.

Purée de navets

pour 4 personnes

2 petits navets
2 c. à soupe de crème à 35%
1 c. à thé de persil frais, haché
sel et poivre
1 c. à thé de beurre fondu, (facultatif)

Peler et couper les navets en quartiers. Faire cuire les quartiers de navets dans de l'eau salée pendant 30 minutes.

A l'aide d'un passe-légumes, réduire les navets en purée. Incorporer la crème.

Saler et poivrer la purée de navets et parsemer de persil.

317

Techniques pour couper les légume. en dés et en juliennes

L'oignon en dés

1. Couper l'oignon en deux et faire plusieurs incisions verticales dans chaque moitié.

2. Couper l'oignon horizontalement.

3. Pour obtenir les dés, couper l' gnon verticalement à nouveau.

Autres légumes (tel que le navet) en dés

1. Couper le légume en tranches d'1/2" d'épaisseur.

2. Couper chaque tranche en bâtonnets.

3. Couper les bâtonnets en dés s lon la grosseur requise dans l recettes.
   1/4" pour petit dé
   1/2" pour dé régulier
   3/4" pour gros dé

Pour obtenir des légumes en juliennes

1. Trancher le légume choisi en tranches d'1/8 d'épaisseur.

2. Emincer chaque tranche en juliennes.

Oeufs des Prairies

- 12   petits oeufs durs, coupés en deux
- 2   c. à soupe de moutarde de Dijon
- 1   tasse de mayonnaise (voir page 6)
- 2   c. à soupe de persil haché sel et poivre crème

Séparer les jaunes des blancs.

Disposer les blancs dans un plat de service et mettre de côté.

Passer les jaunes à la passoire.

Ajouter la moutarde, la mayonnaise, la moitié du persil, le sel et le poivre au goût; bien incorporer.

Ajouter de la crème au mélange jusqu'à ce qu'il devienne épais et crémeux.

Mettre le mélange dans une poche à pâtisserie et farcir les blancs d'oeufs. Parsemer avec le reste du persil.

Tomates persillées

- 6   tomates mûres, coupées en deux
- 1/4   tasse d'huile d'olive, et
- 1 1/2   c. à soupe d'huile d'olive
- 1/2   tasse d'amandes effilées
- 1   tasse de persil, haché fin
- 3   gousses d'ail, écrasées et hachées
- 1/4   tasse de beurre sel et poivre

Préchauffer le four à 350ºF.

Faire chauffer le 1/4 de tasse d'huile d'olive dans une grande poêle à frire, à feu moyen/élevé. Ajouter les moitiés de tomates à l'huile chaude, assaisonner et faire sauter 2 à 3 minutes de chaque côté.

Disposer les tomates dans un plat de service allant au four et les placer au four à 350ºF.

Faire chauffer le reste de l'huile dans la poêle et ajouter les amandes. Faire sauter 2 minutes à feu vif; retirer et laisser égoutter les amandes sur des serviettes de papier.

Ajouter le persil, le beurre, l'ail, le sel et le poivre à la poêle; bien mélanger et faire cuire 5 minutes. Remuer le mélanger à l'occasion.

Enduire les moitiés de tomates du mélange de persil et garnir avec les amandes effilées.

TOMATES PROVENÇALE
(Pour 4 personnes)

Recette:
4 tomates fraîches sel et poivre
8 tranches de beurre d'ail *

1/4 à 1/3 de tasse de chapelure assaisonnée
* Voir recette ci-dessous
** Préparation commerciale

Préchauffer le four à 400° F.

Couper les tomates lavées en 2 et les disposer dans un plat à gratin, le côté tranché vers le haut. Saler et poivrer les tomates. Disposer une tranche de beurre d'ail sur chaque tomate; parsemer de chapelure.

Placer le plat au four et faire cuire les tomates pendant environ 20 minutes, ou jusqu'à ce qu'elles soient bien tendres.

BEURRE D'AIL
Recette:
1/2 lb de beurre à la température de la pièce *
3 échalotes sèches, hachées fin
3 à 4 gousses d'ail, écrasées et hachées fin
1 c. à soupe de persil frais haché
sel et poivre au goût
1 pincée de thym
1/2 c. à thé de cerfeuil
jus de 1/4 de citron

On peut remplacer le beurre par de la margarine.

Mélanger tous les ingréd[...] ensemble. Si vous utilise[...] beurre salé, le sel ne d[...] être ajouté qu'à la fin, lor[...] vous rectifiez l'assaiso[...] ment.

Placer le beurre d'ail au [...] tre d'une feuille de pa[...] ciré. Rouler le papier au[...] du beurre, afin de forme[...] cylindre. Sceller aux ext[...] tés et congeler.

Ce beurre se conserve [...] qu'à 3 mois au congéla[...] Le beurre congelé se c[...] facilement.

Salade de roquefort

Pour 4 personnes

1 laitue boston, nettoyée
1 laitue romaine, nettoyée
2 onces de fromage Roquefort, en dés

VINAIGRETTE
1/4 c. à thé de sel
Poivre du moulin, au goût
1 c. à thé de moutarde française, Dijon, (facultatif)
1 c. à soupe d'échalotes sèches, hachées fin
1 c. à thé de persil frais, haché fin
3 c. à soupe de vinaigre de vin
7 à 9 c. à soupe d'huile d'olive
Jus de 1/4 de citron
4 onces de fromage roquefort à la température de la pièce, pilé
2 c. à soupe de crème épaisse (35%)
Quelques gouttes de sauce Tabasco

Dans un bol, bien mélanger le sel, le poivre, la moutarde, les échalotes, le persil et le vinaigre de vin, avec un fouet.
Ajouter l'huile d'olive en filet, en fouettant constamment.
Incorporer le jus de citron, le roquefort et la crème au mélange en fouettant.
Ajouter la sauce Tabasco et rectifier l'assaisonnement.

Jeter les feuilles de laitue défraîchies. Sécher les feuilles de laitue et les déchiqueter en petits morceaux.
Placer les morceaux de laitue dans un bol à salade. Ajouter la vinaigrette; bien mélanger et rectifier l'assaisonnement. Garnir la salade des dés de fromage roquefort.

Zucchini au parmesan

pour 4 personnes

2 zucchini, lavés
2 c. à soupe d'huile de maïs
Sel et poivre
1/4 tasse de fromage parmesan, râpé
Quelques gouttes de jus de citron
1/4 de c. à thé de persil, haché

Couper les zucchini en deux sur la longueur, ensuite les émincer.
Faire chauffer l'huile dans une sauteuse. Lorsque l'huile est très chaude (fumante), ajouter les zucchini et faire cuire 2 à 3 minutes à feu vif; remuer à l'occasion.
Saler et poivrer.
Parsemer les zucchini de fromage; bien mélanger et faire cuire jusqu'à ce que le fromage soit fondu.
Disposer les tranches de zucchini dans un petit plat de service.
Arroser de jus de citron et parsemer de persil.

POMMES
DE TERRE

NOTES

Champignons aux fines herbes

(pour 4 personnes)

/2 lb. de champignons,
    tranchés en trois
    échalotes vertes, émincées
    c. à soupe de persil, haché
    c. à soupe de ciboulette
    c. à soupe de beurre
    sel et poivre

aire fondre le beurre dans une
auteuse à feu moyen/élevé. A
pparition d'écume, ajouter
s champignons, sel, poivre et
ire sauter 4 minutes.

outer les échalotes, le persil
t la ciboulette et faire cuire 2
inutes. Rectifier l'assaison-
ement et servir.

Pommes de terre Biarritz

our 4 personnes)

    grosses pommes de terre,
    bouillies
    piment vert, coupé en petits
    dés
    tranches de jambon, en dés
    tasse de lait, chaud
    c. à thé de muscade
    c. à soupe de persil
    sel et poivre
    c. à soupe de beurre
    c. à soupe de chapelure

er les pommes de terre bouil-
  et ajouter 1 c. à soupe de
rre.

duellement verser le lait
ud et à l'aide d'une cuillère
bois fouetter les pommes de
e.

uter la muscade et assaison-
au goût avec le sel et poivre.

tre les pommes de terre dans
plat de service allant au four.
tre le plat de côté.

e fondre le reste du beurre
s une poêle à frire jusqu'à
parition d'écume. Ajouter le
bon et le piment vert et faire
e 3 minutes, à feu moyen.
er et poivrer.

ser le mélange sur les pom-
s de terre et saupoudrer avec
ersil et la chapelure.

cer les pommes de terre Biar-
au four préchauffé à broil
dant 2 minutes. Servir.

Croquettes de pommes de terre

(pour 4 personnes)

1	**recette de pommes de terre en purée, préparée avec:**
4	**grosses pommes de terre, brossées**
2	**jaunes d'oeufs**
3	**c. à soupe de lait**
	sel
	poivre blanc du moulin
1	**tasse de farine, assaisonnée**
2	**oeufs, battus**
1	**tasse de chapelure**
	friteuse contenant de l'huile de maïs chaude

Plonger les pommes de terre dans une grosse casserole remplie d'eau bouillante salée et faire cuire à feu vif.

Lorsque les pommes de terre sont cuites, les placer dans une casserole épaisse et sécher l'extérieur des pommes de terre à feu moyen.

Retirer la casserole du feu et laisser reposer 15 minutes.

Peler les pommes de terre et les passer avec pression à la passoire, dans un bol.

Mélanger les jaunes d'oeufs et le lait à la purée de pommes de terre; saler et poivrer au goût. Laisser la purée refroidir.

Faire des boules avec la purée de pommes de terre.

Plonger les boules dans la farine, les oeufs battus et ensuite dans la chapelure.

Mettre les boules de pommes de terre dans l'huile chaude et les faire dorer

Garnir les croquettes de pommes de terre de persil frais, haché.

Pommes de terre Duchesse

(pour 4 personnes)

Recette:
4 grosses pommes de terre brossées
2 jaunes d'oeufs
3 c. à soupe de lait
sel et poivre blanc
muscade au goût

Plonger les pommes de terre dans une grosse casserole remplie d'eau bouillante salée et faire cuire à feu vif.

Lorsque les pommes de terre sont cuites, les placer dans une grosse casserole épaisse et sécher l'extérieur des pommes de terre à feu moyen.

Retirer les pommes de terre du feu et laisser reposer 15 minutes.

Faire chauffer le four à "broil".

Peler les pommes de terre et les passer au passe-vite, dans un bol.

Mélanger tous les autres ingrédients aux pommes de terre.

Placer la purée de pommes de terre dans une poche et forcer la purée sur un plat à gratin.

Faire griller les pommes de terre, à 6 pouces de l'élément supérieur du four, jusqu'à ce qu'elles soient dorées.

Betteraves au beurre

(pour 4 personnes)

6 à 8 betteraves
1 c. à soupe de beurre
1 c. à thé de persil
sel et poivre

Faire bouillir les betteraves dans de l'eau salée jusqu'à ce qu'elles soient tendres. Egoutter et refroidir légèrement.

Peler les betteraves. A l'aide d'une cuillère à légumes, tailler de petites boules dans chaque betterave.

Faire fondre le beurre dans une sauteuse, à feu vif. A l'apparition d'écume, ajouter les betteraves assaisonnées au goût, et faire cuire 2 minutes.

Parsemer de persil et servir.

Pommes de terre en cocotte

(pour 4 personnes)

4 grosses pommes de terre
1 c. à soupe d'huile de maïs
1 c. à soupe de persil, haché
sel et poivre

Préchauffer le four à 400°F. Peler les pommes de terre et à l'aide d'une cuillère à légumes, ronde, tailler des petites boules dans chaque pomme de terre. Ne jetez pas les restes des pommes de terre car, le lendemain, vous pourrez les faire cuire et les préparer en purée.

Faire chauffer l'huile de maïs dans une cocotte ou un plat allant au four, à feu vif. Ajouter les pommes de terre à l'huile chaude et faire sauter 1 minute.

Saler et poivrer généreusement.

Couvrir la cocotte et faire cuire au four 15 à 20 minutes ou jusqu'à ce que les pommes de terre soient tendres.

Saupoudrer de persil et servir.

Galette de pommes de terre

(pour 4 personnes)

Faire chauffer le four à 350°F.

Mettre les légumes râpés dans un bol.

Ajouter tous les autres ingrédients, sauf l'huile de maïs, en commençant par la farine et en terminant par l'oeuf; mélanger bien et assaisonner au goût.

Faire chauffer l'huile de maïs dans une poêle à frire. Ajouter le mélange de pommes de terre à l'huile chaude et à l'aide d'une spatule, égaliser la galette.

Faire cuire la galette de pommes de terre 4 minutes, à feu moyen.

Retourner la galette et continuer la cuisson au four à 350°F pour 20 minutes.

Disposer la galette de pommes de terre sur un plat de service, garnir de persil frais et servir.

grosses pommes de terre, pelées et râpées
petit oignon, râpé
pomme, pelée, évidée et râpée
c. à soupe de farine
c. à thé de poudre à pâte
4 c. à thé de muscade
c. à soupe de persil, haché
oeuf
c. à soupe d'huile de maïs
el et poivre

329

Pommes de terre gratinées

(pour 4 personnes)

Recette:
4 pommes de terre Idaho
3 c. à soupe de lait
2 jaunes d'oeufs
sel et poivre blanc au goût
1/4 tasse de fromage parmesan râpé

Préchauffer le four à 350°F. Percer les pommes de terre à la fourchette et envelopper chaque pomme de terre d'une feuille de papier aluminium. Placer les pommes de terre au four et les faire cuire jusqu'à ce qu'elles soient tendres (environ 1 à 1 1/4 heure).
Retirer les pommes de terre du four et jeter le papier aluminium. Les laisser reposer pendant 15 minutes. Faire une petite incision sur le dessus de chaque pomme de terre. Evider les pommes de terre et réduire la chair en purée au passe-légumes.
Mélanger le lait, les jaunes d'oeufs, le sel et le poivre blanc aux pommes de
Préchauffer le four à
Placer la purée de po
de terre dans une po
pâtisserie et farcir les
res évidées. Parsem
fromage et placer da
plat à gratin.
Faire cuire les pomm
terre au four pendant
nutes; ensuite, faire d
fromage à "broil".

ommes de terre O'Brien (pour 4 à 6 personnes)

4	pommes de terre, en dés d' 1/2"
2	c. à soupe d'huile de maïs
1/2	piment vert, en dés d' 1/2"
1/2	piment rouge, en dés d' 1/2"
1	c. à soupe de persil sel et poivre

Faire chauffer l'huile dans une poêle à frire, à feu moyen. Ajouter les pommes de terre à l'huile chaude, saler, poivrer et faire cuire 7 minutes.

Ajouter le piment rouge et le piment vert et faire cuire 3 minutes. Saler et poivrer au goût.

Parsemer de persil et servir.

Épinards à la crème (pour 4 personnes)

paquets (10 onces) d'épinards
/2 tasse de sauce blanche (voir page 2)
c. à soupe de beurre
tasse de fromage mozzarella, râpé
sel et poivre

Laver et parer les côtes des épinards.
Placer les épinards dans une étuveuse.
Mettre l'étuveuse dans une casserole contenant de l'eau bouillante et faire cuire les épinards à la vapeur 3 à 4 minutes, à feu vif.
Rafraîchir les épinards à l'eau froide. Former des boules avec les épinards et pressez-les afin d'extraire tout excès d'eau.
Hacher les épinards.
Faire fondre le beurre dans une casse-

role, à feu moyen. Ajouter les épinards, assaisonner au goût et faire cuire 2 minutes.
Réduire à feu doux et incorporer la sauce blanche. Ajouter 2 c. à soupe de fromage et bien mélanger. Rectifier l'assaisonnement.
Disposer le mélange dans un plat allant au four. Saupoudrer avec le reste du fromage et mettre au four à "broil" pendant 5 minutes.

Pommes de terre julienne

(pour 4 personnes)

4 à 6 pommes de terre, pelées
sel
huile de maïs

Faire chauffer l'huile de maïs dans une friteuse à 350°F.

Couper les pommes de terre en julienne, tel qu'indiqué dans la technique de la page 5.

Afin d'enlever tout excès d'eau, bien sécher les pommes de terre dans une serviette ou des serviettes de papier.

Mettre les pommes de terre dans le panier de la friteuse et les plonger dans l'huile chaude. Faire frire les juliennes jusqu'à ce qu'elles deviennent dorées.

Disposer les pommes de terre julienne dans un plat de service et les assaisonner généreusement avec le sel. Servir immédiatement.

Macédoine de légume

(pour 4 à 6 personnes)

1   c. à soupe de beurre
1   carotte, en dés
1/2 tasse de pois
1/2 tasse de maïs
1/2 tasse de fèves de lima
1/2 tasse de fèves vertes, en
1   oignon rouge, en dés
1   c. à soupe de persil, hach
    sel et poivre
    jus d'1/4 de citron
8   petits oignons blancs,
    comme garniture

Faire blanchir les petits oig blancs 8 minutes et tous les tres légumes, sauf l'oig rouge, 4 minutes dans de bouillante, salée. Bien égo les légumes.

Faire fondre le beurre dans casserole, à feu moyen, jus l'apparition d'écume. Ajouter gnon rouge et faire cuire 3 m tes.

Ajouter tous les autres légu saler, poivrer et faire cuir minutes; remuer à l'occasion

Saupoudrer les légumes ave persil et le jus de citron.

Disposer la macédoine dans plat de service et garnir ave petits oignons blancs.

Technique pour couper des pommes de terre en julienne

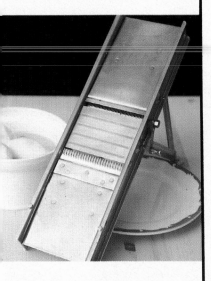

1. *Pommes de terre pelées et une mandoline à légumes. Les mandolines sont disponibles en métal et en plastique.*

2. *Râper les pommes de terre en forme de julienne.*

3. *Les pommes de terre tranchées en julienne.*

Champignons à la provencale

(pour 4 personnes)

1/2 lb de champignons, coupés en deux
2 c. à soupe d'huile de maïs
   sel et poivre
2 gousses d'ail, écrasées et hachées
1 c. à soupe de persil, haché fin
1 c. à soupe de chapelure

Faire chauffer l'huile de maïs dans une po
à frire à feu vif.
Ajouter les champignons à l'huile chaude
faire sauter 3 à 4 minutes.
Saler et poivrer.
Ajouter l'ail et le persil. Mélanger bien.
Au moment de servir, saupoudrer avec
chapelure.

Pommes de terre parisienne

(pour 4 personnes)

4 pommes de terre, moyennes
1 c. à soupe de persil frais
   sel et poivre
2 c. à soupe de beurre

Peler et frotter les pommes de terre.
Tailler des petites boules dans chaque
pomme de terre*, à l'aide d'une cuillère à
légumes ronde.
Faire blanchir les pommes de terre parisienne dans de l'eau bouillante salée pen-

dant 4 minutes. Ensuite, rafraîchir les po
mes de terre à l'eau froide.
Faire chauffer le beurre dans une poêle
frire à feu vif.
A l'apparition d'écume, ajouter les pomm
de terre parisienne, assaisonner et faire cui
5 minutes.
Parsemer de persil et servir.

* Lorsque vous aurez taillé les pommes de terre pa
  sienne, ne jetez pas les restes car, le lendemain, vo
  pourrez les faire cuire et les préparer en purée.

Patates sucrées

(pour 4 personnes)

patates
c. à soupe de beurre
c. à soupe de sucre
à fruits
c. à soupe de sirop
de maïs
2 c. à thé de persil, haché
le jus d'1/2 orange
rniture: 2 rondelles de citron

ire bouillir les patates avec
pelure dans de l'eau salée
squ'à ce qu'elles soient ten-
es.

joutter les patates cuites,
s peler et les couper en tranches d'1/2".

Faire fondre le beurre dans
une casserole, à feu vif. A l'apparition d'écume, ajouter les
patates et faire brunir de chaque côté.

Enduire les tranches de sucre
et de sirop. Ensuite, parsemer
de persil et disposer les patates dans un plat de service.

Déglacer la casserole avec le
jus d'orange et verser le sirop
sur les patates sucrées.

Garnir avec les rondelles de
citron et servir.

Patates

Ce légume est cultivé en Amérique et en Asie pour ses tuber-
cules comestibles. La chair est
de couleur jaune et a un goût
sucré.

es
etits
onseils
du
chef

Pour éviter que les oeufs brisent pendant la
cuisson, il faut les mettre dans l'eau froide,
les amener à ébullition, et les faire
cuire pendant 10 minutes.

335

Epis de blé d'Inde dans l'aluminium

(pour 4 personnes)

8   épis de blé d'Inde, épluchés
    sel au goût
    beurre
1   feuille de papier aluminium

Disposer les épis dans le papier aluminium; éviter d'empiler les épis.
Saler et badigeonner de beurre. Envelopper les épis dans le papier.
Faire cuire 20 à 25 minutes sur le barbecue.
Servir avec du beurre fondu et du sel.

Epis de blé d'Inde nature

(pour 4 personnes)

9   épis de blé d'Inde, non épluchés

Mettre les épis non-épluchés directeme
grille du barbecue et faire cuire 30 à 35 m

Eplucher et servir le blé d'Inde cuit avec d
fondu et du sel.

Pommes de terre dans l'aluminium

(pour 4 personnes)

8   petites pommes de terre, nettoyées
    sel et poivre
1   gousse d'ail, *non-pelée
1   c. à soupe de persil, haché
1   c. à soupe de beurre

1. *Disposer les pommes de terre dans une feuille de papier aluminium et les piquer avec une fourchette.*

2. *Saler, poivrer et saupoudrer les pommes de te avec le persil. Ajouter l'ail et le beurre. Scelle papier et faire cuire les pommes de terre 35 à minutes, dépendant de la grosseur.*

*Nous n'avons pas pelé l'ail afin d'obtenir une saveur très délicate; si elle avait été pelée l'effet aurait été trop fort et aurait donné un goût trop prononcé aux pommes de terre.

La fondue de tomates est une réduction de tomates concassées et égouttées, cuites avec des échalotes hachées et de l'ail écrasé.

Pommes de terre à l'ancienne

(pour 4 à 6 personnes)

pommes de terre, pelées
sel

garniture: cressons

Faire chauffer de l'huile de maïs à
°F dans une friteuse.
Peler, laver et bien sécher les
pommes de terre.

Couper les pommes de terre en quartiers et trancher les coins pour leur donner une forme ovale.
Tordre les pommes de terre dans un linge afin d'enlever tout excès d'eau.
Plonger les quartiers de pommes de terre dans l'huile chaude et les faire frire pendant 8 minutes.
Egoutter les pommes de terre sur

des serviettes de papier.
Au moment de servir, remettre les pommes de terre dans l'huile chaude et les faire cuire 4 minutes.
Saler et servir.

- Ces pommes de terre à l'ancienne sont fréquemment servies avec des rôtis, des côtelettes de porc et de veau ainsi qu'avec des entrecôtes.

337

Pommes de terre et Carottes en puré

(pour 4 personnes)

3	pommes de terre
4	carottes
	sel
	poivre au goût
1	c. à thé de beurre
	tiges de persil comme garniture

Peler les légumes et les faire cuire dans de l'eau bouillante, salée jusqu'à ce qu'ils soient tendres.

Passer les pommes de terre et les carottes dans un passe-légumes. Saler et poivrer la purée au goût et ajouter le beurre; bien mélanger. Mettre le mélange dans une poche à pâtisserie et le forcer sur un plat de service. Garnir avec le persil et servir.

Salade aux cressons avec une vinaigrette aux anchoi

(pour 4 personnes)

2	bottes de cressons
	fromage parmesan râpé, au goût
1/4	d'un piment rouge, émincé
Garniture:	quartiers de tomates fraîches et olives noires

Vinaigrette aux anchois

1	c. à soupe d'oignons râpés
1	c. à thé de persil haché
1	c. à soupe de moutarde française
2	onces d'anchois, hachés
3	c. à soupe de vinaigre de vin
	poivre du moulin
	sel au goût
7	c. à soupe d'huile d'olive
	jus d'1/4 de citron

Laver, sécher et disposer les cressons sur un plat de service.
Combiner tous les ingrédients de la vinaigrette, sauf l'huile d'olive et le jus de citron, dans un bol à mélanger.
Ajouter l'huile en filets; fouetter constamment.
Incorporer le jus de citron, rectifier l'assaisonnement et ajouter le piment rouge. Bien mélanger et verser le mélange sur les cressons.
Parsemer la salade avec le parmesan et garnir avec les tomates et olives.

Pommes de terre colombine

(pour 4 personnes)

4	pommes de terre moyennes
	~~sel et poivre~~
2	c. à soupe d'huile de maïs
1/4	piment rouge, émincé
1	c. à soupe de persil, haché

Peler les pommes de terre et coupez-les en deux. Emincer les moitiés de pommes de terre et les assécher.

Faire chauffer l'huile de maïs dans une grande poêle à frire. Ajouter les tranches de pommes de terre, assaisonner et faire cuire à feu moyen 5 minutes de chaque côté.

Ajouter le piment rouge et faire cuire 2 minutes.

Rectifier l'assaisonnement, saupoudrer de persil et servir.

Choux de Bruxelles

8 personnes)

sseaux de choux de
xelles
ces de bacon, coupé
dés
et poivre
thé de persil, haché

e les choux de Bru-
s dans une étuveuse,
et faire cuire 8 minu-

fondre le bacon dans
sauteuse. Ajouter les
x de Bruxelles au
n, assaisonner au
et faire sauter 4 minu-
feu moyen-élevé.
oudrer avec le persil
rvir.

Pommes de terre gruyère

(pour 4 personnes)

4 pommes de terre
   moyennes, pelées
1 c. à soupe de beurre
   sel et poivre
3 c. à soupe de fromage
   gruyère, râpé

Préchauffer le four à 400°F. A l'aide d'une cuillère à légumes ronde, tailler des petites boules dans chacune des pommes de terre. Ne jetez pas les restes des pommes de terre car le lendemain vous pourrez les faire cuire et les préparer en purée.

Faire blanchir les boules de pommes de terre dans de l'eau bouillante, salée, pendant 8 minutes. Ensuite, refroidir à l'eau froide afin d'arrêter le procédé de cuisson.

Placer les pommes de terre blanchies dans un plat allant au four, beurré. Saler et poivrer au goût, parsemer avec le beurre et le fromage râpé.

Faire cuire les pommes de terre gruyère au four pendant 8 minutes.

Oignons frits

(pour 4 personne

2 oignons, coup
   en rondelles
   sel et poivre
3 blancs d'oeufs
   une friteuse co
   tenant de l'huil
   de maïs chauff
   à 350°F.

Monter les blancs
pics mous.

Saler et poivrer l
rondelles d'oigno
ensuite les tremp
dans les oeufs battu
Plonger les rondell
dans l'huile chaude
les faire dorer.

Pommes de terre hongroises

(pour 4 personnes)

4   pommes de terre, frottées
1/2 oignon moyen, râpé
1   jaune d'oeuf
1   c. à soupe de farine
     sel et poivre du moulin
1   c. à soupe d'huile de maïs
1   c. à thé de persil, haché
2   c. à soupe de crème sure

Faire bouillir les pommes de terre avec la pelure. Peler les pommes de terre cuites.
Passer les pommes de terre au passe-légumes et les mettre dans un bol à mélanger.
Ajouter l'oignon râpé, le jaune d'oeuf, la farine, le sel et le poivre au goût. Bien mélanger les ingrédients.
Couvrir le bol d'un papier ciré et le placer au congélateur pendant 10 minutes.
Former des boulettes avec le mélange de pommes de terre et les enduire légèrement de farine.
Faire chauffer l'huile de maïs dans une grande poêle à frire. Ajouter les boulettes de pommes de terre à l'huile chaude et faire cuire 4 à 5 minutes de chaque côté, à feu moyen/élevé. Saler et poivrer les boulettes au goût.
Disposer les pommes de terre hongroises dans un plat de service.
Mélanger le persil à la crème sure et servir avec les pommes de terre.

inaigrette au fromage bleu et bacon

r 4 personnes)

tasse d'huile d'olive
tasse de vinaigre de vin
c. à soupe de jus de citron
sel
poivre du moulin
c. à thé de moutarde préparée
c. à thé de sauce
Worcestershire
livre de fromage bleu,
en gros dés
tranches de bacon, croustillant et coupées en deux
gouttes de sauce Tabasco

r le vinaigre, le jus de citron,
uce Tabasco et Worcester-
dans un bol à mélanger.
r la moutarde et assaison-
e sel et de poivre.
orer graduellement l'huile
e et rectifier l'assaisonne-

r le fromage bleu et le
; bien mélanger.
servir, laver, sécher et déchi-
r votre laitue préférée. Mettre
tue dans un bol à salade et
ser de la vinaigrette au fro-
bleu et bacon.
avons utilisé de la laitue
ine et boston pour préparer
recette.

Succotash mexicaine

(pour 4 à 6 personnes)

- 1 piment rouge, en petits dés
- 1 piment vert, en petits dés
- 1 c. à soupe de beurre
- 8 petits oignons blancs, coupés en deux
- 1 tasse de pois, dégelés
- 1 tasse de maïs, dégelés
- 1/4 c. à thé de basilic sel et poivre

Faire fondre le beurre dans une poêle à frire jusqu'à l'apparition d'écume.

Ajouter les oignons et faire cuire 3 à 4 minutes à feu moyen/élevé.

Ajouter le piment rouge et le piment vert, la basilic, le sel et le poivre au goût et faire cuire 3 minutes.

Ajouter les pois et le maïs, rectifier l'assaisonnement. Couvrir et faire cuire 4 minutes, à feu doux.

Servir.

Pommes de terre mozzarella

(pour 4 personnes)

- 8 petites pommes de cuites et pelées
- 4 c. à soupe de froma mozzarella, râpé
- 2 c. à soupe de beurr sel et poivre paprika au goût

Préchauffer le four à "br

Mettre le beurre dans l d'un plat de service all four.

Disposer les pommes d dans le plat de service. S poivrer.

Parsemer les pommes d avec le fromage et le pap

Placer au four jusqu'à ce fromage soit fondu.

Asperges avec sauce mousseline (pour 4 personnes)

boîte d'asperges
blanches, égouttées
c. à soupe de beurre
sel et poivre
c. à soupe de persil frais,
haché

uce mousseline

jaunes d'oeufs
c. à soupe d'eau froide
tasse de beurre clarifié,
fondu
sel
poivre blanc du moulin
le jus d'1/4 de citron
c. à soupe de crème
épaisse

Placer les jaunes d'oeufs dans un bol en acier inoxydable. Incorporer l'eau aux jaunes avec un fouet.

Placer le bol sur une casserole à demi remplie d'eau presque bouillante et fouetter sans arrêt jusqu'à ce que les oeufs épaississent considérablement.

Ajouter le beurre clarifié en filets; fouetter constamment.

Saler, poivrer et incorporer le jus de citron aux jaunes d'oeufs. Couvrir la sauce d'un papier ciré, beurré.

Cette sauce se conserve au-dessus du bain-marie 2 heures à feu très doux.

Faire fondre la c. à soupe de beurre dans une sauteuse à feu moyen.

A l'apparition d'écume, ajouter les asperges et les réchauffer. Saler et poivrer au goût. Disposer les asperges sur un plat de service.

Retirer le papier ciré de la sauce et incorporer la crème.

Verser la sauce mousseline sur les asperges et parsemer de persil.

ommes de terre sablées

our 4 personnes)

pommes de terre
c. à soupe d'huile de maïs
sel et poivre
gousse d'ail, écrasée et hachée
c. à soupe de persil, haché
c. à thé de beurre
c. à soupe de chapelure

ler, nettoyer et couper les pommes de terre en tits dés.

ire chauffer l'huile dans une sauteuse à feu vif. outer les pommes de terre et faire cuire 8 à 10 nutes à feu moyen/élevé. Assaisonner au ût.

tirer la sauteuse du feu et ajouter l'ail, le persil la chapelure; bien mélanger.

emettre la sauteuse à feu moyen/élevé, incorrer le beurre et faire cuire 1 minute.

Pommes de terre maître d'hôtel

(pour 4 personnes)

4	pommes de terre
2	c. à soupe de beurre
1/2	c. à thé de persil, haché
1/2	c. à thé de ciboulette, hachée
	sel et poivre au goût

Faire cuire les pommes de terre avec la pelure jusqu'à ce qu'elles soient tendres.

Égoutter et les faire sécher dans une casserole épaisse, à feu moyen.

Peler les pommes de terre et les disposer dans un plat de service. Parsemer les pommes de terre, du beurre, du persil et de la ciboulette.

Assaisonner au goût et servir.

344

Pommes de terre mousseline

(ur 4 personnes)

pommes de terre
c. à soupe de beurre
tasse de lait bouillant
sel et poivre

cuire les pommes de terre avec la pelure jus-
ce qu'elles soient tendres. Égoutter et les faire
r dans une casserole épaisse, à feu moyen.

les pommes de terre, les passer au passe-

légumes et les mettre dans un bol à mélanger. Saler
et poivrer au goût.

Ajouter le lait bouillant et le beurre aux pommes de
terre. Mélanger les ingrédients à l'aide d'un fouet; ne
pas utiliser un mélangeur électrique car cela occa-
sionnerait à la fécule de se dégager des pommes de
terre.

Disposer la mousseline de pommes de terre dans un
plat de service.

345

Salade de pommes de terre froide

(pour 4 personnes)

4	pommes de terre, cuites et froides
2	échalotes sèches ou vertes, émincées
1/2	tasse de céleri, coupé en petits dés
1	c. à soupe de persil, haché
1/4	c. à thé de paprika
4	c. à soupe de mayonnaise
1	c. à soupe de vinaigre de vin
	sel et poivre
	des feuilles de laitue fraîches, comme garniture

Couper les pommes de terre en dés et les place dans un bol à mélanger.

Ajouter les échalotes et le céleri; saler et poivrer.

Mélanger la mayonnaise aux légumes et ajoute les épices.

Verser le vinaigre de vin dans le bol et bien mélanger. Rectifier l'assaisonnement.

Garnir un plat de service avec les feuilles de laitu et disposer la salade de pommes de terre sur l laitue. Servir froid.

Pommes de terre sarladaise

(Pour 4 personnes)

lb de pommes de terre
c. à soupe de beurre
el et poivre
c. à thé de persil
c. à soupe de ciboulette
e pincée de paprika

eler, laver et égoutter les pommes de terres.

Couper les pommes de terre en tranches très minces et les disposer en rangées dans un plat à gratin beurré.

Assaisonner les pommes de terre avec le persil, la ciboulette, le sel et le poivre au goût. Parsemer légèrement de beurre.

Faire fondre le reste du beurre dans une petite casserole et ensuite le verser sur les pommes de terre.

Cuire dans un four préchauffé à 425°F pendant 15 minutes.

Retourner les pommes de terre comme pour une crêpe et continuer la cuisson pendant 15 minutes.

Avant de servir, saupoudrer de paprika.

Chou-fleur au gratin

(Pour 4 personnes)

chou-fleur
/4 c. à thé de muscade
1/2 tasse de sauce béchamel, chaude
el et poivre
/4 tasse de fromage cheddar, râpé
c. à soupe de lait

Plonger le chou-fleur dans de l'eau bouillante alée. Verser le lait dans l'eau et faire cuire 10 minutes à feu moyen/élevé. Le lait sert à conserver le chou-fleur blanc.

Rafraîchir le chou-fleur à l'eau froide.

Disposer les bouquets du chou-fleur dans un plat à gratin et assaisonner au goût.

Ajouter la muscade à la sauce blanche et verser a cause sur le légume.

Saupoudrer le chou-fleur avec le fromage râpé et faire gratiner sous l'élément supérieur "broil" du four pendant 5 minutes.

Sauce béchamel

(3 1/2 tasses)

4 c. à soupe de beurre ou de margarine
4 c. à soupe de farine
4 tasses de lait chaud
1 oignon piqué d'un clou de girofle
sel
poivre blanc du moulin

Faire fondre le beurre dans une casserole moyenne, épaisse à feu vif jusqu'à l'apparition d'écume. Ajouter la farine et faire cuire le roux 5 minutes à feu moyen, sans couvercle, en remuant constamment.

Retirer la casserole du feu et ajouter 1 tasse de lait chaud. Bien mélanger avec une cuiller de bois.

Réduire à feu doux, remettre la casserole sur le feu et ajouter le reste du lait chaud, 1 tasse à la fois, en remuant constamment.

Ajouter l'oignon. Saler et poivrer.

Laisser mijoter la sauce 30 minutes sans couvercle.

Remuer à l'occasion.

Enlever l'oignon avant d'utiliser la sauce.

Cette sauce se conserve 2 jours au réfrigérateur. Couvrir d'un papier beurré, en pressant le papier ciré sur la surface de la sauce.

Pommes de terre sucrées

pour 4 personnes

4	pommes de terre sucrées, lavées
1	c. à soupe de beurre
2	c. à soupe de miel
1/2	c. à thé de persil

Plonger les pommes de ter sucrées dans de l'eau et le cuire jusqu'à ce qu'elles so tendres.

Peler les pommes de terre s crées et les couper en cube d'un pouce.

Faire fondre le beurre dans sauteuse, à feu moyen. A l' parition d'écume, incorpore miel.

Ajouter les cubes de pomme terre au miel et bien mélang Saupoudrer de persil et ser

Carottes et oignons

pour 4 personnes

6	carottes, coupées en longueur d'1/2"
5	petits oignons, coupés en quatre
1	c. à soupe de persil, haché
1	c. à soupe de beurre fondu, chaud
	sel et poivre

Faire cuire les carottes et oignons à la vapeur pendant 12 à 15 minutes ou jusqu'à ce que les légumes soient tendres. Assaisonner au goût.

Disposer les carottes et oignons dans un plat de service; saupoudrer de persil, saler et poivrer. Ajouter le beurre chaud, mélanger et servir.

NOTES

RIZ

NOTES

Riz aux champignons

pour 4 personnes

tasse de riz à longs grains	Préchauffer le four à 350°F.
c. à soupe de beurre	Placer le riz dans une passoire et le rincer à l'eau froide quelques minutes.
c. à soupe d'oignon, haché fin	Egoutter et mettre le riz de côté.
tasse de bouillon de poulet, chaud	Faire fondre 1 c. à soupe de beurre dans une cocotte épaisse, à feu moyen, jusqu'à l'apparition d'écume.

tasse de riz à longs
grains
c. à soupe de beurre
c. à soupe d'oignon,
haché fin
tasse de bouillon de
poulet, chaud
c. à thé de cerfeuil
pincée de thym
feuille de laurier
sel
poivre du moulin
lb. de champignons,
coupés en trois
c. à thé de persil,
haché
jus d'1/4 de citron

Préchauffer le four à 350°F.
Placer le riz dans une passoire et le rincer à l'eau froide quelques minutes.
Egoutter et mettre le riz de côté.
Faire fondre 1 c. à soupe de beurre dans une cocotte épaisse, à feu moyen, jusqu'à l'apparition d'écume.
Ajouter l'oignon haché et faire cuire 2 à 3 minutes, en remuant fréquemment.
Ajouter le riz et faire cuire 2 à 3 minutes, sans couvercle, en remuant fréquemment. Ne pas laisser brunir.
Ajouter le bouillon de poulet, les épices, sauf le persil, saler et poivrer. Porter le liquide au point d'ébullition, à feu vif.
Couvrir la cocotte et faire cuire le riz au four 18 à 20 minutes.
Retirer le riz cuit du four, mélanger avec une fourchette et mettre de côté.
Faire fondre le reste du beurre dans une sauteuse, à feu vif. A l'apparition d'écume, ajouter les champignons, le persil, sel et poivre et faire cuire 5 minutes.
Arroser les champignons avec le jus de citron, ajouter le riz; bien mélanger.
Rectifier l'assaisonnement et servir.

Riz au currie

(pour 4 personnes)

1	tasse de riz à longs grains
1	c. à soupe de beurre
1	c. à soupe d'oignon, haché fin
2	c. à soupe de poudre de currie
1 1/2	tasse de bouillon de poulet, chaud
1/2	c. à thé de cerfeuil
1	pincée de thym
1	feuille de laurier
	sel et poivre

Préchauffer le four à 350ºF.

Placer le riz dans une passoire et le rincer à l'eau froide.

Bien égoutter le riz et le mettre de côté.

Faire fondre le beurre à feu moyen dans une casserole épaisse allant au four.

A l'apparition d'écume, ajouter l'oignon et faire cuire 2 à 3 minutes, sans couvercle, en remuant fréquemment.

Saupoudrer l'oignon avec la poudre de currie et bien mélanger.

Ajouter le riz et faire cuire 2 à 3 minutes, sans couvercle, en remuant fréquemment. Ne pas laisser brunir.

Ajouter le bouillon de poulet, les épices, saler et poivrer au goût.

Porter le liquide au point d'ébullition, à feu vif.

Couvrir la casserole et faire cuire le riz au four, 18 à 20 minutes.

Mélanger le riz avec un fourchette.

Disposer le riz dans un plat de service.

Le brocoli est un légume qui complémente bien le riz au currie.

Riz aux piments

(pour 4 personnes)

	tasse de riz, lavé et égoutté		sel et poivre
1	c. à soupe de beurre	1	gousse d'ail, écrasée
	ou margarine		et hachée
1	c. à soupe d'oignons	1	feuille de laurier
	hachés	1 1/2	tasse de bouillon de poulet,
	c. à soupe de piments		très chaud
	verts, hachés		

Préchauffer le four à 350°F.

Il est très important de laver le riz afin d'enlever l'amidon.

Faire chauffer 1 1/2 c. à soupe de beurre ou la margarine dans une casserole allant au four. A l'apparition d'écume, ajouter les oignons et l'ail et faire cuire 2 minutes, à feu moyen.

Ajouter le riz, le sel et poivre au goût et faire cuire 2 minutes.

Verser le bouillon de poulet dans la casserole et ajouter la feuille de laurier. Rectifier l'assaisonnement.

Couvrir et faire cuire dans le four à 350°F pendant 16 minutes.

Quatre minutes avant la fin de la cuisson, faire fondre le reste du beurre ou de la margarine dans une poêle à frire. A l'apparition d'écume, ajouter les piments verts et faire cuire 2 minutes.

Saler, poivrer et ajouter les piments au riz et compléter la cuisson.

Servir le riz directement de la casserole ou disposer dans un plat de service.

Carottes sautées

(pour 4 personnes)

	carottes	1	c. à soupe d'huile
	piment vert, haché		de maïs
	sel	1	tasse d'eau
	poivre du moulin		

Laver, peler et couper les carottes en rondelles. Verser l'eau dans une casserole et ajouter du sel et les carottes.

Couvrir et faire cuire à feu moyen pendant 6 à 7 minutes.

Retirer le couvercle et faire cuire jusqu'à ce que l'eau soit évaporée.

Faire chauffer l'huile de maïs dans une poêle à frire. Ajouter le piment à l'huile chaude et transférer les carottes à la poêle. Assaisonner et faire cuire pendant 2 minutes.

Servir.

355

Salade Waldorf

(pour 4 personnes)

- 1 coeur de céleri entier, nettoyé et tranché en diagonale
- 2 pommes, évidées, pelées et émincées
- 1 tasse de noix
- 1 échalote verte, émincée
  le jus d'1/4 de citron
- 2 c. à soupe de mayonnaise
- 2 c. à soupe de crème épaisse
  sel et poivre
  feuilles de boston comme garniture

Tapisser un bol de service avec les feuilles de laitue boston.
Mélanger tous les autres ingrédients ensemble et disposer la salade Waldorf sur les feuilles de laitue.
Servir.

Riz fondant

(pour 4 personnes)

- 1 tasse de riz, rincé et égoutté
- 6 tasses de bouillon de poulet
  sel et poivre
- 3 c. à soupe de fromage gruyère, râpé
- 1 c. à soupe de beurre, en dés

Verser le bouillon de poulet dans une casserole, saler, poivrer et amener au point d'ébullition.
Ajouter le riz, couvrir et faire cuire 15 minutes, à feu moyen/élevé.
Egoutter et rafraîchir le riz à l'eau froide.
Disposer le riz dans une étuveuse "marguerite" et disposer la marguerite dans une casserole contenant 1" d'eau.
Saupoudrer le riz avec le fromage râpé et disperser le beurre sur le fromage. Saler et poivrer.
Couvrir la casserole et amener l'eau au point d'ébullition, à feu vif. Ensuite, réduire à feu moyen et cuire le riz 10 minutes.

ecette:
tasse de riz à longs grains
c. à soupe de margarine ou beurre
c. à soupe d'oignon haché fin
1/2 tasse de bouillon de poulet
chaud
2 c. à thé de cerfeuil
pincée de thym
feuille de laurier
el et poivre

aire chauffer le four à 350°F.

Placer le riz dans une passoire et le rincer à l'eau froide quelques minutes. Egoutter et mettre de côté.

Dans une cocotte épaisse, faire fondre la margarine (ou le beurre) à feu moyen, et y ajouter l'oignon. Faire cuire 2 à 3 minutes, sans couvercle, en remuant fréquemment. Ajouter les herbes et le riz et faire cuire 2 à 3 minutes, sans couvercle, en remuant fréquemment. Ne pas laisser brunir.

Ajouter le bouillon de poulet, saler, poivrer et porter le liquide au point d'ébullition, à feu vif.

Couvrir la cocotte et faire cuire le riz au four, 18 à 20 minutes. Mélanger le riz à la fourchette.

Tomates farcies aux champignons

(pour 4 personnes)

4 tomates moyennes
Sel et poivre
1/2 lb de champignons, hachés fin
1 petit oignon, haché
1 gousse d'ail, écrasée et hachée
2 c. à soupe de beurre
2 c. à soupe de persil frais, haché
1 c. à soupe de chapelure

Préchauffer le four à 400°F.
Couper une tranche de 3/4'' d'épaisseur de la tête de chaque tomate et les évider.
Faire fondre le beurre dans une sauteuse à feu moyen/élevé. À l'apparition d'écume, ajouter l'oignon et faire sauter 4 minutes.
Ajouter les champignons, l'ail, le persil, le sel et le poivre et faire cuire à feu moyen environ 5 minutes.
Farcir les tomates de ce mélange et les parsemer avec la chapelure.
Disposer les tomates farcies dans un plat à gratin beurré et les faire cuire 15 minutes au four à 400°F.

Riz sauvag

(pour 4 personn

1 tasse de riz sauvage
1 petit oignon, haché
1 c. à soupe de persil, haché
1 c. à soupe de beurre
1/4 c. à thé de thym
Sel et poivre

Placer le riz dans un bol, le recouvrir d'ea
laisser reposer pendant 12 heures. Égoutte
riz.
Faire bouillir le riz dans de l'eau bouillante
lée jusqu'à ce qu'il soit tendre (environ 30
nutes). Égoutter le riz et le mettre de côté
Faire fondre le beurre dans une sauteus
l'apparition d'écume, ajouter l'oignon et f
cuire jusqu'à ce qu'il devienne transparer
feu vif.
Ajouter le riz, les épices et saler et poivre
goût.
Réchauffer complètement le riz; bien mé
ger et servir.

NOTES

SALADES
VINAIGRETTES

NOTES

OMAINE

laitue est employée dans la préparation de la
de César.

garder cette laitue croustillante, la laver, bien la
er, la fermer hermétiquement dans un sac en plas-
e et ensuite la réfrigérer. Cette méthode de préser-
a romaine s'applique également pour la plupart des
es.

BOSTON

Les feuilles de la boston sont très tendres et se marient
très bien avec la Romaine. Laitue idéale pour faire la
présentation des mets pour un buffet.
Lorsque servie en salade, les feuilles de boston sont
ajoutées aux autres ingrédients au moment de servir.

NDIVES

laitue est originaire de la Belgique. Sa culture se
également au Canada.

égume est délicieux braisé ou en salade. Les endi-
doivent être bien nettoyées et la base doit être
pée. De plus, il est préférable d'ajouter un peu de jus
citron aux endives lorsque vous les préparez afin
miner le goût âpre.

AITUE POMME 'Iceberg'

pomme de laitue est sans aucun doute la plus
nue et employée en Amérique du Nord.

a l'avantage d'être disponible toute l'année durant.
cieuse servie en salade, braisée et tranchée dans
sandwichs.

ESCAROLE
ou SCAROLE

Très semblable à la laitue Romaine, mais les feuilles ont
un goût légèrement plus amer.

Betteraves en salade

(pour 4 personnes)

4	à 6 betteraves, tranchées
	sel et poivre
1	c. à soupe de persil, haché
1	oignon, coupé en rondelles
4	c. à soupe d'huile d'olive
4	c. à soupe de vinaigre de vin

GARNITURE: 4 feuilles de laitue
rondelles de citron

Faire cuire les betteraves jusqu'à ce qu'e
soient tendres. Ensuite, les rafraîchir à l'
froide, les peler et les trancher.

Mettre tous les ingrédients dans un bo
mélanger; bien mélanger et laisser repos
heure.

Pour servir, disposer les feuilles de la
dans un plat de service, placer la salade
betteraves sur la laitue et garnir de ronde
de citron.

Salade césar

(Pour 4 personnes)

Recette:

2 laitues romaines nettoyées
1 gousse d'ail pelée, coupée en 2
sel et poivre du moulin
15 filets d'anchois égouttés et hachés
3 c. à soupe de fromage cheddar râpé
3 c. à soupe de fromage parmesan râpé
2 tasses de croutons français à l'ail

Vinaigrette
jus de 2 1/2 citrons
2 c. à soupe de vinaigre de vin
10 à 12 c. à soupe d'huile d'olive
quelques gouttes de sauce Worcester-shire
sel et poivre au goût
1 c. à thé de moutarde Dijon
1 c. à soupe d'échalotes sèches ha-chées fin
1 c. à thé de persil frais haché fin
1 jaune d'oeuf

Frotter l'intérieur d'un bol à salade avec les morceaux d'ail. Jeter les morceaux d'ail.
Jeter les feuilles de laitue défraîchies. Assécher la laitue avec une essoreuse. Déchiqueter la laitue en petits morceaux, dans le bol à salade. Mettre de côté.
Pour préparer la vinaigrette, placer le jus de citron, le vinaigre, la sauce Worcestershire, sel, poivre, la moutarde, les échalotes et le persil dans un bol. Bien mélanger le tout au fouet. Ajouter graduellement l'huile aux ingrédients, en filet, en fouettant constamment.
Mélanger le jaune d'oeuf à la sauce et rectifier l'assaisonnement.
Ajouter les anchois, le fromage et les croutons à la laitue. Quelques minutes avant de servir, mélanger la vinaigrette à la salade.

Concombres marinés

(pour 6 personnes)

3	concombres, pelés
3/4	tasse de vinaigre de cidre
1/4	tasse d'eau
1	c. à soupe de sucre
1	c. à soupe de persil, haché
2	c. à soupe d'huile de maïs
	sel et poivre

Couper les concombres en deux sur la longueur et les évider.

Emincer les concombres et les placer dans un bol.

Mélanger tous les autres ingrédients et verser la ma-rinade sur les tranches de concombre. Bien mélanger et rectifier l'assaisonnement.

Laisser mariner 2 heures au réfrigérateur avant de servir.

les petits conseils du **chef**

Pour éviter que la pâte à tarte rétrécisse pendant la cuisson, il faut fraiser la pâte 2 fois avec la paume de la main.

Bouillon
de légumes

(pour 4 personnes)

branche de céleri
petites carottes
petit navet
poireau
petit oignon
tomate
quelques feuilles de laitue
1/2 tasse de pois, si disponible
tasses de bouillon de poulet préparé
Sel et poivre
Persil haché au goût
Fromage suisse, râpé (facultatif)

Nettoyer et émincer tous les légumes.

Verser le bouillon de poulet dans une grande casserole et porter le liquide à ébullition, à feu vif.

Ajouter tous les légumes au bouillon, assaisonner au goût et faire mijoter, à feu doux, environ 10 minutes.

Servir avec le fromage suisse, râpé.

Salade de
concombre
à la Turque

(pour 4 personnes)

2 concombres
1 1/2 tasses de yogourt
Jus de 1/2 citron
1 c. à soupe de ciboulette
1 c. à thé de menthe
1 c. à soupe de sucre
1 c. à soupe de persil, haché
Sel et poivre
Garnir avec du paprika

Peler, évider et couper les concombres en tranches de 1/4'' d'épaisseur.

Placer les tranches de concombres dans un bol et les parsemer de sel.

Mélanger le reste des ingrédients, sauf le paprika, et ajouter le mélange aux concombres tranchés.

Laisser la salade reposée pendant 1 heure.

Disposer la salade de concombre dans un plat de service, saupoudrer de paprika et garnir de rondelles de concombre.

Salade de poisson mayonnaise

(pour 4 personnes)

Recette:
1 1/4 tasse de restes de poisson blanc,
   cuit (e.g. sole, flétan, etc.)
1/2 tasse de céleri tranché mince
1 piment rouge tranché mince
1 piment vert tranché mince
sel et poivre au goût

Vinaigrette
1 c. à thé de moutarde de Dijon
1 c. à soupe d'échalotes sèches
   hachées fin
1 c. à thé de persil frais haché
1/2 c. à thé de fenouil
1 c. à thé de ciboulette fraîche hachée
3 c. à soupe de vinaigre de vin
sel et poivre au goût
7 à 9 c. à soupe d'huile d'olive
jus de citron au goût
2 c. à soupe de crème (15% ou 35%)

Garniture
1 citron coupé en quartiers
4 grosses feuilles de laitue

Mélanger les 4 premiers ing
dients ensemble dans un
Saler et poivrer au goût.

Préparer la vinaigrette: Pla
dans un bol moyen, la mouta
l'échalote, le persil, le fenoui
ciboulette, le vinaigre de vin,
et poivre. Ajouter l'huile, en f
en mélangeant au fouet. Mélan
le citron et la crème à
vinaigrette et rectifier l'assais
nement.

Mélanger la vinaigrette à la sal
de poisson, rectifier l'assaison
ment et garnir de citron. Servi
salade sur des feuilles de laitu

Salade de poulet

(pour 4 personnes)

tasse de poulet cuit, en dés 1/2"
tasse de coeur de céleri, en dés 1/2"
pommes, évidées, pelées et émincées
c. à soupe de persil
sel et poivre
une pincée de cayenne
jus d' 1/4 de citron
c. à soupe de votre mayonnaise préférée

Garniture
quelques branches de coeur de céleri
tomate, en 8 quartiers
grandes feuilles de laitue

Mélanger le poulet, le céleri, les pommes et le persil dans un bol à mélanger.

Saler et poivrer et ajouter la cayenne, le jus de citron et la mayonnaise. Bien mélanger et rectifier l'assaisonnement.

Disposer les feuilles de laitue sur un plat de service et mettre la salade de poulet sur les feuilles.

Garnir avec les branches de céleri et les quartiers de tomates.

Les petits conseils du chef

Pour conserver la mayonnaise, il faut lui ajouter 1 c. à soupe d'eau bouillante une fois la recette complétée.

Salade printanière

(Pour 4 personnes)

(Pour 4 personnes)

Nettoyer la laitue à l'eau froide courante (ou avec un lave sala-de). Assécher la laitue, si possible, dans une essoreuse à laitue. Mettre la laitue de côté.

Peler l'oignon et le trancher en rondelles minces; mettre de côté.

Pour préparer la vinaigrette, placer tous les ingrédients, sauf

l'huile et le citron, dans un Mélanger avec un fouet. Inco rer graduellement l'huile, en aux ingrédients, avec un f Mélanger le jus de citron vinaigrette et rectifier l'assa nement.

Placer la laitue, l'oignon e tomates dans un bol à sala mélanger la vinaigrette que minutes avant de servir.

Salade d'asperges

(pour 4 personnes)

livre d'asperges vertes
sel et poivre
tasse de vinaigrette*
jus d'1/2 citron

uper environ 1 pouce de la base des asperges.
er les asperges sous l'eau froide et avec un
eur à légumes, râper les asperges.

er à nouveau les asperges.

rser 2 pouces d'eau froide dans une grande
sserole, saler et amener au point d'ébullition.

uter les asperges à l'eau bouillonnante, couvrir
aire cuire environ 15 à 17 minutes, à feu moyen.

uer la tige des asperges avec la pointe d'un
uteau afin de vérifier si elles sont cuites et
dres.

Égoutter et disposer les asperges sur un plat de service.

Préparer votre vinaigrette et incorporer le jus de citron. Verser la vinaigrette sur les asperges et servir.

*Vinaigrette

1/4 c. à thé de sel
     poivre du moulin
1   c. à thé de moutarde française
1   échalote sèche, hachée fin
1   c. à thé de persil frais, haché fin
3   c. à soupe de vinaigre de vin
7 à 9 c. à soupe d'huile de maïs

Mélanger ensemble tous les ingrédients de la vinaigrette, en commançant par le sel et en terminant par l'huile de maïs.

Salade Bombay

(pour 4 personnes)

- 1   laitue boston ou romaine
- 1   tasse de riz cuit, froid
- 2   tomates moyennes, pelées et coupées en quartiers
- 1   oignon rouge ou d'espagne, coupé en rondelles
- 1   piment vert, émincé
- 1   piment rouge, émincé

Nettoyer, assécher et déchiqueter la laitue et placer dans un bol à salade.
Ajouter tous les autres ingrédients, bien mélanger et mettre de côté.

vinaigrette

- 5   c. à soupe d'huile de maïs
  jus d'un citron
  sel et poivre au goût
  une pincée de poudre de cari
- 1   c. à soupe de mangues chutney

Mettre la poudre de cari, les mangues, le jus citron, le sel et le poivre dans un petit bo mélanger.
Incorporer l'huile à l'aide d'un fouet; bien n langer.
Verser la vinaigrette sur les ingrédients de salade, mélanger et servir.

---

les petits conseils du chef

Beurre manié: un mélange de farine et de beurre.
Proportion: 1 c. à soupe de beurre pour 1 c. à thé de farine.

Salade Carlotta

(pour 6 personnes)

...sse de riz
...mates, en quartiers
...à soupe de persil, haché
...anches de coeur de céleri,
...upées en morceaux d'1/2''
...à soupe de noix hachées
...ufs durs, pelés et coupés
...deux
...andes feuilles de laitue
...mme garniture

...igrette

...c. à thé de moutarde française
de Dijon
...c. à soupe d'échalotes
sèches, hachées fin
...c. à thé de persil frais,
haché fin
...c. à soupe de vinaigre de vin
...c. à soupe d'huile d'olive
ou de maïs
...c. à thé de sel
poivre du moulin
le jus d'1/2 citron
...c. à soupe de crème sure

...r le riz à l'eau froide et bien

égoutter.

Placer le riz dans une casserole moyenne. Remplir d'eau froide jusqu'à 1'' au-delà du niveau du riz.

Porter l'eau au point d'ébullition, à feu vif. Couvrir, réduire à feu doux et laisser cuire 25 minutes. Refroidir le riz.

Entretemps, préparer votre vinaigrette. Combiner le sel, le poivre, la moutarde, les échalotes sèches, le persil et le vinaigre de vin dans un bol. Fouetter le mélange.

Ajouter l'huile en filets en fouettant constamment.

Ajouter le jus de citron; bien incor-

porer.

Ajouter la crème sure avec un fouet et rectifier l'assaisonnement. Mettre la vinaigrette de côté.

Placer le riz refroidi, les tomates, le céleri et les noix dans un bol à mélanger.

Ajouter la vinaigrette et bien mélanger. Rectifier l'assaisonnement.

Disposer les feuilles de laitue dans un bol de service. Verser le mélange de riz dans le bol.

Saler et poivrer les oeufs et les disposer sur la salade. Parsemer la salade avec la c. à soupe de persil et servir.

Crème de champignons

(pour 4 personnes)

...lb. de champignons,
hachés fin — réserver
5 c. à soupe hachés fin,
pour garnir
...c. à soupe de beurre
petit oignon rouge,
émincé
...c. à soupe de farine
...tasses de bouillon de

poulet, chaud
1 c. à soupe de persil haché
1/4 c. à thé de thym
1 feuille de laurier
1 clou de girofle
1/4 c. à thé de basilic
sel
poivre du moulin
2 c. à soupe de crème
épaisse

Faire fondre le beurre à feu vif, dans une casserole moyenne, jusqu'à l'apparition d'écume. Ajouter l'oignon et faire cuire 2 minutes.

Ajouter les champignons, la feuille de laurier, le sel et le poivre au goût; couvrir et faire cuire 15 minutes à feu moyen en remuant à l'occasion.

Saupoudrer les légumes avec la farine et faire cuire 3 minutes en remuant constamment.

Retirer la casserole du feu, ajouter 1 tasse de bouillon de poulet et bien mélanger. Remettre la casserole sur le feu et graduellement ajouter 5 tasses du bouillon en remuant constamment.

Ajouter les épices.

Porter le liquide au point d'ébullition, réduire à feu doux et laisser mijoter la soupe, sans couvercle, 40 minutes; remuer à l'occasion.

Corriger l'assaisonnement et passer à la passoire.

Verser le reste du bouillon de poulet et les 5 c. à soupe de champignons dans une petite casserole; faire cuire 2 minutes à feu moyen. Saler et poivrer.

Avant de servir, incorporer la crème à la soupe et garnir des champignons hachés.

Cette soupe, sans l'addition de la crème, se conserve 2 à 3 jours au réfrigérateur. Couvrir d'un papier ciré beurré.

Salade du célibataire

(pour 1 personne)

7 à 8 feuilles d'épinard, nettoyées
6   onces de jambon, coupé en lanières
6   onces de poulet cuit, coupé en lanières
1/4   livre de haricots verts, cuits
2   oeufs durs, coupés en quatre
2   c. à soupe de vinaigrette à la moutarde*
1   c. à soupe de crème sure
1   c. à soupe de noix
1   c. à soupe de raisins secs
         sel et poivre

Verser la vinaigrette dans un petit bol et incorporer la crème sure.

Ajouter les noix et les raisins. Saler et poivrer au goût.

Mettre le jambon, le poulet et les haricots verts dans un bol à mélanger.

Ajouter la vinaigrette et bien mélanger.

Tapisser un bol de service avec les feuilles d'épinard. Verser le mélange de jambon, poulet et haricots sur les feuilles d'épinard et garnir avec les morceaux d'oeufs.

Accompagner d'olives et de pain français.

*voir semaine no 16 pour la vinaigrette "Poireaux vinaigrette".

les petits conseils du chef

Cuisson des sauces: amener la sauce à ébullition et laisser mijoter pour faire réduire la sauce.

Salade estivale

(pour 6 personnes)

1	tomate, coupée en quartiers
1	oignon rouge, coupé en rondelles
1/4	lb. de fromage cheddar, coupé en bâtonnets
2	oeufs durs, tranchés
2	pommes, évidées et émincées
6	échalotes vertes
12	olives marinées, noires ou vertes
1	petite laitue romaine, nettoyée
1	petite laitue boston, nettoyée
1	petite laitue iceberg, nettoyée
12	tranches minces de baguette française une petite quantité de beurre d'ail, en petits morceaux

vinaigrette à la mayonnaise

1	c. à soupe de persil haché sel poivre du moulin
1	c. à soupe de moutarde française
5	c. à soupe de vinaigre de vin
3	c. à soupe de jus de citron
5	c. à soupe d'huile de maïs
3	c. à soupe de mayonnaise

Nettoyer et briser les feuilles de laitue. Disposer la laitue dans un grand bol à salade.

Ajouter tous les autres ingrédients de la salade, sauf le pain et le beurre, à la laitue. Mélanger et mettre de côté.

Combiner le persil, la moutarde, le vinaigre de vin et le jus de citron dans un petit bol. Saler et poivrer au goût et à l'aide d'un fouet, graduellement incorporer l'huile de maïs.

Incorporer la mayonnaise et mettre la vinaigrette de côté.

Disposer les tranches de pain sur une plaque à biscuit et les faire griller de chaque côté sous le broil.

Parsemer les tranches de pain grillées des morceaux de beurre d'ail et remettre sous le broil jusqu'à ce que le beurre ait fondu.

Verser la vinaigrette sur les ingrédients de la salade et bien mélanger. Garnir avec les tranches de pain et servir.

Pain à l'ail

1	baguette française
1/2	lb. de beurre doux
3	gousses d'ail, écrasées et hachées sel et poivre
1	c. à thé de jus de citron quelques gouttes de sauce Worcestershire quelques gouttes de sauce Tabasco

Mélanger le beurre, l'ail, le jus de citron, les sauces, le sel et le poivre dans un bol à mélanger; bien incorporer.

Préchauffer le four à "broil".

Couper le pain en deux et couper à nouveau chaque moitié sur la longueur.

Faire griller les morceaux de pain sous le broil.

Ensuite, badigeonner le pain avec le beurre et remettre sous le broil jusqu'à ce que le beurre ait fondu.

Servir immédiatement.

Salade à la française

(pour 4 personnes)

1 laitue romaine, nettoyée
2 pommes, évidées et tranchées

vinaigrette

4 onces de fromage roquefort ou bleu
jus d'1 citron
4 c. à soupe de yaourt
une pincée de paprika
1/4 c. à thé de ciboulette
sel et poivre
1 échalote, hachée fin

Déchiqueter la laitue et la disposer avec tranches de pommes dans un plat de service. Mélanger tous les ingrédients de la vinaigrette la verser sur la laitue et les pommes. Servir.

les petits conseils du chef

Lorsque vous recouvrez de papier d'aluminium un plat contenant du vin, il faut éviter que le liquide ne touche au papier car ce dernier réagira à l'acidité du vin.

Salade de macaroni et fromage

(pour 8 personnes)

- 4 tasses de macaroni cuit, refroidi
- 2 c. à soupe d'oignons, râpés
- 3 c. à soupe de piment vert, haché fin
- 2 c. à soupe de piment rouge, haché fin
- 1/2 tasse de fromage cheddar, haché
- 1/4 tasse de mayonnaise
- 2 c. à soupe de crème sure
- 1 c. à thé de moutarde préparée
- 1 c. à soupe de persil, haché
- sel et poivre au goût

GARNITURE: des feuilles de laitue

Mélanger tous les ingrédients, sauf le macaroni, dans un bol à mélanger.

Ajouter le macaroni et bien mélanger jusqu'à ce qu'il soit bien enduit. Rectifier l'assaisonnement.

Tapisser un plat de service avec les feuilles de laitue et ajouter la salade de macaroni et fromage.

Croquettes d'amandes

our 4 personnes)

- pommes de terre, cuites et pelées
- sel et poivre
- jaune d'oeuf
- c. à soupe de margarine
- oeufs battus avec 1 c. à thé d'huile de maïs
- onces d'amandes tranchées
- farine
- une friteuse contenant de l'huile de maïs, chauffée à 350°F.

asser les pommes de terre u passe-légumes et ajouter margarine, le jaune d'oeuf, el et poivre au goût; bien élanger.

ormer le mélange de pomes de terre en boules et les uvrir légèrement de farine.

emper les croquettes dans s oeufs battus et les enduire amandes.

onger les croquettes d'aandes dans l'huile de maïs haude et faire dorer.

Salade au melon

(pour 4 personnes)

1 melon
1 tasse de poulet cuit, froid et coupé en dés
1 grosse tomate, coupée en quartiers
    jus d'1/2 citron
2 tasses de riz cuit, froid
1 tasse de votre mayonnaise préférée
1 c. à thé de poudre de cari
    paprika au goût
    sel et poivre

Garniture:

1 orange ou citron, émincé et
1 tasse de laitue pomme "iceberg", râpée

Faire des dentelures tout autour du melon et le sé[...]
en deux. Enlever les pépins.

Retirer la chair des moitiés de melon et la coupe[...]
dés. Mettre les dés de melon dans un bol à méla[...]
et réserver les moitiés de melon évidées.

Ajouter tous les autres ingrédients aux dés de m[...]
bien mélanger et rectifier l'assaisonnement.

Remplir les moitiés de melon avec la salade au m[...]
et saupoudrer de paprika.

Tapisser un plat de service avec la laitue et dispos[...]
melon sur la laitue. Couper les tranches d'orang[...]
de citron en deux et les placer autour de la salad[...]
melon.

Salade du printemps

(pour 6 à 8 personnes)

1	petite laitue romaine
1	petite laitue boston
2	endives belges
1	oeuf dur épluché, en quartiers
1	piment rouge, émincé
1	tasse de croûtons

Vinaigrette

1/4	c. à thé de sel
	poivre du moulin, au goût
1	c. à thé de moutarde de Dijon
2	échalotes vertes, hachées
1	c. à thé de persil frais, haché fin
1	c. à soupe de ciboulette, hachée fin
	jus d'1/4 de citron
3	c. à soupe de vinaigre de vin
9	c. à soupe d'huile d'olive

Combiner dans un bol tous les ingrédients de la vinaigrette sauf le jus de citron et l'huile d'olive.

Ajouter l'huile d'olive en filet, en fouettant constamment.

Incorporer le jus de citron et rectifier l'assaisonnement. Mettre la vinaigrette de côté.

Jeter les feuilles de laitue défraîchies de la Boston, de la Romaine et des Endives.

Bien sécher les feuilles de laitue, les déchiqueter et les placer dans un bol à salade.

Ajouter l'oeuf, le piment rouge et assaisonner au goût.

Ajouter la vinaigrette et bien mélanger.

Au moment de servir, ajouter les croûtons et mélanger de nouveau.

Salade verte à la crème sure

(pour 4 à 6 personne

1	laitue romaine
	quelques feuilles de cresson
2	échalotes sèches, hachées
3	gousses d'ail, écrasées e hachées
	le jus d'1/2 citron
1	c. à soupe de persil, hach
3	c. à soupe de vinaigre de vin
8	c. à soupe d'huile d'olive
2	c. à soupe de crème sure
	sel
	poivre du moulin
	quelques rondelles de citron comme garniture

Laver et sécher les feuille de cresson et de romaine.
Déchiqueter la laitue et mettre dans un bol de serv ce.
Préparer la vinaigrette à crème sure, tel qu'indiqu dans la technique, et l'ajout à la laitue.
Bien mélanger et garnir la sa lade de rondelles de citron.

Technique de la V

1

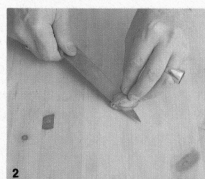

2

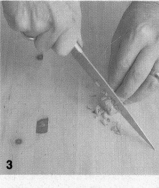

3

6

7

8

Pommes de terre boulangère

(pour 4 personnes)

oignons, émincés
pommes de terre, émincées
c. à soupe d'huile de maïs
tasse de bouillon de poulet,
chaud
c. à soupe de persil, haché
sel et poivre

réchauffer le four à 400°F.
Faire chauffer l'huile de maïs
dans une casserole. Lorsque
l'huile est très chaude, ajouter les
oignons et les faire cuire 3 minutes à feu moyen; remuer à
occasion.
Ajouter les pommes de terre, assaisonner et cuire 1 minute.
Disposer les oignons et les
pommes de terre dans un plat
beurré allant au four.
Verser le bouillon sur les légumes, couvrir d'une feuille de papier d'aluminium et faire cuire au
four à 400°F pendant 40 minutes.
Retirer le papier d'aluminium,
parsemer de persil et servir.

...e à la crème sure

5

10

1. *Principaux ingrédients de la Salade verte à la crème sure.*

2. *Faire plusieurs incisions verticalement et horizontalement dans
l'échalote.*

3. *Hacher l'échalote.*

4. *Mettre les échalotes hachées dans
un bol à mélanger.*

5. *Ecraser et hacher les gousses d'ail.
Placer l'ail dans le bol à mélanger.*

6. *Verser le jus d'1/2 citron dans le bol
et ajouter 1 c. à soupe de persil
haché.*

7. *Incorporer 3 c. à soupe de vinaigre
de vin et assaisonner avec du sel et
du poivre du moulin.*

8. *Fouetter le mélange.*

9. *Ajouter 8 c. à soupe d'huile d'olive,
à l'aide d'un fouet.*

10. *Ajouter 2 c. à soupe de crème sure;
bien mélanger et rectifier l'assaisonnement.*

Vinaigrette au citron avec crudités

(pour 4 personnes)

Vinaigrette*

1/4	c. à thé de sel
	poivre du moulin
1	c. à thé de moutarde française, telle que Dijon
2	c. à soupe de jus de citron
4	onces d'huile d'olive
2 1/2	c. à soupe de crème sure
1	goutte de sauce Tabasco

Combiner le sel, le poivre et la moutarde dans un bol à mélanger. Incorporer le jus de citron.

Ajouter graduellement l'huile d'olive en filets; fouetter constamment jusqu'à ce que la vinaigrette devienne épaisse.

Ajouter la crème sure et la sauce Tabasco, à l'aide d'un fouet. Rectifier l'assaisonnement et verser la vinaigrette sur les crudités.

*cette vinaigrette ne se conserve pas plus d'une journée.

Légumes

3	branches de céleri
2	grosses tomates
1	gros concombre, pelé ou non-pelé
6	gros champignons, très fermes
1/4	d'oignon rouge, coupé en rondelles
	persil
	sel et poivre au goût
	oeufs durs, en quartiers

Nettoyer tous les légumes.

Couper les tomates et le concombre en deux. Ensuite, émincer tous les légumes.

Disposer les crudités sur un plat de service, assaisonner, garnir avec le persil et les oeufs durs.

Ajouter la vinaigrette et servir.

Vinaigrette
u yaourt

2	tasse de yaourt
	c. à thé de miel
	sel et poivre au goût
	c. à thé de jus de citron
	le zeste de 1/4 de citron
	c. à soupe de persil, haché
	ou
	c. à soupe de ciboulette, hachée

mbiner tous les ingrédients et
vir avec des crudités.

Vinaigrette
russe

1/2	tasse de mayonnaise
1/4	tasse de sauce chilli
2	c. à soupe de cornichons sucrés, hachés fin
1	c. à soupe de piment rouge, haché
1	c. à soupe de piment vert, haché
	une pincée de poivre de cayenne
	sel et poivre au goût
1	c. à thé de jus de citron

Combiner tous les ingrédients et
servir sur de la laitue.

Vinaigrette
des Mille-Isles

1	tasse de mayonnaise
2	c. à soupe de sauce chilli
2	c. à soupe de céleri, haché
2	c. à soupe de piment doux rouge, haché
3	c. à soupe de piment vert, haché
2	c. à soupe d'oeufs durs, hachés
1/2	tasse de crème sure

Combiner tous les ingrédients et
servir sur de la laitue.

BEURRES
PÂTES À FRIRE
MARINADES
SAUCES

NOTES

Comment préparer une mayonnaise

1

Fouetter les jaunes et la moutarde jusqu'à ce que les jaunes deviennent très épais.

Ajouter l'huile de maïs goutte par goutte en fouettant constamment avec un malaxeur électrique. Dès que le mélange devient très épais incorporer le vinaigre de vin, le sel et le poivre.

Ajouter le jus de citron, rectifier l'assaisonnement et verser le mélange dans un bol de service.

2

3

MAYONNAISE
(donne 1 tasse)

2 jaunes d'oeufs
1 c. à soupe de moutarde française
1 c. à soupe de vinaigre de vin
1 tasse d'huile de maïs
  sel et poivre
  le jus d'un demi citron

Petit conseil

Pour conserver la mayonnaise trois jours, incorporer 1 c. à soupe d'eau chaude, couvrir d'un papier ciré beurré et placer au réfrigérateur. L'addition d'eau chaude empêche la mayonnaise de se séparer.

Canapés aux anchois

Présenter les canapés aux anchois dans un plat de service garni de cresson, rondelles de citron et de câpres enrobés de filet d'anchois.

Beurre d'anchois

2 1/2 onces de filets d'anchois
1/2 livre de beurre non salé à la température de la pièce
1 c. à thé de cerfeuil
Jus de 1/4 de citron
1 petite pincée de poivre de cayenne
Sel
Poivre du moulin

Piler les filets d'anchois finement au mortier et les passer à travers un tamis fin ou une passoire.
Si vous ne possédez pas de mortier, passez les filets d'anchois au hachoir au moins deux fois et passez-les à travers un tamis ou une passoire.
Bien mélanger tous les ingrédients dans un bol.
Corriger l'assaisonnement.
Conserver ce beurre dans un papier d'aluminium.
Ce beurre se conserve 3 mois au congélateur.

1. Les ingrédients

2. Beurrer des tranches de pain blanc grillées avec le beurre d'anchois.

3. Disposer des filets d'an sur les rôties.

4. A l'aide d'une spatule, aplatir les filets.

5. Couper les croûtes.

6. Couper les rôties en qu mais de formes différe Tailler la première rôtie triangles allongés.

7. Couper la deuxième rôtie en diagonale.

8. Couper ces moitiés de nouveau en diagonale.

9. Tailler la suivante en baton Continuer de couper les r dans les formes décrites jus ce vous ayez obtenu le nor de canapés désiré.

Le poisson est une excellente source nutritive. Quoiqu'il existe maintes façons de préparer le poisson, le succès de toutes les recettes réside dans sa fraîcheur et dans le temps de cuisson.

Méthode pour clarifier le beurre

1. *Le beurre, une casserole contenant de l'eau bouillante et un réchaud.*

2. *Placer le beurre dans un bol d'acier inoxydable et poser le récipient sur une casserole à demi remplie d'eau presque bouillante.*

3. *Faire fondre le beurre, à feu doux.*

4. *Mettre une mousseline sur un tamis et passer le beurre afin d'enlever toutes les impuretés.*

Le beurre clarifié se conserve au congélateur pendant 2 mois.

2

4

Technique des

2. Mettre le beurre dans un bol à mélange.

3. Ecraser le beurre.

1. Les ingrédients requis pour la préparation du beurre d'échalote et du beurre d'ail.

6. Ajouter le jus de citron et la sauce Worcestershire.

7. Saler et poivrer au goût.

Vous devriez toujours avoir des beurres composés dans votre congélateur. Ils sont faciles à préparer car la technique de base demeure toujours la même, que ce soit un beurre d'échalote, d'ail, d'anchois ou aux herbes. De plus, les beurres composés s'harmonisent avec d'innombrables plats — les entrecôtes, l'agneau, les barbecues, les poissons, etc....

Pol Martin

10. Plier le papier d'aluminium en deux.

11. Rouler le dans be papier d'aluminium.

ırres

r les échalotes; vous
riez également l'ail
enant dans la recette du
e d'ail.

5. Ajouter le persil.

mélanger les ingré-
.

9. Mettre le beurre au
centre d'une feuille de papier
d'aluminium.

ler les extrémités. Le
re se conserve 3 mois au
gélateur.

13. Pour utiliser le beurre, dérouler et trancher le nombre de
tranches requises.

Beurre d'échalote

1/2	lb. de beurre non salé, à la température de la pièce
2	c. à soupe de persil frais, haché fin
1	c. à soupe de cerfeuil
	sel
	poivre du moulin
	quelques gouttes de sauce Worcestershire
2	c. à soupe d'échalotes sèches, hachées fin
	jus de 1/4 de citron

Bien mélanger tous les ingrédients dans un bol, tel qu'indiqué
dans la technique de la page 2.
Rectifier l'assaisonnement, si
nécessaire.
Conserver le beurre dans un
papier d'aluminium; voir technique.

Beurre d'ail

1/2	lb. de beurre non salé, à la température de la pièce
2	c. à soupe de persil frais, haché fin
1	c. à thé de cerfeuil
4 ou 5	gousses d'ail, écrasées et hachées fin
	sel
	poivre du moulin
	quelques gouttes de sauce Worcestershire
1	c. à soupe d'échalotes sèches, hachées fin
	jus de 1/4 de citron

Bien mélanger tous les ingrédients dans un bol à mélanger,
tel qu'indiqué dans la technique
de la page 2.
Rectifier l'assaisonnement, si
nécessaire.
Conserver le beurre dans un
papier d'aluminium; voir technique.

Marinade peppy pour barbecue

2 gousses d'ail, écrasées et hachées
2 échalotes sèches, tranchées
3 tiges de persil frais
3 tiges d'estragon frais, si disponible
4 c. à soupe d'huile de maïs
   sel assaisonné
   poivre du moulin

Mélanger tous les ingrédients dans un bol. Verser la marinade sur la viande choisie, sceller avec un papier ciré et laisser reposer 2 heures au réfrigérateur.

Marinade à badigeonner pour barbecue

Cette marinade est utilisée pour le boeuf, le porc et l'agneau.

1/3 tasse d'huile de maïs
3 c. à soupe de vinaigre de vin
1 c. à soupe de moutarde préparée
1 c. à soupe de sauce Worcestershire
   poivre assaisonné
1 gousse d'ail, écrasée et hachée

Mélanger tous les ingrédients dans un bol et badigeonner la viande choisie.

Lorsque vous faites cuire de la volaille, du poisson et des viandes marinés, badigeonnez-les fréquemment avec la marinade durant la cuisson.

Marinade pour poulet

1/4 tasse d'huile de maïs
1/4 tasse de jus de citron
1/4 c. à thé de poivre de citron
1/4 c. à thé de poivre du moulin
1/4 c. à thé de sel
4 c. à soupe de beurre fondu
1/4 c. à thé de thym, origan et de basilic
1 gousse d'ail, écrasée et hachée (facultatif)

Mélanger tous les ingrédients et verser sur les morceaux de poulet.
Sceller l'intérieur du plat avec du papier ciré et laisser mariner les morceaux de poulet 6 heures au réfrigérateur.

Marinade à la bière

(donne 1 1/2 tasse)

Cette marinade est utilisée pour le boeuf.

10 onces de bière
2 c. à soupe d'huile de maïs
1 oignon, en quartiers
1 carotte, en quartiers
1 branche de céleri, en quartiers
1 gousse d'ail, écrasée
1/2 c. à thé de basilic et de thym
1 c. à soupe de persil
   sel
   poivre du moulin

Mélanger tous les ingrédients dans un bol. Vers[...] marinade sur le boeuf, sceller d'un papier ci[...] placer au réfrigérateur pendant 12 heures. Tourn[...] viande occasionnellement.

Principaux ingré[...] employés dans la [...] paration des diff[...] tes marinade[...] sauces barb[...]

Marinade au vin

4 tasses de vin rouge, sec
1/2 c. à thé de thym
2 feuilles de laurier
2 clous de girofle
20 grains de poivre
1 c. à thé de persil
2 gousses d'ail, écrasées et hachées (facultatif)
   poivre du moulin au goût
1 carotte, émincée
1 oignon, émincé
3 c. à soupe d'huile de maïs

Disposer la viande choisie dans un bol et co[...] avec le vin.
Ajouter tous les autres ingrédients et mélanger. S[...] ler la viande avec du papier ciré et placer au réf[...] rateur pour au moins 12 heures.

Préparation de la pâte à frire pour fruits et légumes

INGRÉDIENTS

8   onces de farine, tamisée
1/2 c. à thé de sel
2   c. à soupe d'huile de maïs
2   tasses d'eau, tiède
2   blancs d'oeufs

Verser la farine dans un bol à mélanger.

2. Ajouter le sel.

Bien mélanger avec une cuillère en bois ou avec un fouet.

4. Incorporer l'huile de maïs à l'aide d'une cuillère en bois.

Graduellement ajouter l'eau au mélange; remuer constamment.

6. Monter les blancs en neige. Incorporer les blancs à la pâte à l'aide d'une spatule.

Comment faire une béchamel

1. Ajouter une quantité égale de farine au beurre fondu.

2. Faire cuire le roux 2 minutes à feu moyen; remuer constamment.

3. Incorporer 1/3 du lait chaud à la fois au roux; mélanger constamment. Ajouter les autres ingrédients et faire cuire la sauce.

4. La sauce.

Sauce béchamel

(donne 2 1/2 tasses)

3	tasses de lait chaud
3	c. à soupe de beurre
3	c. à soupe de farine
	sel
	poivre blanc
1	oignon piqué d'un clou de girofle

Verser le lait dans une petite casserole, ajouter 1 c. à soupe d'eau et amener au point d'ébullition.

Faire fondre le beurre dans une casserole épaisse jusqu'à l'apparition d'écume. Ajouter la farine et faire cuire le roux 2 minutes à feu moyen en remuant constamment.

Réduire l'élément à feu doux, et ajouter 1/3 du lait chaud; remuer constamment à l'aide d'une cuillère en bois ou d[...] fouet. Ajouter le reste du l[...] 1/3 à la fois et remuer jusqu[...] ce que tous les ingrédie[...] soient bien incorporés.

Ajouter l'oignon. Saler et p[...] vrer au goût.

Laisser la sauce mijoter [...] minutes, sans couvercle, à f[...] doux. Remuer à l'occasion.

Enlever l'oignon avant d'u[...] ser la sauce.

les petits conseils du chef

Les meilleures préparations pour faire cuire le turbot sont: meunière au gratin et au fromage.

Sauce hollandaise

(pour 4 personnes)

2 jaunes d'oeufs
1 c. à soupe d'eau froide
3/4 tasse de beurre clarifié fondu
Sel
Poivre blanc du moulin
Jus de 1/4 de citron

Technique de la sauce hollandaise

Placer les jaunes d'oeufs dans un bol en acier inoxydable ou dans la casserole supérieure d'un bain-marie. Mettre le récipient sur une casserole à demi remplie d'eau presque bouillante.

Incorporer 1 c. à soupe d'eau aux oeufs avec un fouet. Fouetter sans arrêt jusqu'à ce que les jaunes épaississent considérablement.

Ajouter le beurre clarifié en filets et fouetter constamment jusqu'à ce que le tout soit bien incorporé. Assaisonner.

2

Placer les jaunes d'oeufs dans un bol en acier inoxydable ou dans la casserole supérieure d'un bain-marie. Incorporer l'eau aux oeufs avec un fouet. Placer le récipient sur une casserole à demi remplie d'eau presque bouillante et fouetter sans arrêt jusqu'à ce que les jaunes d'oeufs épaississent considérablement.

Ajouter le beurre clarifié en filets en fouettant constamment.

Saler, poivrer et incorporer le jus de citron aux jaunes d'oeufs.

Couvrir la sauce d'un papier ciré, beurré.

Cette sauce se conserve au-dessus du bain-marie, à feu très doux, pour 2 heures.

Longe courte

1. Les coupes suivantes proviennent de la longe courte du boeuf.
Entrecôte (New York Cut)
1 1/4" d'épaisseur
Entrecôte
3/4" à 1" d'épaisseur
Steak minute
à la Française
1/2"
d'épaisseur

* L'Entrecôte est la coupe utilisée dans la préparation de l'Entrecôte bordelaise et du Steak au poivre.

2 Tailler la longe courte entrecôtes de 3/4" d'é seur.

3 Parer les entrecôtes.

Sauce brune

3 1/2 tasses

4 1/2 c. à soupe de beurre ou margarine
1 petite carotte en cubes
1/2 branche de céleri en cubes
1 petit oignon en cubes
1 pincée de thym
1 feuille de Laurier
1/4 c. à thé de cerfeuil
4 1/4 c. à soupe de farine tout usage
4 1/4 tasses de bouillon de boeuf, chaud
sel
poivre du moulin

Faire chauffer le four à 250°F.
Dans une petite casserole allant au four, faire fondre le corps gras à feu vif. Réduire à feu moyen, ajouter les légumes et faire cuire 7 minutes, sans couvercle, en remuant fréquemment.
Ajouter les épices et faire cuire 2 minutes, sans couvercle, en remuant à l'occasion.
Ajouter la farine aux légumes, bien mélanger avec une cuiller de bois et placer la casserole au four. Remuer à l'occasion. Faire cuire le mélange jusqu'à ce que la farine soit dorée.
Retirer la casserole du four et laisser reposer quelques minutes.

Ajouter 1 tasse de bouillon beoeuf au roux. Bien mélanger une cuiller de bois. Remettr casserole au-dessus d'un doux. Ajouter le reste du bou 1 tasse à la fois, en remuant tamment.

Porter la sauce au point d'é tion à feu vif, saler et poivrer. Réduire à feu doux et laisser ter la sauce 30 minutes, sans vercle.

Cette sauce se conserve une maine au réfrigérateur. Co d'un papier ciré beurré, en sant le papier ciré sur la surfac la sauce.

La crème dans les sauces

1. Lorsque vous employez de la crème épaisse (35%), vous pouvez l'incorporer directement à la sauce, à l'aide d'un fouet, sans avoir à retirer la poêle du feu.

2. Lorsque vous employez de la crème sure, par contre, il est nécessaire de retirer la poêle du feu avant de l'ajouter.

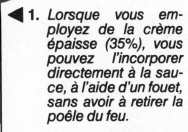

3. Incorporer la crème sure à la sauce, à l'aide d'une cuillère.

HORS
D'OEUVRE

NOTES

Lorsque vous flambez le brandy, le cognac, etc., vous devez non seulement enflammer le cognac, etc., mais aussi effectuer une réduction par évaporation afin d'éliminer le goût de l'alcool.

Croque-monsieur

(r 4 personnes)

nches minces de pain français
anches de fromage mozzarella
anches minces de jambon maigre
ivre de cayenne
à soupe de beurre clarifié

Sur 4 tranches de pain, disposer une tranche de fromage et une tranche de jambon.
Assaisonner de poivre de cayenne.
Couvrir du reste des tranches de pain. Beurrer l'extérieur des croque-monsieur.
Faire fondre le beurre dans une sauteuse et faire griller les croque-monsieur de chaque côté.
Servir immédiatement.

Croquettes du roi

1/2 livre de fromage gruyère
2 oeufs
  sel et poivre
  une pincée de poivre
  de cayenne
1 tasse de farine
1 tasse de chapelure

Une friteuse contenant de l'huile de maïs, chauffée à 350°F.
Râper le fromage et le mettre dans un bol à mélanger.
Incorporer le sel, le poivre, le poivre de cayenne et un oeuf.
Former des petites boules avec le mélange.
Placer l'oeuf, la farine et la chapelure séparément dans trois bols à mélanger.
Battre l'oeuf.
Plonger les boules de fromage dans la farine, l'oeuf et ensuite dans la chapelure.
Faire frire les croquettes du roi pendant environ 2 minutes.
Servir les hors-d'oeuvre garnis de radis.

Fromage aux herbes

1	livre de fromage cheddar, fort	sauge, persil, cerfeuil et ciboulette
5	c. à soupe de lait, chaud	sel et poivre
3	c. à soupe de vin blanc	paprika au goût
4	c. à soupe de fines herbes, composées de:	poivre de cayenne au goût
		2 c. à soupe de beurre

Faire fondre le fromage dans un bain-marie contenant de l'eau bouillante.

2. Lorsque le fromage commence à fondre, incorporer le lait chaud.

Ajouter tous les autres ingrédients et bien mélanger. Verser le mélange de fromage dans des petits ramequins et placer au réfrigérateur pendant 12 heures.

4. Démouler le fromage aux herbes et servir avec des petites tranches de pain français grillées et garnir d'échalotes vertes.

Les petits conseils du chef

Les potages clairs se font avec des bouillons de légumes ou des bouillons de volailles ou de viandes.

Les fromages

Il existe de nombreuses sortes de fromages et la plupart des pays ont leurs propres variétés. Les fromages européens les plus connus en Amérique du Nord sont:

Fromage bleu

Ce fromage est très semblable au Roquefort, mais son goût n'est pas aussi fin.

Brie

Plusieurs types de Brie sont disponibles — de Coulommiers, de Melure...et le plus usuel est certes le Brie de Meaux.

Emmenthal

Un fromage dur fait en Suisse. Il est préparé de la même façon que le gruyère, mais il est moins salé et crémeux.

Camembert

Un fromage mou. Lorsque vous achetez du Camembert, choisissez-le d'un jaune très pâle; il doit être lisse et non-troué.

Cheddar

Qui n'a pas dégusté ce mage! Il en existe une gra variété en Amérique du N C'est un fromage dur.

Gruyère

Non coupé, ce fromage se serve très longtemps. Il fréquemment confus avec menthal. Le vrai gruyère vient de la Suisse français

Servir les fromages à la température de la pièce

amembert

...mage mou et léger. Il est fabriqué maintenant à travers la ...ce ainsi que dans plusieurs autres pays. Il existe même ...Camembert fait au Québec. Cependant, l'endroit de ...ication est toujours indiqué sur l'étiquette.

...romage est généralement servi à la fin d'un repas mais ...aussi délicieux comme casse-croûte. On le déguste ...c du vin rouge sec.

...erre à vin

...vir le vin dans des verres sur ...ds. Lorsque vous buvez du ...tenir le verre par la tige afin ...ne pas changer la tempéra- ...du vin.

...rystal provient de l'Argentine et ...endu à prix très raisonnable ...s la plupart des grands magasins ...utiques culinaires.

Vins

Servez du vin rouge sec à la température de la pièce et il devrait être débouché environ une heure à l'avance, afin de le laisser respirer.

Le vin blanc doit être servi frais mais pas froid car le bouquet en serait affecté. Placer la bouteille sur la tablette la plus basse de votre réfrigérateur jusqu'à ce que le vin ait atteint la bonne température.

...rbecue

...te plusieurs sortes de "barbecue" sur le marché ...riquettes, électrique, à gaz propane, etc... Nous ... utilisé un barbecue à gaz propane pour prépa- ... items dans ce numéro spécial, lesquels j'espère ...nt vous plaire.

...trouverez ci-après quelques remarques sur l'u- ...des barbecues qui pourront possiblement vous ...tiles.

...que toutes les coupes de viandes peuvent être

cuites sur le barbecue, même les coupes économiques si elles ont été marinées auparavant.

Il est important, afin d'empêcher les ingrédients de coller, de badigeonner votre grille avec de l'huile avant d'y ajouter la viande choisie.

Placer votre grille huilée le plus près possible des briquettes; l'huile à cuisson deviendra très chaude et vous permettra de faire saisir la viande rapidement et uniformément. De plus, il est nécessaire de bien badigeonner votre viande, volaille ou poisson avant de les placer sur la grille chaude.

Assurez-vous que vos briquettes sont prêtes avant d'ajouter les ingrédients sur le barbecue; elles doivent être presque blanches.

Lorsque vous avez fait saisir la viande, l'assaisonner au goût et ajuster la grille afin d'obtenir la densité de chaleur requise pour terminer la cuisson.

Badigeonner fréquemment les ingrédients durant la cuisson.

Mousse à l'avocat

Avocat mûr

2	avocats moyens, pelés et coupés en dés
	sel et poivre
	poivre de cayenne au goût
1	c. à soupe de jus de citron
1/2	tasse de crème sure
1	(15 onces) boîte de consommé
1	enveloppe de gélatine
1	tasse d'eau chaude

Diluer la gélatine dans l'eau chaude. Assaisonne
goût avec le sel, le poivre et le poivre de cayenne.
Mettre tous les ingrédients dans un blender et
mélanger jusqu'à ce que le tout soit bien incorporé.
Verser le mélange dans des ramequins individu
couvrir de papier d'aluminium et réfrigérer pendar
heures.

NOTES

DÉCORATIONS

NOTES

Moutardes

Les graines de moutarde sont utilisées dans la préparation de plusieurs sortes de moutardes. Ces condiments sont très utiles en cuisson car ils peuvent être ajoutés aux sauces et vinaigrettes, ainsi que badigeonnés sur certaines viandes et poissons.

s moutardes suivantes sont les plus connues et les plus utilisées.

outarde sèche ou moutarde
glaise
intes recettes requièrent
nploi de cette moutarde.
e est fréquemment ajoutée à
arine et, généralement doit
e dissoute avec de l'eau
ant usage.

outarde ancienne de
ance
le-ci contient des graines de
utarde et est souvent em-
yée dans la préparation des
s. On la mélange à du

beurre et l'on badigeonne le
rôti avec le mélange avant la
cuisson.

●moutarde française, tel que
Dijon
cette moutarde a un goût un
peu fort mais est une de mes
préférées car elle se marie
avec un grand nombre d'ingrédients. On la retrouve dans la
préparation des vinaigrettes,
des sauces froides et chaudes,
et sert aussi pour badigeonner
certaines viandes et poissons.

●moutarde préparée (des
graines de moutarde sont
montrées dans la soucoupe
blanche)
ce condiment est surtout
connu en Amérique du Nord. Il
est employé dans la préparation de sauces froides, mélangé avec de la mayonnaise et/
ou de la crème sure. De plus,
nous savons tous combien cette moutarde est délicieuse
dans les sandwiches, hot dogs
et hamburgers.

us les bocaux de moutarde doivent être bien scellés et gardés
réfrigérateur, une fois qu'ils ont été ouverts.

Croûtons en arbre de Noël

1. Couper du pain français en tranches de 1/2'' d'épaisseur.

2. Enlever les croûtes.

3. Trancher la mie de pain en for, de triangle.

4. Faire dorer les triangles dans 3 c. à soupe de beurre chaud.

5. Faire dorer les triangles de l'autre côté.

6. Badigeonner les croutons beurre fondu.

7. Enduire les croûtons de persil, haché fin.

8. Les croûtons en Arbre de Noël. ➤

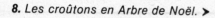

412

Olives en lapin

1. Olives décorées avec des morceaux d'olive et d'amande en forme d'oreilles.

2. Couper une tranche sur la longueur d'une des surfaces de l'olive.

3. Couper la tranche en deux et mettre les oreilles de côté.

4. Disposer l'olive à plat. A l'aide d'un couteau d'office faire une incision sur la largeur de l'olive, juste au-dessus de la partie la plus étroite. Elargir légèrement l'incision.

5. Insérer délicatement les oreilles en angle dans la petite incision.

6. Préparer une autre olive, mais cette fois insérer deux petites parcelles d'amandes comme oreilles.

Comment vider les pommes

Les pommes et un videur de pomme.

A l'aide d'un couteau d'office, faire une incision tout autour du centre de la pomme.

Placer le videur à la base de la pomme et presser jusqu'à ce que le videur traverse le fruit.

Retirer le videur de pomme contenant le coeur.

Paniers
de
citrons

1. *Découper une tranche de citron à la base.*

2. *Faire une incision jusqu'au centre du citron.*

3. *Faire une deuxième incision plus loin que la première. Cet nière forme la poignée du pa*

4. *Couper les quartiers de chaque côté du citron. Attention de ne pas couper la poignée.*

5. *Délicatement couper la chair au centre de la poignée.*

6. *A l'aide d'un zester, couper petite lanière dans la partie p du citron.*

7. *Répéter cette opération jusqu'à ce que vous ayez coupé des petites lanières tout autour du panier.*

8. *Délicatement ouvrir toutes les lanières avec un couteau d'office.*

9. *Boucler les lanières en les p en deux vers l'intérieur du pa Décorer le panier de citron une petite cerise ou olive.*

414

1. Les ingrédients et l'équipement requis pour préparer des paniers de citron et d'orange.

2. Faire une incision ▶ jusqu'au centre de l'orange.

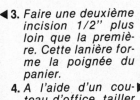

3. Faire une deuxième incision 1/2" plus loin que la première. Cette lanière forme la poignée du panier.

4. A l'aide d'un couteau d'office, tailler 3 triangles en commençant près de l'incision de la poignée. Assurez-vous lorsque vous tailler que votre couteau touche le centre de l'orange.

5. Retirer le quartier et répéter cette opération de l'autre côté de la poignée.

6. Délicatement couper la chair au centre de la poignée.

Panier d'oranges

7. Décorer le panier de persil frais. Les quartiers taillés en forme de triangles peuvent également servir comme garniture.

Technique pour faire des tomates en forme de fleurs

◄1. Partiellement couper le dessus de la tomate sans le détacher de la tomate.

2. En commençant► près de la partie attachée de la tomate, couper une tranche de la pelure de 3/4" de largeur; couper en faisant un mouvement vers le haut et ensuite vers le bas, afin d'obtenir une forme de pétale.

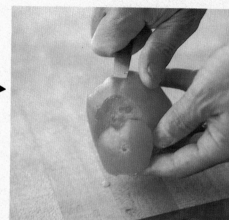

◄3. Doucement rouler la bande qui est toujours attachée à la base et la disposer sur votre surface de travail.

4. Couper une au-► tre bande de 3/4".

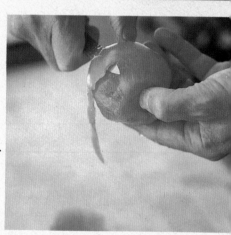

5. Enrouler cette bande et la disposer au centre de l'autre; ceci devrait vous donner une tomate en forme de fleur.

Tomates en forme de champignons

1. Couper la base d'un oeuf cuit dur et le faire tenir sur cette base. Insérer un cure-dent au centre de l'oeuf.

2. Couper un morceau de tomate en forme de chapeau. Evider le morceau de tomate.

3. Placer le chapeau de tomate sur le cure-dent.

...corer l'oeuf avec des ...ns de poivres. Toma-...en forme de fleur et en ...mpignons.

DIVERS

NOTES

Poêles à omelette

Ces poêles à omelette ainsi que celle employée dans la préparation de l'omelette espagnole offrent un excellent choix à la personne désireuse de se procurer une poêle à omelette.

la poêle en cuivre est excellente et très élégante. Par contre, elle est considérablement plus dispendieuse que les autres — idéale pour offrir en cadeau et pour les personnes qui aiment faire le service à la table.

les deux autres sont fabriquées en acier bleu. Elles sont très pratiques, à prix raisonnable, faci-

les à entretenir et disponibles en deux grandeurs:
petite 7-8'' dia. pour la préparation de l'omelette simple
grande 12'' dia. pour la préparation de l'omelette double.
- la poêle utilisée dans la technique de cette semaine est un achat fantastique pour le consommateur. Cette pièce est durable, économique et a un fini qui empêche les aliments de coller «non stick». Idéale pour la cuisine mais aussi pour ceux d'entre vous qui aiment faire du camping et de la voile.

Farce pour le gibier

6	onces de gras de porc
8	onces de foies de volaille, nettoyés et coupés en quatre
1	c. à soupe d'échalote, hachée
1	c. à soupe de persil, haché
1/4	c. à thé de thym
1	feuille de laurier, passée au mortier
1	oignon, haché
	sel et poivre

Couper le gras de porc en petits morceaux. Mettre les morceaux de gras dans une casserole et faire cuire 5 à 6 minutes, à feu moyen.

Ajouter l'oignon haché et faire cuire 2 à 3 minutes.

Ensuite, ajouter tous les autres ingrédients et faire cuire pendant 7 à 8 minutes. Saler et poivrer au goût.

Retirer du feu et passer les ingrédients au blender.

Cette farce est utilisée pour les petits gibiers comme le faisan, la pintade et la perdrix.

les petits conseils du chef La fondue de tomates est une réduction de tomates concassées et égouttées, cuites avec des échalotes hachées et de l'ail écrasé.

422

Fondue au fromage

(pour 4 personnes)

gousse d'ail
2 tasse de vin blanc sec
tasses de fromage gruyère, râpé
tasses de fromage emmenthal, râpé
c. à table de fécule de maïs mélangée avec:
2 c. à table de kirsch
poivre du moulin
sel
pain français, en gros cubes

otter l'intérieur du "caquelon" avec la gousse d'ail;

er la gousse d'ail.

erser le vin blanc dans le plat à fondue.

Ajouter le fromage et le faire fondre en remuant constamment; attention de ne pas faire bouillir le mélange.

Lorsque le fromage commence à fondre, ajouter le mélange de fécule; remuer constamment.

Saler et poivrer au goût.

Remuer jusqu'à ce que le fromage soit totalement fondu et que la fondue épaississe.

Servir avec le pain français que l'on trempe dans le fromage.

Pâté de campagne au cognac

(donne approx. 2 livres de pâté)

1/2   lb. de gras de porc, haché
1/2   lb. de porc frais, haché
1/2   lb. de foie de veau, haché
1/2   lb. de veau, haché
1   oeuf
2   c. à soupe de crème épaisse
2   gousses d'ail, écrasées et hachées

Mélanger tous les ingrédients dans un grand bol à mélanger.

Ajouter:

1 1/2 once de cognac Courvoisier
       poivre du moulin au goût
1   c. à thé de sel
1   c. à thé de cerfeuil
1/4   c. à thé de thym

Faire sauter:

2   échalotes sèches dans
1   c. à soupe de beurre pendant
       2 minutes, à feu vif

Ajouter les échalotes sautées aux ingrédients du pâté et bien mélanger. Assurez-vous que tous les ingrédients sont bien incorporés.

Afin de vérifier l'assaisonnement, faire sauter u petite quantité de farce dans un peu de beu Goûter et rectifier l'assaisonnement au goût.

Tapisser l'intérieur de deux petits moules avec:

Des tranches de bacon ou des bardes de gra

Verser le mélange du pâté dans les moules; pr ser et placer:

1 feuille de laurier au centre de chaque pâté

Couvrir le pâté avec:

Des tranches de bacon ou des bardes de gra

Si, comme nous, vous avez utilisé du bacon, le p acquerra un petit goût fumé, tout à fait délicieux. Placer les moules dans un plat à rôtir. Verser 1 1 d'eau chaude dans le plat autour des moules. M tre au centre du four à 325°F et faire cuire 1 he 30 minutes.

Etapes pour préparer une terrine

Tapisser la terrine de bardes de lard.

2. Etendre une couche épaisse de la farce du pâté sur les tranches de lard.

3. Désosser et enlever la peau d'une poitrine de canard ou d'une autre volaille et disposer-la à plat au centre de la farce.

Couvrir avec le reste de la farce.

5. Mettre une feuille de laurier au centre de la terrine et couvrir avec une tranche de gras de porc (lard).

6. Sceller complètement la terrine avec des bardes de lard.

Les petits conseils du chef

Le bouquet garni est employé dans les soupes, les bouillons et les ragoûts.

Définition du bouquet garni: des herbes de plantes aromatiques attachées ensemble.

Le wok

Cette poêle en acier bleu, ustensile principal employé en cuisine chinoise se nomme le Wok. L'ingrédient montré est du gingembre, une épice fréquemment utilisée dans la cuisine orientale.

Le wok est conçu pour la cuisson rapide. La chaleur intense est transmise au wok par la base qui est adaptable pour les cuisinières à gaz et à l'électricité.

Le secret de cette méthode de cuisson est de faire chauffer de l'huile jusqu'à ce qu'elle devienne fumante, ensuite y ajouter les ingrédients émincés et de remuer constamment jusqu'à ce qu'ils soient cuits.

Le wok est disponible dans plusieurs grandeurs et se vend dans la plupart des grands magasins et boutiques. Le prix varie entre $15. et $30.

les petits conseils du chef

Suggestions d'ingrédients pour la décoration des plats: oeufs durs, piments verts et rouges, asperges, petites tomates "cerises", olives noires et vertes et petits croûtons de pain trempés dans le beurre persillé.

NOTES

DESSERTS

NOTES

Ananas surprise

(pour 4 personnes)

1 ananas
2 bananes, pelées et
   tranchées
1 orange, pelée et
   coupée en sections
1/2 lb de fraises ou
   tout autre fruit en
   saison
2 c. à soupe de sucre
2 c. à soupe de rhum
   (facultatif)
1 c. à soupe de cassis
1 c. à soupe d'eau

Mélanger les bananes, l'orange, les fraises et le sucre dans un bol.

Diluer le cassis avec l'eau dans une petite casserole, à feu vif. Ensuite, refroidir et mélanger aux fruits.

Couper la couronne de l'ananas et la mettre de côté.

Vider l'ananas, à l'aide d'un couteau d'office, comme suit:
— vider le centre de l'ananas.
— faire une incision tout autour de l'ananas.
— faire une incision en croix dans la chair.
— avec l'aide d'une cuillère retirer la chair de l'ananas, la hacher et la placer aindi que le jus dans le bol contenant les fruits.
— mettre l'ananas vidé de côté.

Ajouter le rhum, si désiré. Bien mélanger.

Remplir l'ananas avec le mélange de fruits et refroidir.

Servir garni de la couronne d'ananas et de biscuits à la cannelle.

Alaska estival

(pour 4 personnes)

Principaux ingrédients

8	tranches d'ananas, froides
5	blancs d'oeufs
	une pincée de sel
1	c. à thé de vanille
3/4	tasse de sucre
4	boules de crème glacée aux fraises, très froides et dures
8	cerises maraschino.

Préchauffer le four à "broil".

Bien égoutter les tranches d'ananas et les sécher dans des serviettes de papier.

Disposer les tranches d'ananas dans un grand plat de service allant au four ou dans 4 plats individuels; mettre 2 tranches d'ananas superposées pour chaque personne.

Monter les blancs d'oeufs en pics

mous, ajouter le sel et la va[...]
Ensuite, ajouter le sucre grad[...]
ment, en battant constammen[...]
technique), jusqu'à ce que [...]
blancs soient montés en [...]
ferme.

Mettre une boule de crème g[...]
au centre de chaque service [...]
nas et couvrir avec la meri[...]
assurez-vous que la crème g[...]
et tous les bords d'ananas son[...]
couverts de meringue.

Garnir avec le reste de la mer[...]
et placer sous le broil 3 à 4 mi[...]
ou jusqu'à ce que la meringu[...]
légèrement dorée. Garnir ave[...]
cerises.

Servir immédiatement.

Technique de l'Alaska estival

...her les tranches d'ananas ...s des serviettes de papier.

2. Disposer les tranches d'ananas dans un plat de service ou dans des plats de service individuels. Superposer 2 tranches d'ananas pour chaque personne.

3. Séparer les oeufs.

...mmencer à monter vos blancs; ...r le bol à un angle.

5. A l'aide d'un batteur électrique, monter les blancs en pics mous.

6. Ajouter le sel.

...uter la vanille.

8. Incorporer graduellement le sucre, en battant constamment. Monter la meringue en neige ferme.

9. La meringue devrait être assez ferme, pour que vous puissiez retourner complètement le bol sans en échapper. Bien entendu, il n'est pas nécessaire de le placer au-dessus de votre tête comme je l'ai fait.

...Mettre les 4 boules de crème gla-...ée sur les tranches d'ananas.

11. Placer la meringue dans une poche à pâtisserie et couvrir la crème glacée et les bords d'ana-nas; assurez-vous que tous les ingrédients soient complètement couverts par la meringue.

12. Garnir l'Alaska estival avec le reste de la meringue et placer sous le broil 3 à 4 minutes.

Bananes au gratin

(pour 4 personnes)

Recette:
4 bananes, pelées, cou-
  pées en 2 sur le sens de
  la longueur
le jus d'une orange
le jus de 1/2 citron
3 c. à soupe de cassonade
1 c. à thé de canelle
le zeste de 1/2 orange
1/4 tasse de rhum (facultatif)

Préchauffer le four à "broil".

Disposer les bananes dans un plat à gratin beurré.

Verser le jus d'orange, de citron, la cassonade et la cannelle sur les bananes.

Faire cuire les bananes, au milie[u] du four, pendant environ 10 min[u]tes.

Si désiré, faire flamber les banane[s] au rhum.

Garnir les bananes de zeste d'ora[n]ge et servir immédiatement.

ananes
u rhum

our 4 personnes

ananes, coupées en deux
nces de rhum
nces d'eau
8 c. à soupe de cassonade
oules de crème glacée

Faire chauffer l'eau et le rhum dans une sauteuse, à feu moyen.

Ajouter les bananes au liquide chaud, saupoudrer avec la cassonade et faire cuire 4 à 5 minutes. Badigeonner les bananes durant la cuisson avec le liquide.

Disposer les boules de crème glacée dans un plat de service. Disposer les bananes autour de la crème glacée et verser le liquide sur les boules de crème glacée.

Servir immédiatement.

Les viandes sautées sont toujours des petites portions, on les saisit rapidement et on réduit la chaleur.

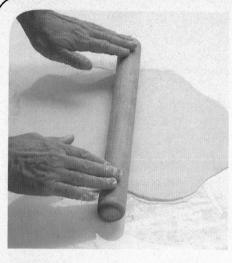

Technique de la Bande de fruits

◀ **1.** *Rouler la pâte 1/4" d'épaisseur.*

◀ **2.** *Couper la pâte la longueur de votre plaque à biscuits.*

3. *Généreusement beurrer et fariner votre plaque à biscuits et disposer la pâte sur la plaque. Badigeonner les bords de la pâte d'un oeuf battu.* ▶

◀ **4.** *Couper deux lanières de pâte d'un pouce de largeur. Mettre ces lanières (bordures) sur la pâte et les presser légèrement en place.*

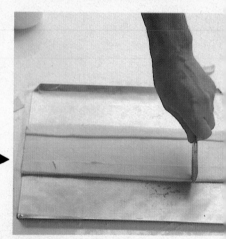

5. *Avec le côté non-tranchant d'un couteau, décorer les bords de la bande.* ▶

◀ **6.** *Badigeonner la pâte et les bordures avec l'oeuf battu.*

7. *Piquer la pâte avec une fourchette pour éviter que la pâte se développe trop durant le procédé de cuisson.* ▶

Bande de fruits

e bande peut être préparée avec des pommes,
êches, des poires ou des fraises comme nous
ns fait.

arer la bande tel qu'indiqué dans la technique,
vec une pâte feuilletée ou une pâte brisée.

e cuire dans un four préchauffé à 400°F pen-
30 minutes. Laisser la pâte refroidir.

arer une crème pâtissière, voir page 2 pour la
te. Couvrir la pâte d'1/4" de crème pâtissière;
ettez pas de crème sur les bordures.

oser les fraises fraîches qui ont été nettoyées
queutées au préalable sur la crème pâtissière.
re de côté.

Sirop aux fruits

6	c. à soupe de sucre
1/4	livre de fraises, nettoyées et équeutées
1	c. à soupe de Kirsch, si disponible

Mettre tous les ingrédients dans une casserole et
faire cuire 7 minutes, à feu moyen.

Passer le mélange au tamis. Remettre sur le feu et
faire cuire 2 à 3 minutes ou jusqu'à ce que le sirop
devienne très épais.

Retirer du feu et laisser refroidir. Ensuite, badigeonner les fruits et les bordures avec le sirop refroidi.

Servir.

Biscuits de Savoie

6 oeufs, séparer les jaunes des blancs

1/2 tasse de sucre

1 c. à thé de vanille

2/3 tasse de farine

1/2 tasse de fécule de pommes de terre

1/4 c. à thé de sel

Faire chauffer le four à 375°F.

Beurrer et saupoudrer de farine un moule à gâ-teau de 10'' de diamè-tre. Metrre le moule de côté.

Battre le sucre, les jau-nes d'oeufs et la vanille dans un bol, avec un malaxeur électrique, jusqu'à ce que le mélan-ge devienne mousseux.

Tamiser la farine, le sel et la fécule de pommes de terre dans un bol. En-suite, incorporer ces in-grédients aux jaunes d'oeufs.

Monter les blancs d'oeufs en neige ferme.

Mélanger 3 c. à soupe des blancs d'oeufs au mélange du biscuit.

Incorporer le reste des blancs d'oeufs au mélange.

verser le mélange dans le moule à gâteau et fai-re cuire au four à 375°F pendant 45 minutes.

Pour servir, saupoudrer le biscuit de savoie de sucre en poudre.

Brownies

tasse de sucre
tasse de farine
2 tasse de chocolat
tasse de beurre ou margarine
oeufs
4 c. à thé de sel
2 tasse de noix, hachées
sucre à glacer comme garniture
(facultatif)

pisser un moule à biscuits de 9'' x 12''
ec une feuille de papier ciré beurrée ou de
pier aluminium ou beurrer un moule à
uffin''.

ire fondre le beurre et le chocolat dans
e petite casserole. Ensuite, laisser le mélange refroidir.

Battre les oeufs et le sucre jusqu'à ce que le
mélange devienne léger et crémeux.

Incorporer le chocolat refroidi aux oeufs.

Ajouter le sel à la farine. Tamiser la farine et
l'ajouter au mélange de chocolat/oeufs.
Fouetter le mélange jusqu'à ce qu'il devienne lisse.

Ajouter les noix hachées.

Verser le mélange dans le moule et faire
cuire dans un four préchauffé à 325ºF pendant 45 minutes.

Laisser les brownies refroidir avant de les
démouler ou de les couper en carrés.

Si désiré, saupoudrer légèrement de sucre
à glacer.

Cantaloup délectable

(pour 4 personnes)

2	cantaloups, coupés en deux
1	c. à soupe de kirsch
2	c. à soupe de sucre
1/2	livre de raisins noirs, lavés
1	casseau de fraises, équeutées
1/4	tasse de crème fouettée

Retirer la chair des cantaloups et la couper en dés. Mettre les moitiés de cantaloup vidés de côté.

Placer les dés de cantaloups dans un bol, parsemer avec le sucre et le kirsch; laisser reposer pendant 1 heure.

Ensuite, ajouter les raisins et les fraises aux dés de cantaloup. Bien mélanger et remplir les moitiés de cantaloup.

Garnir avec la crème fouettée et servir.

Coupe Ema

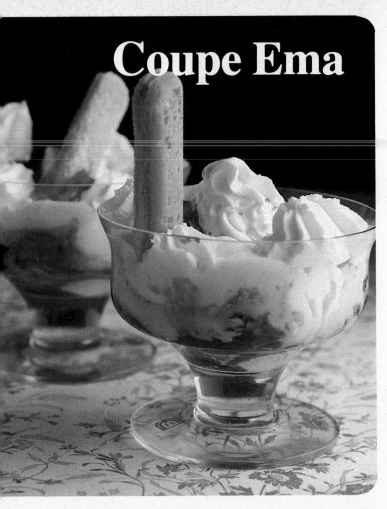

(pour 4 personnes)

- 1 boîte de cerises Bing, égouttées
- 8 boules de crème glacée à la vanille
- 1 c. à soupe de Kirsch
- 2 c. à soupe de gelée aux framboises
- 1/2 tasse de crème fouettée
- 2 c. à soupe de sucre

Mélanger les cerises et le sucre dans une casserole. Faire cuire les cerises 4 à 5 minutes à feu vif ou jusqu'à ce qu'elles deviennent en purée.

Incorporer le Kirsch et mettre de côté.

Disposer 2 boules de crème glacée dans chacune des coupes à dessert.

Verser 2 c. à soupe de purée de cerises sur la crème glacée.

Placer la crème fouettée dans une poche à pâtisserie et garnir chacune des coupes.

Faire fondre la gelée de framboises et en verser un peu sur la crème fouettée.

Servir avec des doigts de dame.

Cantaloup Martinique

(pour 4 personnes)

- 1 lb. de raisins verts, sans pépins
- 1/2 lb. de fraises fraîches, équeutées
- 2 oranges, pelées et segmentées
- 2 c. à soupe de sucre
- 1 cantaloup, coupé en tranches de 3/4'' d'épaisseur
- 2 c. à soupe de brandy aux abricots
- 1 c. à soupe de grenadine

Retirer les pépins du centre des tranches de cantaloup. Disposer les tranches sur un plat de service.

Nettoyer les fruits et les placer dans un bol à mélanger. Ajouter tous les autres ingrédients et bien mélanger. Laisser le mélange reposer 1 heure.

Remplir les tranches de cantaloup avec les fruits et servir avec des doigts de dame.

441

Carré
aux dattes

1/2	lb. de beurre
1 1/2	tasse de cassonade
1/2	tasse de farine d'avoine
3/4	tasse de granola
1 1/2	tasse de farine tout usage
	une pincée de sel
1	c. à thé de soda à pâte
1	lb. de dattes
1 1/2	tasse d'eau

Mélanger le beurre à 1 tasse de cassonade dans un grand bol à mélanger.

Combiner la farine d'avoine, le granola, la farine, le sel et le soda à pâte. Ensuite, incorporer le mélange au mélange de beurre/cassonade.

Mettre les dattes, l'eau et le reste de la cassonade dans une casserole. Amener le liquide à ébullition, ensuite réduire à feu doux et laisser mijoter les ingrédients jusqu'à ce qu'ils épaississent.

Retirer du feu et laisser refroidir. Beurrer un moule carré ou rectangulaire et remplir le fond de 2/3 de pouce du mélange de farine; presser légèrement avec la main.

Verser les dattes sur le mélange et couvrir avec le reste du mélange de farine.

Faire cuire les carrés aux dattes dans un four préchauffé à 350ºF pendant 25 minutes.

Laisser les carrés aux dattes refroidir et les couper.

Cerises Jubilé

(pour 4 personnes)

Verser les Cerises Jubilé sur une crème glacée.

1 boîte de 14 onces de cerises Bing, égouttées
1/4 tasse de sucre
1/2 tasse d'eau
1/2 tasse de kirsch
1 c. à thé de fécule de maïs

Placer le sucre et l'eau dans une casserole à feu vif.

Porter le liquide au point d'ébullition, réduire à feu moyen et laisser mijoter quelques minutes.

Ajouter les cerises égouttées et laisser mijoter 2 à 3 minutes.

Mélanger la fécule de maïs au kirsch et verser ce mélange dans une petite casserole pour le café à la turque ou dans une très petite casserole.

Faire chauffer le kirsch à feu moyen.

Lorsque le kirsch a presque atteint le point d'ébullition, le verser sur les cerises et le faire flamber.

Servir immédiatement.

Technique des Cerises à la osée

1. Enlever les noyaux des cerises avec un dénoyauteur.

2. Verser le sucre dans la poêle.

3. Ajouter le jus d'ananas ou de cerises au sucre caramelisé.

4. Incorporer le jus de citron.

5. Ajouter les morceaux d'ananas.

6. Ajouter les cerises.

7. Épaissir avec la fécule de maïs.

Cerises à la osée

(pour 4 personnes)

te recette est servie sur de la crème glacée à la vanille.

    c. à soupe de sucre
/2 tasses de jus d'ananas ou de cerises
    tasse d'ananas en dés
    livre de cerises fraîches ou bing, dénoyautées
    jus d'1 citron
    c. à thé de fécule de maïs diluée avec:
    1 c. à thé d'eau

tre la crème glacée dans un bol de service de verre transparent et
cer au congélateur.

ser le sucre dans une poêle ou dans une casserole et faire cuire
u'à ce qu'il commence à se caraméliser.

uite, ajouter le jus d'ananas ou de cerises et faire cuire 1 minute, à feu

rporer le jus de citron.

ter les dés d'ananas et les cerises.

issir le mélange avec la fécule de maïs. Retirer la poêle du feu et
ser le mélange refroidir.

rer la crème glacée du congélateur et verser les cerises à la osée sur
ème glacée. Servir immédiatement.

Charlotte à l'anglaise

pour 6 à 8 personnes — Recette en 2 parties

1 recette de doigts de dame ou de gâteau de Savoie
2 tasses de crème à 35%, fouettée
2 casseaux de fraises fraîches, nettoyées et équeutées
2 tasses de crème anglaise
1/2 tasse de sherry, sucré
1/2 tasse de sucre

Mélanger le sucre et les fraises dans un bol et les réfrigérer pendant 2 heures.
Couper le gâteau de Savoie en tranches d'1/2'' d'épaisseur et garnir un bol de service avec les tranches. Ou, garnir le bol avec des doigts de dame.
Asperger les tranches de gâteau ou les doigts de dame avec une petite quantité de sherry.
Placer alternativement des rangées de crème fouettée, de fraises, de crème anglaise et de sherry dans le bol de service.
Garnir avec une petite quantité de crème fouettée et de doigts de dame ou de gâteau de Savoie.

CRÈME ANGLAISE

4 jaunes d'oeufs
1/4 tasse de sucre
1 1/2 tasse de lait
1 c. à thé de vanille

Porter le lait et la vanille au point d'ébullition dans une petite casserole.
Battre les oeufs et le sucre dans une casserole jusqu'à ce que les oeufs deviennent mousseux.
Verser graduellement la moitié du lait bouillant dans les oeufs; battre constamment.
Remettre la casserole contenant le lait sur un feu moyen-doux.
Verser graduellement le contenu du bol dans le reste du lait bouillant; remuer constamment avec une cuillère en bois.
Remuer constamment jusqu'à ce que le mélange épaississe et nappe la cuillère.
Eviter de bouillir le mélange.
Laisser la crème anglaise refroidir avant de vous en servir pour préparer la charlotte à l'anglaise.

Doigts de dame

6 onces de farine
6 onces de sucre à fruit
5 oeufs, séparés
quelques gouttes de vanille

Préchauffer le four à 300°F.
Battre le sucre et les jaunes d'oeufs jusqu'à ce que le mélange devienne blanc et mousseux.
Ajouter la vanille et battre de nouveau.
Ajouter graduellement la farine au mélange d'oeufs/sucre.
Monter les blancs d'oeufs en neige ferme et les incorporer au mélange à l'aide d'une spatule.
Beurrer et légèrement saupoudrer de sucre une feuille de papier ciré. Disposer le papier sur une plaque à biscuits.
Placer le mélange de doigts de dame dans une poche à pâtisserie avec une douille unie. Forcer le mélange sur la feuille de papier ciré et former des bâtonnets 1/2'' de largeur par 3'' de longueur.
Laisser 2 à 3 pouces entre chaque bâtonnet.
Faire cuire les doigts de dame dans un four doux (300°F) pendant 20 minutes. Ne pas laisser dorer les doigts de dame.

Laisser les doigts de dame refroidir avant de vous en servir pour préparer la charlotte à l'anglaise.

Charlotte aux pommes avec sauce aux abricots

pommes
tasse de sucre
c. à soupe de cannelle
tasse de beurre, fondu
0 tranches de pain, mie
  seulement

rrer un moule à charlotte
 mettre de côté.
der, peler et émincer les
mes.
tre le beurre dans une
nde casserole à feu moyen
faire cuire jusqu'à l'appari-
d'écume.
uter les pommes, le sucre
 cannelle et faire cuire en-
n 35 minutes ou jusqu'à ce
 tout le liquide soit éva-

poré. Réduire l'élément après
10 minutes de cuisson à feu
doux. Remuer les pommes à
l'occasion.
Couper les tranches de pain
en lanières de 2'' x 3''. Tapisser le moule avec les lanières
de pain. Superposer légèrement les lanières et laisser le
pain dépasser le moule d'environ 1'' afin de former un collet.
Ajouter les pommes cuites.
Couvrir de pain et plier le collet
vers l'intérieur afin de bien
sceller les pommes.
Faire cuire la charlotte dans
un four préchauffé à 400ºF

pendant 40 minutes.
Laisser refroidir la charlotte
aux pommes avant de la démouler sur un plat de service.
Servir avec une sauce aux
abricots.

Sauce aux abricots

3   onces de gelée d'abricots
3   onces d'eau

Faire fondre la gelée avec l'eau
dans une petite casserole à feu
vif pendant 3 à 4 minutes; remuer
constamment.
Verser la sauce aux abricots sur
la charlotte.

Citrons givrés

(pour 4 personnes)

4 citrons
4 boules de crème glacée au citron
ou à la vanille
3 c. à soupe de bleuets
sucre à glacer (facultatif)

Couper une tranche sur la longueur de chacun des citrons. Mettre les tranches (chapeaux) de côté.

Evider les citrons et les remplir avec la crème glacée.

Remettre les chapeaux sur la crème glacée e placer le tout au réfrigérateur pendant 30 minutes.

Disposer les citrons sur un plat de service, garni avec les bleuets et servir.

Si désiré, saupoudrer les citrons givrés avec du sucre à glacer.

Coupe cantaloup

(pour 4 personnes)

cantaloup
c. à soupe de rhum
4 tasse de raisins secs
boules de crème
glacée à la vanille

Faire tremper les raisins dans le rhum.
Couper le cantaloup en quatre et retirer la chair. Trancher la chair en gros dés et les placer dans un bol.
Ajouter les raisins et le rhum aux dés de cantaloup et laisser repo-ser pendant une demi-heure.
Disposer les boules de crème glacée dans des coupes à dessert individuelles et ajouter les fruits marinés sur la crème glacée.
Servir avec des doigts de dame.

Coupe aux Fraises

(pour 4 personnes)

Nettoyer les fraises à l'eau courante. Les équeuter, les parer et les assécher.

Fouetter la crème; lorsqu'elle commence à épaissir, y ajouter graduellement le sucre en poudre (et la vanille ou liqueur, si désiré). Continuer à fouetter jusqu'à ce que la crème soit ferme.

Mélanger délicatement les fraises à la crème fouettée. Verser les fraises et la crème dans des coupes à dessert. Cette recette se prépare aussi avec du yogourt nature: ajouter du miel au goût.

Recette:

1 lb (environ 2 casseaux) de fraises fraîches
3 c. à soupe de sucre en poudre
1 tasse de crème 35%
1/2 c. à thé de vanille (facultatif)
cointreau ou grand marnier, au goût (facultatif)

Coupe Jamaïque

(pour 2 personnes)

4	tranches d'ananas, en dés
2	c. à soupe de rhum
2	boules de crème glacée au café
1/4	tasse de crème fouettée
	cerises marasquin, tranchées

Faire mariner les ananas et les cerises dans le rhum pendant 1/2 heure.

Disposer les boules de crème glacée dans des coupes à dessert individuelles. Placer quelques tranches de cerises en réserve et mettre le reste des fruits dans les coupes à dessert.

Garnir la crème glacée et les fruits avec la crème fouettée et décorer avec les tranches de cerises marasquin en réserve.

Servir avec des doigts de dames.

Crème Caramel

(pour 4 à 6 personnes)

Recette:
CARAMEL
2/3 tasse de sucre
1/2 tasse d'eau

CRÈME (FLAN)
2 tasses de lait
1 c. à thé de vanille
1 c. à soupe d'eau
3 oeufs moyens à la température de la pièce
3 jaunes d'oeufs
1/2 tasse de sucre

Faire chauffer le four à 350°F.

CARAMEL: Faire chauffer le sucre et l'eau dans une petite casserole, à feu vif. Lorsque le sucre devient brun pâle, le verser dans des ramequins.

CRÈME (FLAN): Dans une casserole moyenne, porter le lait, la vanille et l'eau au point d'ébullition.

Fouetter les oeufs et jaunes d'oeufs légèrement.

Ajouter le sucre et fouetter jusqu'à ce que le sucre soit incorporé aux oeufs.

Verser graduellement le lait dans les oeufs en fouettant constamment. Passer la crème à la passoire et la verser dans les ramequins. Placer les ramequins dans un plat à rôtir.

Verser de l'eau bouillante dans le plat à rôtir jusqu'à la moitié de la hauter des ramequins. Placer le bain-marie soigneusement au four.

Faire cuire les crèmes caramel 40 à 50 minutes.
Retirer les crèmes du four. Refroidir les crèmes avant de les démouler.

Pour démouler les crèmes, presser le bord de la crème. Placer un plat sur un ramequin et renverser la crème sur le plat.

Crème au chocolat

(pour 4 personnes)
onces de chocolat semi-sucré
c. à soupe de beurre
oeufs, séparés
c. à soupe de sucre

Placer le chocolat et le beurre dans un bol en acier inoxydable. Mettre le bol sur une casserole remplie au trois-quart d'eau bouillante.

Lorsque le chocolat est fondu, retirer le bol du feu et le laisser refroidir quelques minutes.

Battre 3 c. à soupe de sucre et les jaunes d'oeufs, jusqu'à ce qu'ils deviennent mousseux.

Incorporer soigneusement le chocolat aux jaunes battus.

Monter les blancs d'oeufs en pics mous. Ajouter le reste du sucre et monter les blancs en neige ferme.

Plier les blancs dans le mélange au chocolat.

Verser la crème au chocolat dans des coupes à dessert individuelles.

Servir froid.

Si désiré, saupoudrer légèrement la crème avec du chocolat râpé et accompagner de doigts de dame.

Crêpes aux fraises

(pour 4 personnes)

4	crêpes
16	grosses fraises, nettoyées et équeutées
1	tasse de fromage riccota
1	c. à soupe de sucre à glacer
	sirop d'érable (facultatif)

crêpes
(donne: 20 crêpes)

2	oeufs
2	jaunes d'oeufs
1 1/4	tasse de liquide (moitié lait et moitié eau)
1	tasse de farine tout usage, tamisée
3	c. à soupe de margarine, fondue
2	c. à soupe de sucre
	une pincée de sel

Mettre les oeufs et les jaunes dans un grand bol à mélanger en acier inoxydable. Légèrement battre les oeufs et incorporer le sel et le sucre.

Ajouter le liquide à l'aide d'un fouet; bien mélanger.

Incorporer la farine à l'aide d'un fouet. La pâte devrait avoir la consistance de la crème épaisse. Verser la margarine dans la pâte en un filet mince; fouetter constamment. Passer la pâte au tamis.

Préparer les crêpes, voir semaine no 3 pour la technique. Mettre 4 crêpes en réserve; envelopper les autres d'un papier ciré. Les crêpes se conservent 2 mois au congélateur.

Préchauffer le four à "broil".

Etendre 2 c. à soupe de fromage riccota au centre de chacune des crêpes. Disposer 4 fraises sur le riccota.

Rouler les crêpes et les disposer dans un plat de service allant au four. Saupoudrer les crêpes avec le sucre à glacer et mettre sous le broil pendant 2 minutes.

Servir avec le sirop d'érable.

Crêpes aux pommes

tte en 2 parties.
ur 4 personnes)

Pâte à crêpes sucrée

crêpes)

sse de farine tout
age tamisée
c. à thé de sel
à soupe de sucre
ufs
4 tasse de liquide
2 lait, 1/2 eau)
à soupe de beurre
arifié, fondu et tiède

anger la farine, le
et le sucre dans un

s un deuxième
battre légèrement
oeufs avec un
et ajouter le li-
de. Bien mélanger.

rporer la farine au
ide à l'aide d'un
et. La pâte devrait
r la consistance
a crème épaisse.

uter le beurre clari-
en un filet mince
ouettant constam-
t.

Passer la pâte à la pas-
soire fine ou au tamis.

Pour faire les crêpes,
utiliser une poêle en
acier de 8'' de diamè-
tre.

Faire fondre 1 c. à sou-
pe de beurre dans la
poêle à feu vif. Retirer
la poêle du feu.

Essuyer la poêle avec
une serviette de pa-
pier afin d'enlever l'ex-
cès de beurre.

Verser juste assez de
pâte dans la poêle
pour couvrir le fond.

Faire cuire la crêpe à
feu vif.

Les crêpes devraient
être très minces.

Les crêpes se conser-
vent 2 mois au
congélateur. Envelop-
per d'un papier ciré.

Les pommes

4 pommes
2 c. à soupe de
  cassonade
Jus de 1 citron
Jus de 1 orange
Le zeste de 1 citron,
  finement émincé
1 c. à thé de
  cannelle
2 c. à soupe de Lamb's
  Navy rhum
2 c. à soupe de cassis
1/2 tasse d'eau
1 c. à soupe de beurre
  doux (non salé)

Peler, évider et couper
chaque pomme en 8
quartiers. Placer les
quartiers dans un bol.

Mélanger le jus de ci-
tron, la cassonade et
la cannelle aux pom-
mes.

Faire fondre le beurre
dans une casserole
jusqu'à l'apparition
d'écume. Ajouter les
pommes et faire cuire
à feu moyen pendant 3
minutes.

Arroser les pommes
avec le jus d'orange et
faire cuire 2 minutes.

Verser le rhum et le
faire flamber.

Farcir 4 crêpes. Mettre
2 c. à soupe du mélan-
ge au centre de cha-
que crêpe. Plier les
crêpes en deux et en-
core en deux afin d'ob-
tenir la forme d'une
pointe de tarte.

Disposer les crêpes
dans un plat de servi-
ce. Mettre le plat de
côté.

Replacer la casserole
à feu vif. Ajouter le
zeste de citron, le cas-
sis et l'eau au reste
des pommes. Bien
mélanger et faire cuire
2 à 3 minutes.

Verser le mélange sur
les crêpes.

Pour garnir, saupou-
drer légèrement avec
du sucre à glacer.

Crêpes viennoises

Crêpes
(donne 20 crêpes)

1	tasse de farine
	une pincée de sel
2	c. à soupe de sucre
4	oeufs
3/4	tasse d'eau
3/4	tasse de lait
3	c. à soupe de beurre fondu

Mélanger le sucre, le sel et la farine dans un bol.
Battre légèrement les oeufs avec un fouet, dans un deuxième bol. Ajouter le liquide; bien mélanger.
Incorporer la farine au liquide à l'aide d'un fouet. La pâte devrait avoir la consistance de la crème épaisse.
Ajouter le beurre fondu en un filet mince en fouettant constamment.
Passer la pâte au tamis.
Faire cuire les crêpes dans une poêle en acier de 8'', à feu vif jusqu'à ce qu'elles soient dorées. Les crêpes devraient être très minces.
Les crêpes se conservent 3 mois au congélateur, envelopper d'un papier ciré.

Recette à la Viennoise
(pour 6 personnes)

12	crêpes préparées tel qu'indiqué
8	onces de chocolat semi-sucré
1	tasse de crème épaisse
2	c. à soupe de liqueur Tia Maria, chaude
2	c. à soupe d'eau très chaude

Fouetter la crème jusqu'à ce qu'elle devien très ferme. Placer 1/3 de la crème fouettée da une poche à pâtisserie.
Mettre le chocolat dans un bol en acier inoxyd ble. Placer le bol sur une casserole remplie trois-quart d'eau bouillante.
Lorsque le chocolat sera fondu, mélanger l'e. chaude et la liqueur et les incorporer au choc lat; bien mélanger.
Disposer une crêpe sur un plat de service. Ve ser une petite quantité de la sauce au choco sur la crêpe et une petite quantité de la crèm fouettée. Couvrir d'une autre crêpe et répét l'opération précédente jusqu'à ce que vous ay employé les 12 crêpes.
Décorer les crêpes Viennoise avec la crèm fouettée contenue dans la poche à pâtisserie avec les restes de sauce au chocolat.

Flan à l'ananas

(pour 4 personnes)

	tasses de lait
	c. à thé de vanille
	c. à soupe d'eau
	oeufs moyens, à la température de la pièce
	jaunes d'oeufs
/2	tasse de sucre granulé
	tranches d'ananas

Sauce

/2	livre de fraises fraîches, nettoyées et équeutées
	c. à soupe de sucre
	c. à soupe de rhum
	c. à soupe de fécule de maïs mélangée à
	1 c. à thé d'eau

Garniture: 4 fraises fraîches

Flan: Amener le lait, la vanille et l'eau au point de l'ébullition dans une casserole, à feu vif. À l'aide d'un fouet, fouetter les oeufs et les jaunes dans un bol à mélanger. Ajouter le sucre et fouetter jusqu'à ce qu'il soit bien incorporé aux oeufs. Verser le lait bouillonnant dans le mélange d'oeufs en fouettant constamment.

Passer le mélange à la passoire fine et le verser dans des ramequins.

Placer les ramequins dans un plat à rôtir. Verser de l'eau bouillante dans le plat à rôtir jusqu'à la moitié de la hauteur des ramequins.

Placer le plat "bain-marie" au four et faire cuire les flans dans un four préchauffé à 350°F pendant environ 40 minutes.

Retirer les flans du four et les faire refroidir avant de les démouler. Pour démouler les flans, presser le bord du flan. Placer un plat sur le ramequin et renverser le flan sur le plat.

Disposer les flans sur un plat de service et couvrir chacun des flans d'une tranche d'ananas.

Verser la sauce sur les flans, garnir avec les 4 fraises et servir.

Sauce: Mettre toutes les fraises, sauf quatre, le sucre et le rhum dans une casserole. Faire bouillir le mélange à feu vif environ 15 minutes ou jusqu'à ce qu'il soit réduit en purée.

Passer la purée de fraises au passe-légumes et l'épaissir avec le mélange de fécule de maïs.

Servir la sauce tel qu'indiqué.

1. Badigeonner d'huile le moule à croquembouche.

2. Mettre la crème pâtissière dans la poche à pâtisserie.

3. Faire un trou à la base du chou.

4. Remplir les petits choux de crème pâtissière.

5. Faire brunir ensemble:
2 tasses de sucre, 1/2 tasse d'eau et 1 c. à soupe de glucose, si disponible.

6. Arrêter la cuisson du sucre en plaçant la casserole dans un bol contenant de l'eau froide.

7. Tremper le chou dans le sirop chaud.

8. Construire le croquembouche en montant les choux les uns sur les autres.

Notes:

— Afin d'éviter que le sirop refroidisse et devienne dur comme de la pierre, il est nécessaire de le réchauffer périodiquement pendant quelques instants, à feu moyen.

— Lorsque vous tremper les choux dans le sirop chaud, ne pas toucher au sirop car il vous brûlera. S'il arrive de vous brûler, tremper vos mains dans un bol contenant de l'eau froide.

Technique
Croquem

Fils d'ange

1	**tasse de sucre**
1/2	**tasse de sirop de maïs**
1	**centimètre de bougie naturelle**

Verser le sucre et le sirop de maïs dans une casserole épaisse et bien mélanger avec une cuillère en bois.

Ensuite, faire cuire le mélange 15 minutes à feu moyen sans remuer.

Retirer la casserole du feu et arrêter la cuisson en plaçant la casserole dans un bol contenant de l'eau froide. Votre sirop devrait être de couleur ambre.

A l'aide d'un petit couteau, gratter le centimètre de bougie et l'ajouter au sirop. La cire de la bougie empêchera le sucre de coller.

Faire des fils d'ange comme indiqué dans la technique. Garnir le croquembouche avec les fils d'ange.

Technique des fils d'ange

1. Ajouter la cire de bougie au sirop bouillonnant.

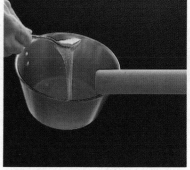

2. L'épaisseur que doit avoir le caramel (sirop).

3. Verser doucement le caramel sur un manche en bois; aller de droite à gauche.

4. Descendre environ 1 pied sous le manche et remonter; répéter cette rotation, toujours en allant de droite à gauche jusqu'à ce que vous ayez utilisé tout le caramel.

Gâteau aux bananes

Donne 12 à 15 tranches

1/4 tasse de beurre ou de margarine
2/3 tasse de sirop de maïs
3 oeufs, battus
1 tasse de bananes, écrasées
1/3 tasse de lait
1 c. à thé de vanille
1 c. à thé de sel
2 c. à thé de poudre à pâte
1 c. à thé de bicarbonate de soude
2 tasses de farine de blé entier
1 tasse de raisins secs

Préchauffer le four à 325ºF.
Beurrer ou huiler un moule à gâteau de 9'' à resso[r]
Placer le beurre et le sirop de maïs dans un bol à
mélanger. Battre le mélange avec un batteur électr[i]
que jusqu'à ce que le mélange devienne crémeux.
Incorporer les oeufs, les bananes, le lait et la vanill[e]
Mélanger le sel, la poudre à pâte, le bicarbonate e[t]
farine; tamiser.
Incorporer graduellement les ingrédients secs au
mélange de bananes.
Incorporer les raisins secs.
Verser le mélange dans le moule à gâteau. Faire
cuire le gâteau environ 1 heure au four, ou jusqu'à c[e]
que la lame d'un couteau piquée au centre du gâtea[u]
en sorte propre.
Servir le gâteau aux bananes avec du beurre ou de
margarine.

Gâteau au chocolat à ma façon

(Donne 16 portions)

2 1/2	tasses de sucre	1	c. à soupe de vanille
2	tasses de beurre, ramolli	2	carrés de chocolat
4	tasses de farine tout usage		non-sucré, fondu
10	oeufs		

...chauffer le four à 300°F.
...urrer un moule à gâteau à tube
"bundt' et le mettre de côté.
...cer le sucre et le beurre dans
...bol à mélanger. Battre le mé-
...ge avec un batteur électrique
...qu'à ce qu'il devienne cré-
...ux.
...orporer les oeufs, 1 à la fois,
... mélange de sucre/beurre.

Ajouter la vanille.
Ajouter la farine et bien mélanger.
Verser la moitié du mélange à
gâteau dans le moule. Verser le
chocolat fondu sur le mélange et
incorporer le chocolat à l'aide
d'une spatule jusqu'à ce que
vous obteniez un effet de rub-
bans.

Verser le reste du mélange à gâteau dans le moule.
Faire cuire le gâteau à 300°F
environ 1 heure 30 minutes, ou
jusqu'à ce que la lame d'un couteau piquée au centre en sorte
propre.
Refroidir le gâteau environ 10
minutes à 12 minutes avant de le
démouler.

461

Fondue au chocolat

(pour 4 personnes)

5	onces de chocolat suisse, sucré
1/2	tasse de lait, chaud
1	c. à thé de jus de citron
1	tasse de crème chantilly
2	c. à soupe de rhum
1/2	livre de fraises fraîches nettoyées et équeutées

Faire fondre le chocolat dans un bol en acier inoxydable placé sur une casserole contenant de l'eau bouillonnante.

Faire chauffer le lait dans un petit poêlon. Verser le lait chaud dans le chocolat fondu et mélanger à l'aide d'une cuillère en bois.

Incorporer le rhum et le jus [de ci]tron.

Ajouter la crème chantilly e[t mé]langer jusqu'à ce que tous [les in]grédients soient bien incorp[orés.]

Verser le mélange de ch[ocolat]

Technique

1. *Faire fondre le chocolat dans un bol en acier inoxydable, placé sur une casserole remplie d'eau bouillonnante.*

2. *Faire chauffer le lait dans un petit poêlon et le verser dans le chocolat fondu.*

3. *Mélanger à l'aide d'une cuillère en bois.*

4. *Incorporer le rhum.*

s un bol de service et disposer
raises tout autour.

vir avec de longues fourchettes
ndue.

: les fraises pourraient être remplacées par d'autres fruits frais, comme des cerises, des morceaux de bananes, de pêches, etc…

5. *Ajouter le jus de citron, la crème et mélanger jusqu'à ce que tous les ingrédients soient bien incorporés.*

Gâteau au chocolat

(pour 6 à 8 personnes)

4	oeufs, séparés
1	tasse de beurre doux
3	tasses de farine à gâteau, tamisée
2 1/2	tasses de sucre
1	tasse de cacao
1	c. à soupe de poudre à pâte
1	tasse de lait

Préchauffer le four à 350ºF.

Beurrer et légèrement enfariner un moule à gâteau de 10" à ressort. Mettre le moule de côté.

A l'aide d'un batteur électrique mélanger le beurre et le sucre jusqu'à ce que le mélange devienne crémeux.

Ajouter les jaunes, un à un, au mélange de beurre; battre constamment.

Mélanger le cacao, la farine et la poudre à pâte dans un bol à mélanger.

Ajouter le lait à la farine.

Incorporer le mélange de farine au mélange de jaunes d'oeufs; bien mélanger.

Monter les blancs en neige ferme. Plier les blancs dans le mélange à gâteau.

Doucement verser [le] mélange dans le mo[ule] à gâteau.

Faire cuire le gâteau [en]viron 1 heure au fou[r à] 350ºF., ou jusqu'à c[e] que la lame d'un c[ou]teau piquée au centre [du] gâteau en sorte prop[re].

Démouler et laisser [re]froidir le gâteau.

Couvrir le gâteau d['un] glaçage au chocolat [et] si désiré, garnir de v[er]mettes ou de choco[lat] râpé.

Glaçage au chocolat

tasse de beurre fondu
tasse de cacao
tasse de lait
c. à thé de sel
c. à soupe de liqueur,
tel que le Irish Mist
tasses de sucre à glacer, tamisé

asser le cacao au tamis et ajouter le sel.

l'aide d'un batteur électrique incorporer le
eurre fondu au cacao.

outer le lait et continuer de battre.

outer la liqueur.

raduellement incorporer le sucre à glacer. A
ide du batteur électrique mélanger les in-
rédients jusqu'à ce qu'ils deviennent lisses.

1

2

3

4

5

Gâteau aux pêches renversé

1	grosse boîte de pêches émincées, égouttées
2	c. à soupe du jus des pêches
2	c. à soupe de sucre
1	c. à soupe de cassonade
1/2	tasse de beurre, ramolli
1/2	tasse de sucre
	le zeste d'une orange, râpée
	le jus d'une orange
3	oeufs
1 1/4	tasse de farine à gâteau
	une pincé de sel.

Préchauffer le four à 350°F.

Beurrer un moule à ressorts et le parsemer avec la cassonade.

Faire chauffer le jus des pêches et les 2 c. à soupe de sucre dans une casserole, à feu moyen/élevé. Ajouter les pêches et les enduire avec le sirop.

Tapisser le fond du moule avec les pêches et mettre de côté.

Mélanger le beurre et le zeste dans un mélanger. Ajouter le sucre et battre jusqu que le mélange devienne pâle et léger.

Ajouter les oeufs, 1 à la fois; battre tamment.

Ajouter la farine, le sel et le jus d'orange; mélanger.

Verser le mélange à gâteau sur les pêch faire cuire au four 40 à 50 minutes.

Démouler le gâteau sur un plat de service glacer avec —

1	c. à soupe de brandy aux abricots
2	c. à soupe de sucre
2	c. à soupe d'eau

Mettre tous les ingrédients dans une casserole et les porter à ébullition à feu vif. cuire jusqu'à ce que le mélange devienn sirop très épais; remuer constamment.

Badigeonner les pêches avec le sirop.

Technique du
Gâteau aux pêches renversé

...élanger le beurre et le zeste ...orange.

2. Ajouter le sucre.

3. Battre le mélange jusqu'à ce qu'il devienne pâle et léger.

...uter les oeufs, 1 à 1, en mé- ...geant constamment.

5. Ajouter la farine.

6. Verser le jus d'orange dans le bol à mélanger; bien mélanger.

...urrer un moule à ressorts et le ...rsemer avec 1 c. à soupe de ...ssonade.

8. Tapisser le fond du moule avec les pêches.

9. Verser le mélange à gâteau sur les pêches.

Gâteau aux fraises

3	oeufs entiers
2	jaunes d'oeufs
1 1/2	tasse de sucre
1	c. à thé de vanille
1/2	tasse de farine tout usage
1/2	tasse de fécule de maïs
	une pincée de sel
2	blancs d'oeufs
1	tasse de crème épaisse, fouettée
1	casseau de fraises, lavées et équeutées

Beurrer et enfariner un moule à ressort de 8'' de diamètre et le mettre de côté.

Préchauffer le four à 350ºF.

Mettre les 3 oeufs et les 2 jaunes d'oeufs dans un bol. Graduellement ajouter le sucre et battre le mélange jusqu'à ce qu'il devienne très épais.

Ajouter la vanille et mélanger de nouveau.

Tamiser la farine, la fécule de maïs et le sel ensemble dans un autre bol.

Monter les blancs d'oeufs en neige ferme. Incorporer les blancs d'oeufs et la farine au mélange, en alternant.

Doucement verser le mélange à gâteau dans le moule et faire cuire au four pendant 1 heure ou, jusqu'à ce que la lame d'un couteau piqué au centre du gâteau en sorte propre.

Retirer le gâteau du four et laisser repose 10 minutes. Ensuite démouler et laisser re froidir.

Trancher le gâteau en deux sur la longueur e placer une moitié du gâ teau sur un plat de ser vice.

Mettre une couche de crème fouettée sur la moitié du gâteau. Cou vrir la crème fouettée de l'autre moitié du gâ teau.

Bien couvrir le dessus et les côtés du gâteau avec la crème fouettée.

Disposer les fraises su le gâteau et garnir avec les restes de la crème fouettée.

Gâteau fromage

(1 moule à ressort de 9'' de diamètre)

oûte

2 tasses de biscuits
aham, émiéttées
à soupe de sucre
à soupe de beurre

hauffer le four à
F.

nger les miettes de
uits, le sucre et le
e. Couvrir le fond et
côtés du moule à
au avec le mélange
scuits.

e la croûte au four à
F pendant 10
tes.

Mélange

1 livre de fromage à la crème, ramolli
2 c. à thé de vanille
1/2 tasse de sucre
3 c. à soupe de farine
  une pincée de sel
4 jaunes d'oeufs
1 tasse de crème à 35%
4 blancs d'oeufs

Mélanger le fromage et la vanille.

Ajouter le sucre, la farine et le sel. Bien mélanger.

Incorporer les jaunes. Mélanger jusqu'à ce que le mélange devienne crémeux. Fouetter la crème et l'incorporer au mélange.

Monter les blancs en neige et les incorporer au mélange de fromage à l'aide d'une spatule.

Verser le mélange dans le fond de gâteau.

Cuire le gâteau au fromage dans un four préchauffé à 325° F pendant 1 heure.

Retirer le gâteau du four et le laisser refroidir pendant 2 heures à la température de la pièce.

Glaçage

1 c. à soupe de sucre
1 c. à soupe de beurre
  jus d'une orange
  jus d'un citron
2 tasses de fraises fraîches, nettoyées
1 c. à thé de fécule de maïs mélangée
  à 1 c. à thé d'eau

Mélanger le sucre et le beurre dans une petite casserole. Faire cuire le mélange à feu vif jusqu'à ce qu'il devienne en caramel.

Ajouter le jus de citron et d'orange et faire cuire 2 à 3 minutes.

Ajouter les fraises et faire cuire 2 minutes; remuer à l'occasion.
Epaissir avec la fécule de maïs.

Verser le glaçage aux fraises sur le gâteau au fromage.

Faire refroidir le gâteau au fromage plusieurs heures avant de le servir.

Gâteau au rhum

3	jaunes d'oeufs
6	blancs d'oeufs
1	c. à soupe de jus de citron
1	c. à soupe de jus d'orange
1	c. à soupe de rhum brun
1/2	tasse de sucre
1	tasse de farine à pâtisserie, tamisée
	une pincée de sel

Garniture: crème fouettée

Préchauffer le four à 350ºF.

Beurrer et légèrement enfariner un moule à gâteau, à ressort, de 8'' de diamètre.

Préparer votre mélange à gâteau tel qu'indiqué dans la technique.

Verser le mélange dans le moule à gâteau et faire cuire au centre du four à 350ºF pendant 1 heure.

Retirer le gâteau du four, le laisser refroidir et le démouler.

Pour le servir, trancher le gâteau en trois sur la longueur et étendre une couche de crème au chocolat entre chaque tranche de gâteau. Ensuite, couvrir le gâteau avec le reste de la crème au chocolat et garnir de crème fouettée.

Crème au chocolat

4	jaunes d'oeufs
2	tasses de lait
2 1/2	onces de farine
5	onces de sucre
6	onces de chocolat semi-sucré

Verser le lait dans une casserole et amener à ébullition.

Ajouter le chocolat et mélanger, à l'aide d'un fo[uet?] jusqu'à ce que le chocolat ait fondu. Retirer la cas[se]role du feu.

Mettre les jaunes d'oeufs, le sucre et la farine dan[s un] bol à mélanger et bien mélanger, à l'aide d'une cui[llère] en bois.

Incorporer le mélange d'oeufs au chocolat et rem[ettre] sur le feu. Faire cuire la crème à feu moyen penda[nt 3] à 4 minutes ou jusqu'à ce que le mélange épaiss[isse,] fouetter constamment.

Retirer la crème du feu, verser dans un bol et lai[sser] refroidir. Ensuite, la couvrir d'un papier ciré, be[urré] et placer au réfrigérateur; ainsi elle se garder[a ...] heures.

Technique du gâteau au rhum

...cipaux ingrédients.

2. Séparer les oeufs. La recette demande 3 jaunes et 6 blancs.

3. Battre les jaunes 3 minutes à l'aide d'un mélangeur électrique.

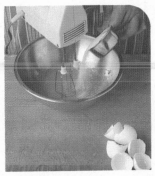

4. Ajouter le sucre en battant constamment.

...outer le jus de citron.

6. Continuer de mélanger les ingrédients jusqu'à ce qu'ils deviennent presque blancs.

7. Ajouter le jus d'orange.

8. Verser le rhum dans le mélange.

...miser la farine et le sel, ...ux fois. Ensuite, le saupou-...er sur le mélange d'oeufs.

10. Incorporer la farine aux jaunes à l'aide d'une spatule.

11. Mélanger jusqu'à ce que le mélange à gâteau ait la consistance montrée dans la photo.

12. Commencer à monter vos blancs d'oeufs.

...ouetter jusqu'à ce qu'ils ...oient montés en neige ...erme.

14. Incorporer une partie des blancs au mélange à gâteau, à l'aide d'une spatule.

15. Ensuite, ajouter le mélange à gâteau aux blancs d'oeufs.

16. Plier le mélange dans les blancs jusqu'à ce que les deux mélanges soient bien incorporés. Verser le mélange à gâteau dans un moule beurré et enfariné.

Gratin merveilleux

(pour 4 à 6 personnes)

5   poires, évidées, pelées et tranchées

3   c. à soupe d'eau froide

3   c. à soupe de sucre

2   c. à soupe de liqueur tel que la Tia Maria

2   c. à soupe d'amandes effilées

1   once de chocolat, râpé

3   blanc d'oeufs, légèrement battus et mélangés à: 3c. à soupe de sucre

Mettre l'eau, le sucre, les poires et la Tia Maria dans une casserole; couvrir et faire cuire 6 minutes, à feu moyen.

Disposer les poires dans un plat allant au four.

Préchauffer le four à "broil".

Placer la casserole à feu vif et réduire le liquide de 2/3.

Verser le liquide sur les poires e saupoudrer avec les amandes effilées e le chocolat râpé.

Mettre le plat sous le broil pendant 2 minutes.

Monter les blancs en neige ferme et garni les poires.

Placer le gratin merveilleux sous le broil e faire dorer.

Îles flottantes

(pour 4 à 6 personnes) • RECETTE EN TROIS PARTIES

rniture: chocolat râpé

eringue

blancs d'oeufs
/2 tasse de sucre fin
une pincée de sel
quelques gouttes de
jus de citron

otter l'intérieur d'un bol en
ier inoxydable avec le jus
citron.
outer les blancs d'oeufs

et le sel. Battre les oeufs avec un mélangeur électrique réglé à basse vitesse.

Lorsque les blancs commencent à mousser, augmenter la vitesse et battre jusqu'à ce que les blancs d'oeufs tiennent en pics mous.

Graduellement incorporer 1 tasse de sucre aux blancs d'oeufs; battre constamment et monter les blancs d'oeufs en neige ferme.

Ensuite, plier le reste du sucre au mélange, à l'aide d'une spatule.

Pour pocher la meringue

Remplir la moitié d'une sauteuse d'eau et amener au point d'ébullition, à feu vif.

A l'aide d'une cuillère à crème glacée ou d'une grande cuillère, ajouter la meringue à l'eau chaude et faire pocher chaque meringue environ 2 minutes de chaque côté.

Retirer la meringue à l'aide d'une cuillère à trous et faire égoutter sur des serviettes de papier; mettre de côté.

Crème anglaise

1 1/2	tasse de lait
4	jaunes d'oeufs
1/2	tasse de sucre
1/2	c. à thé d'extrait de vanille
2	c. à soupe de crème à 35% (facultatif)

Verser le lait dans une casserole et amener au point d'ébullition; mettre de côté.

Mettre les jaunes d'oeufs, le sucre et la vanille dans un bol à mélanger. Battre les ingrédients avec un mélangeur électrique pendant 3 à 4 minutes ou jusqu'à ce que le mélange devienne presque blanc.

Graduellement incorporer le lait chaud au mélange d'oeuf, à l'aide d'un fouet.

Remettre le mélange dans la casserole et faire cuire jusqu'à ce que le mélange épaississe; remuer constamment pendant la cuisson mais ne pas laisser le mélange bouillir.

Dès que la crème enduit une cuillère, retirer la casserole du feu et verser la crème immédiatement dans un bol en acier inoxydable. Refroidir la crème au réfrigérateur.

Si désiré, au moment de servir, incorporer la crème à 35% à la crème anglaise.

Pour servir les îles flottantes, verser la crème anglaise dans un plat de service et disposer les meringues cuites sur la crème.

Décorer avec le chocolat râpé.

Meringue avec fraises

(pour 4 personnes)

6	blancs d'oeufs
1 1/2	tasse de sucre
1/2	livre de fraises, équeutées
1/2	tasse de crème fouettée
	quelques gouttes de grenadine

Beurrer une grande plaque à biscuits et la mettre de côté.

Préchauffer le four à 220ºF.

Monter les blancs d'oeufs en pics mous. Ensuite, graduellement ajouter le sucre; en remuant constamment jusqu'à ce que les blancs soient montés en neige ferme.

Verser le mélange dans une poche à pâtisserie et presser la meringue sur la plaque à biscuits. Laisser 2 à 3 pouces entre chaque languette de meringue.*

Placer la plaque à biscuits au four 1 heure à 220ºF. Ensuite, réduire à 200ºF et faire cuire 30 minutes. Réduire la chaleur à 150ºF et faire cuire la meringue pendant 1 heure.

Retirer les meringues du four et laisser refroidir.

Nettoyer et équeuter les fraises. Mettre quelques fraises dans le fond de quatre coupes à dessert.

Ajouter un peu de crème fouettée sur les fraises. Ajouter d'autres fraises et garnir chaque coupe de 2 meringues.

Arroser chacun des desserts de quelques gouttes de grenadine et servir.

*Donne de 18 à 24 meringues. Les languettes de meringue placées dans une boîte en métal, se conservent pendant une semaine.

Mousse au chocolat

(Pour 4 à 6 personnes)

Recette:
3 jaunes d'oeufs
1/4 tasse de sucre
7 onces de chocolat semi-sucré *

1 tasse de crème 35 %
3 c. à soupe de sucre
6 blancs d'oeufs

Utiliser du chocolat pour la cuisson.

...er les jaunes d'oeufs et ...tasse de sucre dans un ... Battre au malaxeur élec... ...jue jusqu'à ce que le mé... ...e devienne mousseux.

...e fondre le chocolat dans ...bain-marie, au-dessus ...n feu doux. Incorporer ...duellement le chocolat ...jaunes d'oeufs, en mélan... ...t constamment avec le ...axeur. Mettre de côté.

...re la crème. Lorsqu'elle ...mence à épaissir, y ajou... ...graduellement 3 c. à sou...

pe de sucre, en battant. Continuer à battre la crème jusqu'à ce qu'elle devienne ferme. Mettre de côté.

Monter les blancs d'oeufs en neige ferme.

Réserver une partie de la crème fouettée pour la garniture.

Incorporer le reste de la crème fouettée au mélange jaunes d'oeufs/chocolat, à la spatule. Incorporer délicate-

ment les blancs d'oeufs au mélange, à la spatule.

Verser le mélange délicatement dans des ramequins individuels, ou dans un plat à service profond (tel qu'un plat de vitre ou plat à soufflé). Placer le reste de la crème dans un sac à pâtisserie, et décorer la surface de la mousse. Parsemer de chocolat râpé, si désiré.

Placer au réfrigérateur au moins 4 heures avant de servir.

475

Les crevettes fraîches peuvent être remplacées par des crevettes du Labrador, moins dispendieuses. On obtient de 70 à 120 crevettes à la livre. Elles se présentent précuites en contenant surgelé qu'il suffit simplement de réchauffer.

Mousse au citron

(pour 4 personnes)

4	jaunes d'oeufs
1	tasse de sucre blanc
	le zeste d'un citron, râpé fin
	le jus d'un citron
1	c. à soupe de fécule de maïs
4	blancs d'oeufs
2	c. à soupe de sucre

Mettre les jaunes d'oeufs et la tasse de sucre dans un bol en acier inoxydable. Battre les ingrédients avec un appareil éléctrique jusqu'à ce que le mélange devienne léger et mousseux.

Ajouter le zeste de citron, sauf 1/2 c. à thé, et battre jusqu'à ce qu'il soit bien incorporé. Incorporer la fécule de maïs.

Mettre le bol en acier inoxydable sur ur casserole remplie d'eau bouillante et fai cuire les ingrédients 5 minutes ou jusqu ce que le mélange devienne très épai fouetter constamment.

Retirer le bol du feu et ajouter le jus c citron, à l'aide d'un fouet.

Transvider le mélange dans un autre bol laisser refroidir.

Monter les blancs en pics mous. Ajouter le 2 c. à soupe de sucre et fouetter les blanc en neige ferme.

Incorporer les blancs au mélange refroidi

Verser la mousse dans des coupes à de sert et garnir avec le reste du zeste c citron.

Servir froid.

Mousse aux pommes

(ɔur 4 personnes)

livre de pommes pour cuire
onces de miel
c. à soupe d'eau
jus d'1 citron
c. à thé de cannelle
blancs d'oeufs battus

niture: 4 cerises maraschino

Peler, évider et hacher les pommes.

Placer les pommes, l'eau et le miel dans une casserole épaisse et faire cuire les pommes jusqu'à ce qu'elles deviennent en compote.

Laisser les pommes refroidir. Ensuite ajouter le jus de citron et la cannelle; mélanger.

Battre les blancs d'oeufs et les plier dans le mélange de pommes.

Verser la mousse aux pommes dans les coupes à dessert individuelles et garnir avec les cerises.

Technique de l'Œ

Préparation du gâteau

1. Les ingrédients.

2. Passer la farine, le sel et la poudre à pâte 2 ou 3 fois au tamis.

3. Placer le beurre dans un

4. Ajouter le sucre au beurre.

5. Mélanger le beurre et le sucre jusqu'à ce que le mélange devienne crémeux.

6. Ajouter la vanille au mé de beurre.

7. Battre constamment.

8. Casser les oeufs dans un autre bol à mélange.

9. Battre les oeufs jusqu'a qu'ils deviennent mousseu

10. Verser graduellement les oeufs battus dans le mélange de beurre/sucre en fouettant constamment.

11. Incorporer la farine au mélange, à l'aide d'une spatule.

12. Couvrir une plaque à bis d'un papier ciré, beurré. P le mélange à gâteau au ce de la plaque.

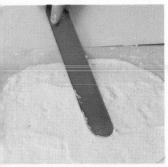

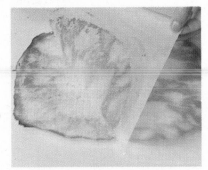

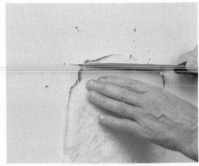

l'aide d'une spatule, étendre mélange sur le papier ciré. aire cuire au four à 400°F pen- ant 10 minutes.

14. Laisser le gâteau tiédir légère- ment. Renverser le gâteau et enlever le papier ciré.

15. Couper le bord du gâteau.

...éparation de l'omelette

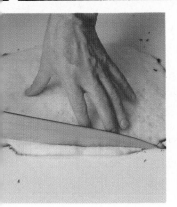

...ailler les 3 autres côtés du ...teau.

17. Couper le gâteau en quatre à la verticale.

18. Disposer un morceau de gâteau dans un plat de service allant au four.

...ettre la crème glacée sur le ...orceau de gâteau.

20. Couvrir la crème glacée d'un morceau de gâteau.

21. Arroser le gâteau de Tia Maria.

...ouvrir les côtés de l'omelet- ...e avec les 2 dernières lisières ...e gâteau.

23. Monter les blancs d'oeufs en neige. Ajouter le sucre et battre jusqu'à ce que la meringue soit ferme.

24. Mettre les blancs d'oeufs en neige sur l'omelette.

Préparation de l'Omelette Norvégienne
(suite)

25. A l'aide d'une spatule, étendre les blancs sur l'omelette.

26. Bien couvrir les côtés avec les blancs d'oeufs en neige.

27. Placer le reste des blancs une poche à pâtisserie.

28. Garnir l'omelette avec le reste des blancs d'oeufs en neige.

29 L'omelette décorée.

30 Faire cuire l'omelette no gienne au milieu du fou "broil" jusqu'à ce qu'elle légèrement dorée.

31 Pour préparer la sauce, faire fondre le beurre avec le sucre dans une sauteuse à feu vif.

32 Ajouter le jus d'orange et de citron.

33 Ajouter la liqueur Tia Maria.

34 Ajouter les fraises.

35 Disposer les fraises sur l'omelette norvégienne.

36 Garnir l'omelette d'une ran de fraises tout autour de base.

Omelette Norvégienne

(pour 10 personnes)

Mélange à gâteau

...e de farine préparée
...ncée de sel
...se de beurre, à la tempéra-
...de la pièce
...se de sucre granulé
... à thé de vanille
..., à la température de la piè-
...
... à thé de poudre à pâte

...uffer le four à 400°F.
...er la farine, le sel et la pou-
...âte 2 à 3 fois.
... le beurre dans un bol.
...r la vanille au sucre et
...er graduellement le sucre
...rre jusqu'à ce que le mélan-
...ienne crémeux.
... les oeufs. Ensuite, ajouter
...etite quantité d'oeufs au
...e de beurre/sucre; battre vi-
...sement.
...r cette opération jusqu'à ce
...us les oeufs aient été incor-
...u beurre.
...r graduellement la farine au
...e, à l'aide d'une spatule.
...corporer et mettre le mélan-
...côté.

...aration de l'omelette

...chopine de crème glacée à
...nille, coupée en tranches de
...'épaisseur.
...oupe de liqueur Tia Maria.

CETTE RECETTE SE DIVISE EN TROIS PARTIES.

6 blancs d'oeufs.
1/4 tasse de sucre.

Préchauffer le four à 400°F.
Couvrir une plaque à biscuits d'un papier ciré, beurré. Placer le mélange à gâteau au centre de la plaque. A l'aide d'une spatule, étendre le mélange sur le papier ciré. Faire cuire le gâteau au four à 400°F pendant 10 minutes.
Lasser le gâteau tiédir légèrement. Renverser le gâteau et enlever le papier ciré.

Couper le gâteau en quatre lisières verticales.
Disposer un morceau de gâteau dans un plat de service allant au four.
Arroser le gâteau d'une c. à soupe de Tia Maria.
Mettre la crème glacée sur le morceau de gâteau. Arroser la crème glacée d'une c. à soupe de liqueur. Placer un morceau de gâteau sur la crème glacée et arroser avec le reste du Tia Maria. Couvrir les côtés de l'omelette avec les 2 dernières lisières de gâteau.
Monter les blancs en neige. Ajouter le sucre et battre jusqu'à ce que les blancs d'oeufs soient en neige ferme.
Placer 2/3 des blancs d'oeufs en neige sur l'omelette. A l'aide d'une

---

spatule étendre les blancs sur l'omelette. Bien couvrir les côtés. Mettre le reste des blancs d'oeufs dans une poche à pâtisserie et garnir l'omelette.
Garder l'omelette norvégienne au congélateur jusqu'au moment de servir.
Pour servir, faire dorer légèrement l'omelette norvégienne au milieu du four à ''broil''

Sauce aux fraises

1 casseau de fraises, équeutées
2 c. à soupe de sucre granulé
2 c. à soupe de beurre non salé
jus de 1 1/2 orange
jus de 1/2 citron
2 c. à soupe de liqueur Tia Maria

Placer le sucre et le beurre dans une sauteuse à feu vif. Remuer le mélange jusqu'à ce qu'il devienne couleur caramel.
Ajouter le jus d'orange et de citron; remuer constamment jusqu'à ce que le mélange épaississe.
Ajouter les fraises et les faire cuire 3 à 4 minutes.
Faire chauffer la liqueur Tia Maria dans une petite casserole. Verser la liqueur dans la sauteuse et faire flamber.
Verser la sauce sur l'omelette norvégienne et garnir l'omelette avec les fraises.

Oranges sucrées

(pour 4 personnes)

4   oranges
    le zeste de 2 oranges, coupé en
    julienne
4   c. à soupe de sucre
1   c. à thé de grenadine
2   c. à soupe de brandy aux abricots
2   tasses d'eau
1   c. à thé de fécule de maïs mélangée
    à 1 c. à thé d'eau

Peler les oranges tel que démontré.
Placer les oranges dans une casserole épaisse et saupoudrer de su-

cre. Ajouter la grenadine et
brandy aux abricots.
Ajouter l'eau et amener le liquide a
point d'ébullition. Couvrir et fai
pocher les oranges 20 minutes.
Disposer les oranges pochées s
un plat de service.
Ajouter le zeste à la casserole
faire cuire 5 minutes à feu vif.
Epaissir la sauce avec la fécule
maïs et verser la sauce sur les ora
ges.
Laisser refroidir avant de servir.

Technique des oranges sucrées

1. Couper les ► deux extré- mités des oranges.

◄2. Trancher la pelure.

3. Couper le ► zeste de deux oran- ges avant de trancher la pelure.

◄4. Emincer les zestes en julienne.

5. Placer les ► oranges dans une casserole épaisse et parsemer de sucre.

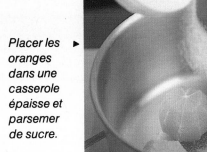
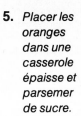

◄6. Ajouter la grenadine.

7. Ajouter le ► brandy aux apricots et l'eau. Po- cher les oranges 20 minutes.

Technique de la pâte à choux

Pâte à choux

(donne environ 12 choux)

1	tasse d'eau, bouillante
4	c. à soupe de beurre doux
1/4	c. à thé de sel
1	tasse de farine tout usage
4	gros oeufs
1	oeuf battu avec 1 c. à thé d'eau

1. Ajouter la farine à la casserol(e) tenant déjà l'eau, le beurre fo(ndu), le sel.

2. A l'aide d'une cuillère en bois, bien mélanger les ingrédients.

3. Verser les ingrédients dans un bol à mélanger.

4. Ajouter un oeuf au mélang(e) remuer jusqu'à ce qu'il soit incorporé.

5. Ajouter l'oeuf suivant et bien mélanger. Répéter jusqu'à ce que tous les oeufs aient été bien incorporés.

6. Lorsque le mélange deviendra une pâte très épaisse, la placer dans une poche à pâtisserie.

7. Former des choux de la gros(seur) d'une balle de golf sur une pl(aque) à biscuits, beurrée. Laisser en(viron) 2 à 3 pouces entre chaque (chou) Badigeonner les choux avec (l'oeuf) battu et faire cuire au four à 4(25°F) pendant 20 minutes.

Glacage au chocolat

onces de chocolat, demi-sucré
tasse de crème épaisse (35%)
à 3 c. à soupe d'eau bouillante

ettre le chocolat et la crème dans une casserole, à
u moyen.

mener à ébullition en remuant constamment avec

une cuillère en bois. Faire cuire 2 à 3 minutes.

Retirer du feu, laisser refroidir et ensuite éclaircir
avec les 2 à 3 c. à soupe d'eau bouillante.

Ce glaçage peut être utilisé pour les choux à la
crème, éclairs au chocolat, les profitéroles au chocolat et glaçage de gâteau.

Technique pour glacer les choux à la crème

1. Tremper le chou dans la sauce
au chocolat.

2. Laisser égoutter et le retourner ►
sur un plat de service.

3. Choux à la crème garnis de
crème chantilly.
▼

Choux à la crème

Préparer de gros choux.

Remplir les choux de crème pâtissière.

Couvrir de glaçage au chocolat et garnir de crème chantilly.

Pâte feuilletée

1   livre de beurre doux
1   livre de farine à pâtisserie
1   tasse d'eau plus 2 c. à soupe, froide
1   c. à thé de sel

Technique de la pâte feuilletée

1. *Retirer 1 tasse de farine et légèrement fariner le beurre avec environ 2 c. à soupe de farine.*

2. *Aplatir le beurre avec un rouleau à pâte.*

3. *Incorporer le reste de la tasse farine au beurre.*

4. *Former un rectangle du mélange de beurre/farine.*

5. *Légèrement fariner le mélange, l'envelopper dans un linge et le placer au réfrigérateur pendant 20 minutes.*

6. *Mettre le reste de la farine dans bol à mélanger, ajoutr le sel mélanger.*

aire un trou dans le milieu de la rine.

8. Verser la tasse plus les 2 c. à soupe d'eau très froide dans le trou.

9. Bien mélanger le tout avec un couteau à pâtisserie.

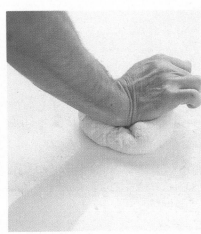

Couper la pâte avec l'index et le pouce et rassembler la pâte en boule.

11. Fariner la surface de travail et y déposer la pâte.

12. Fraiser la pâte.

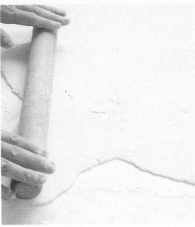

Couper la pâte en croix, 1/2" de profondeur.

14. Rouler la pâte en forme de trefle.

15. Retirer le rectangle de beurre du réfrigérateur, le développer et le placer au milieu de la pâte.

Pâte feuilletée . . . suite

16. *Couvrir le beurre avec la pâte.*

17. *Envelopper complètement le beurre avec la pâte.*

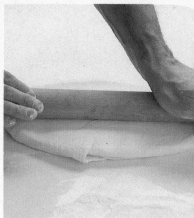

18. *Rouler la pâte jusqu'à ce que vo obteniez un rectangle épais sa presser sur le rouleau car cela f rait sortir le beurre. Envelopper pâte dans un linge et mettre réfrigérateur pendant 20 minutes*

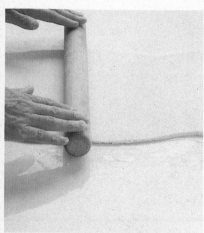

19. *Rouler et allonger la pâte en un rectangle de 3/4" d'épaisseur.*

20. *Brosser la pâte afin d'enlever tout excès de farine.*

21. *Plier 1/3 de la pâte.*

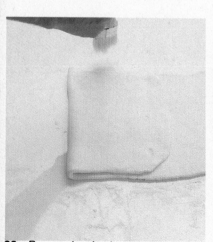

22. *Brosser la pâte à nouveau.*

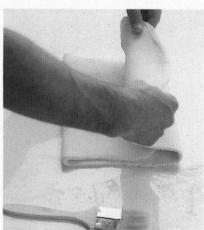

23. *Plier l'autre tiers de la pâte. Le rectangle de pâte est maintenant plié en trois.*

24. *Faire une impression avec le doi au centre de la pâte afin d'indiqu le nombre de tours faits. Le premi tour de la préparation de la pâ feuilletée est maintenant terminé. Envelopper la pâte dans un linge laisser reposer pendant 20 minute au réfrigérateur.*
Ensuite, répéter les opérations 19 24 de la technique jusqu'à ce qu vous ayez fait 6 tours. Faire à ch que tour des impressions avec doigt sur la pâte afin de ten compte des tours.

Mousse à l'érable

(pour 6 à 8 personnes)

3/4 tasse de sirop à
l'érable, tel que le
sirop Old Time
enveloppe de gélatine
c. à soupe d'eau
jaunes d'oeufs
tasses de crème,
fouettée en pics mous
/4 tasse moitié raisins et
moitié amandes
effilées
c. à soupe de liqueur
Tia Maria (facultatif)

Verser l'eau dans une tasse et parsemer l'eau avec la gélatine; laisser reposer 5 minutes.

Faire chauffer le sirop dans un bain-marie. Retirer du feu. Ajouter la gélatine ramollie au sirop chaud et dissoudre complètement la gélatine.

Battre les oeufs jusqu'à ce qu'ils deviennent légers et incorporer un peu de sirop chaud.

Verser les oeufs battus dans la casserole contenant le sirop et bien mélanger.

Refroidir le mélange jusqu'à ce qu'il prenne de la consistance; remuer à l'occasion.

A l'aide d'une spatule, incorporer le mélange de raisins et d'amandes ainsi que les 3/4 de la crème fouettée.

Verser le mélange dans un moule à dessert ou à soufflé et refroidir la mousse pendant 2 heures au réfrigérateur ou jusqu'à ce qu'elle devienne consistante.

Fouetter le reste de la crème jusqu'à ce qu'elle devienne ferme et incorporer la Tia Maria.

Placer la crème fouettée dans une poche à pâtisserie et décorer la mousse à l'érable.

Garnir avec des cerises et des amandes grillées, servir.

Pêches cardinal

(pour 4 personnes)

1	grosse boîte de moitiés de pêches, égouttées ou *4 pêches fraîches, pelées, coupées en deux et dénoyautées
1/2	livre de fraises fraîches
2	c. à soupe de sucre
1	c. à soupe de kirsch

Laver, égoutter et équeuter les fraises. Mettre les fraises, le sucre et le kirsch dans une casserole et faire cuire 15 mi-

Fraises fraîches. Les fraises devraient être mûres et lorsque possible, toujours les choisir vous-même.

*Si vous employez des pêches fraîches, les faire pocher dans:

4	tasses d'eau
1/4	tasse de sucre
1	c. à thé de vanille

Plonger les moitiés de pêches dans le liquide bouillonnant et faire pocher pendant 8 minutes.
Retirer la casserole du feu et laisser refroidir les pêches dans le sirop de cuisson.

nutes environ ou jusqu'à que le mélange devienne purée.

Passer les fraises au tami:

Verser 1/2 tasse de la p de fraises dans chacune coupes à dessert et ajou moitiés de pêches.

Garnir avec de la crème c tilly et servir.

490

Pêches aux épices

(pour 4 personnes)

boîte (29 onces) de moitiés de pêches
égouttées
tasse de sirop des pêches
tasse de cassonade
c. à thé de cannelle
tasse de corn flakes, légèrement
émiettés
c. a soupe de jus de citron
c. à soupe d'amandes effilées
c. à soupe de beurre ou margarine
fondu
tasse de crème fouettée

Préchauffer le four à "broil".

Verser le sirop dans une petite casserole et faire cuire 3 à 4 minutes, à feu vif.

Disposer les moitiés de pêches dans un plat de service allant au four. Saupoudrer les pêches avec la cassonade et la cannelle.

Mélanger le jus de citron au sirop et verser le tout sur les pêches.

Parsemer les fruits avec le corn flakes et les amandes.

Badigeonner avec le beurre fondu et placer sous le broil pendant 3 minutes.

Garnir avec la crème fouettée et servir.

es
etits
onseils
du
chef

Lorsque vous faites flamber le cognac, vous devez non seulement enflammer le cognac mais aussi effectuer une réduction du liquide.

Pêches flambées

(pour 4 personnes)

4	pêches fraîches* OU
1	boîte de 8 moitiées de pêches, égouttées
1/2	tasse de sucre
1/2	tasse d'eau
1	c. à thé de grenadine
	le zeste d'une orange
	le zeste d'un citron
3	c. à soupe de votre liqueur préférée

*Peler et couper en deux les pêches fraîches.

Mettre le sucre, l'eau et la grenadine dans une petite casserole. Faire cuire les ingrédients à feu moyen pendant 3 minutes.

Ajouter les moitiées de pêches, couvrir et faire cuire 3 minutes, à feu moyen.

Ensuite, retourner les pêches et continuer de faire cuire pendant 2 minutes.

Retirer la casserole du feu et disposer les pêches dans un plat de service.

Ajouter le zeste d'orange et de citron. Remettre la casserole à feu moyen et faire cuire 2 à 3 minutes ou jusqu'à ce que le sirop épaississe.

Verser le sirop sur les moitiés de pêches.

Verser la liqueur dans la casserole, faire flamber et verser le tout sur les pêches.

Servir.

Pêches melba

pour 4 personnes

8 moitiés de pêches en conserve, égouttées
1 demiard de fraises fraîches nettoyées et équeuttées
4 boules de crème glacée à la vanille crème Chantilly, pour garnir

Mettre de côté 4 fraises.
Passer le reste des fraises à la passoire.
Placer une boule de crème glacée dans chaque coupe.
Placer 1 c. à thé de purée de fraises sur chaque boule de crème glacée.
Disposer 2 moitiés de pêche sur chaque boule de crème glacée.
Verser le reste de la purée de fraises sur les pêches.
Garnir de crème Chantilly.
Couper en deux les 4 fraises réservées.
Disposer les moitiés de fraises dans les coupes.

Crème Chantilly

2 tasses

1 tasse de crème à 35%, froide
3 c. à soupe de sucre à glacer
1 c. à thé de vanille

Fouetter la crème et la vanille jusqu'à ce que la crème fouettée devienne ferme.
Incorporer soigneusement le sucre à glacer à la crème.

Poires au chocolat
(pour 4 personnes)

4 poires pochées dans jus de 1 citron
1 tasse de sucre
3 tasses d'eau froide
2 clous de girofle
1 tasse de sauce au chocolat, chaude
1 c. à soupe d'amandes effilées.

Eplucher les poires; laisser les queues.

Placer les poires dans un bol et les arroser avec le jus de citron.

Mettre les autres ingrédients requis pour pocher les poires dans une casserole. Porter le liquide à ébullition à feu vif.

Ajouter les poires, réduire à feu moyen/doux et faire pocher les poires 20 à 30 minutes. Laisser les poires refroidir dans le liquide de cuisson.

Ensuite, retirer les poires. Egaliser la base des poires avec un couteau d'office afin qu'elles tiennent debout.

Disposer les poires dans un plat de service.

Pendant que vous faites pocher les poires, préparez votre sauce au chocolat.

Sauce au chocolat
(1 tasse)

2 onces de chocolat non sucré
2 c. à soupe de beurre
3/4 tasse de sucre à glacer
4 1/2 c. à soupe de lait évaporé
1/4 c. à thé de vanille

Placer le chocolat dans un bol d'acier inoxydable.

Placer le bol sur une casserole à demi remplie d'eau bouillante.

Ajouter le reste des ingrédients.

Faire cuire la sauce 20 minutes, en remuant à l'occasion.

Poires au rhum

(pour 4 personnes)

oires
asses d'eau
asse de sucre
. à soupe de rhum
. à thé de grenadine
. à soupe de fécule de maïs mélangée à
 c. à soupe de rhum
 erises marachino
. à soupe d'amandes effilées

cher les poires; laisser les queues.
ser l'eau, le sucre, 2 c. à soupe de rhum et
renadine dans une casserole.
ner le liquide au point d'ébullition.
cement plonger les poires dans le liquide
bouillonnant, couvrir et faire pocher 20 minutes à feu moyen.

Disposer les poires sur un plat de service et garnir avec les cerises et les amandes effilées.
Retourner la casserole à feu vif et faire réduire le liquide de 2/3.
Epaissir le sirop avec le mélange de fécule de maïs.
Faire chauffer le reste du rhum dans une louche ou une petite casserole. Verser le rhum chaud dans le sirop et faire flamber.
Lorsque les flammes diminuent, verser le sirop sur les poires

Poires avec sauce aux abricots

(pour 4 personnes)

4 poires pochées dans:
jus d'1/2 citron
1 tasse de sucre
4 tasses d'eau
4 boules de crème glacée

Eplucher les poires; laisser les queues.

Mettre les ingrédients requis pour pocher les poires dans une casserole. Porter le liquide à ébullition, à feu vif.

Ajouter les poires, couvrir et faire pocher 10 minutes. Laisser les poires refroidir dans le liquide de cuisson.

Placer les boules de crème glacée dans un plat de service ou dans des coupes à dessert individuelles.

Ajouter une poire par coupe et verser un peu de sauce aux abricots sur chaque poire.

Sauce aux abricots

4 c. à soupe de gelé
aux abricots
2 c. à soupe du
liquide de cuisson
des poires
quelques gouttes
de grenadine

Mettre la gelée et l dans une petite casse et faire fondre la gelé 4 minutes; remuer c tamment.
Ajouter la grenadine verser la sauce sur poires.

Avocats

Les avocats sont des fruits tropicaux employés dans un grand nombre de recettes. Ils sont particulièrement délicieux comme hors d'oeuvres farcis au crabe, au crevette ou au poulet.

L'avocat doit être mûr. La pelure d'un avocat mûr est souvent marquée de taches brunes ou noires. Sa chair devrait avoir la même texture, au toucher, qu'une pêche mûre.

Comment faire pocher des poires

1. Peler les poires à l'aide d'un couteau d'office. Commencer par peler les poires autour de la queue en évitant néanmoins de couper celle-ci.

2. Dissoudre le sucre dans l'eau bouillante.

3. Doucement mettre les poires pelées dans le liquide bouillant. Lorsque les poires seront pochées, les laisser refroidir dans le liquide de cuisson.

497

Pommes au four

(pour 4 personnes)

Recette:
4 pommes évidées
1/4 tasse de cassonade
1/4 tasse d'eau froide
1/4 tasse de sirop d'érable (naturel ou commercial)
1/4 tasse de cerises confites, hachées
zeste de 1/2 citron
1 c. à soupe de marante (ou fécule de maïs)
1 c. à soupe d'eau froide

Préchauffer le four à 400°F. Faire une légère incision autour des pommes, pour couper la peau.

et les placer dans un plat de service. Verser le liquide de cuisson dans une petite casserole et le porter à ébullition au-dessus d'un feu élevé. Ajouter les cerises et le zeste de citron au liquide. Mélanger la marante (ou la

fécule de maïs) à 1 c. à pe d'eau froide et vers mélange dans le liquic cuisson. Faire bouillir qu'à ce que la sauce é sisse.
Verser la sauce sur les mes; servir chaud ou fr

Disposer les pommes dans un plat à gratin beurré. Verser la cassonade dans la cavité de chacune des pommes. Verser 1/4 tasse d'eau froide et le sirop d'érable sur les pommes.
Placer les pommes au four et les faire cuire environ 25 minutes, ou jusqu'à ce qu'elles soient tendres.
Enlever les pommes du four

Pommes à la neige

(pour 4 personnes)

- 8 pommes
- 3 c. à soupe de cassonade
- 1 c. à thé de cannelle
- 2 c. à soupe d'eau
- 3 blancs d'oeufs
- 3 c. à soupe de sucre
- 1 c. à soupe de fruits confits
  (facultatif)

Evider, peler et émincer les pommes.

Mettre les pommes, la cassonade, la cannelle et l'eau dans une casserole à feu moyen. Couvrir la casserole et faire cuire jusqu'à ce que les pommes soient tendres.

Passer les pommes au tamis ou au passe-légume et laisser refroidir.

Monter les blancs en pics mous. Ajouter le sucre et monter en neige ferme.

Conserver un peu de blanc d'oeuf comme garniture et incorporer le reste aux pommes refroidies. Placer les pommes à la neige dans un plat de service et garnir avec le reste des blancs d'oeufs et les fruits confits.

Servir aussi froid que possible.

Pouding au pain et abricot

(pour 6 personnes)

6	tranches de pain
3	c. à soupe de beurre, ramolli
4	oeufs
1/4	tasse de sucre
1/2	c. à thé de vanille une pincée de cannelle
4	tasses de lait

Enlever la croûte du pain et beurrer les tranches d'un côté. Amener le lait au point d'ébullition.

Battre les oeufs et ajouter le sucre, la cannelle et la vanille; bien mélanger.

Verser graduellement le lait dans le mélange oeufs/sucre; bien mélanger jusqu'à ce que le sucre soit complètement dissout.

Verser le mélange dans un plat allant au four et couvrir avec les tranches de pain du côté non beurré.

Asseoir le plat dans un bain-marie contenant de l'eau chaude et faire cuire le pouding dans un four préchauffé à 350°F pendant 40 à 50 minutes ou jusqu'à ce que la lame d'un couteau piquée au centre en sorte propre.

Pour servir, verser la sauce aux abricots sur le pouding.

Sauce aux abricots

4	c. à soupe de gelée aux abricots
2	c. à soupe d'eau quelques gouttes de grenadine

Mettre la gelée et l'eau dans une petite casserole et fondre la gelée 3 à 4 minutes, à feu vif; remuer constamment.

Ajouter la grenadine et verser la sauce sur le pouding.

Salade de fruits

(pour 4 personnes)

Recette:

- 1/2 pamplemousse
- 1 casseau de fraises
- 1/2 lb de cerises fraîches
- 1 grosse orange, pelée
- 1/2 ananas frais
- 2 c. à soupe de sirop de grenadine
- 2 c. à soupe de sucre

Défaire le pamplemousse et l'orange en sections. Si désiré, peler chaque section. Verser les sections dans un bol.

Nettoyer les fraises à l'eau froide courante et les assécher. Les équeuter et les parer. Placer les fraises dans le bol.

Laver, égoutter et dénoyauter les cerises. Les verser dans le bol.

Couper l'ananas en cubes et verser les cubes dans le bol.

Mélanger le sirop de grenadine et le sucre aux fruits. Faire mariner au réfrigérateur pendant 2 à 3 heures.

Crème pâtissière

1	c. à thé de vanille
2	tasses de lait
10	jaunes d'oeufs
1/2	tasse de sucre
1/2	tasse de farine tout usage

Technique de la crème pâtissière

*NOTE: Vous pourriez ajouter des pa fums différents à la crème pâtissiè comme du Kirsch, du Grand-Marnier, etc.

1. Amener le lait à ébullition dans une casserole.

2. Mettre les jaunes d'oeufs dans un bol à mélanger.

3. Ajouter le sucre aux jaune d'oeufs.

4. Mélanger à l'aide d'une cuillère en bois ou d'un batteur électrique.

5. Ajouter la vanille* et mélanger 3 à 4 minutes avec un batteur électrique.

6. Le mélange devrait avoir la textu montrée, c'est-à-dire moussel et presque blanc.

7. Ajouter la farine au mélange.

8. Plier à l'aide d'une spatule.

9. Verser la moitié du lait que vou avez amené à ébullition dans mélange; remuer constamment.

10. Remettre la casserole sur le feu. Verser le mélange dans le lait bouillonnant; remuer constamment à l'aide d'un fouet jusqu'à ce que le tout soit bien incorporé.

11. Cuire la crème 2 à 3 minutes en remuant constamment et vigoureusement; remuer bien, spécialement dans le bord de la casserole afin d'éviter que la crème brûle.

12. Verser la crème pâtissière dar un bol, laisser refroidir et couv d'un papier ciré ou saran.

rofiteroles au·chocolat

e à choux

tasse d'eau
c. à soupe de beurre doux
c. à thé de sel
tasse de farine tout usage
gros oeufs
oeuf battu

re le beurre, l'eau et le sel une casserole de grandeur enne. Placer la casserole à moyen et faire fondre le re.

que le beurre est complè- nt fondu, ajouter la farine. er la casserole du feu et bien nger les ingrédients à l'aide e cuillère en bois.

ettre la casserole sur le feu ire cuire 2 à 3 minutes ou 'à ce que la pâte ne colle au touché; remuer constam- t avec votre cuillère.

re la pâte dans un bol à nger, sans gratter le fond de sserole.

ser la pâte refroidir pendant 5 tes à la température de la

Durant ce temps, beurrer et fa- riner une plaque à pâtisserie; mettre de côté.

Incorporer les quatre oeufs, un à la fois, à la pâte à l'aide d'une cuillère en bois; bien remuer le mélange avant chaque addition d'oeuf. La pâte devrait reprendre sa texture originale et ne devrait pas adhérer à la cuillère.

Placer la pâte dans une poche à pâtisserie et faire des petits choux sur la plaque à pâtisserie. Aplatir légèrement le dessus des choux avec une fourchette trem- per dans un oeuf battu.

Il est important, avant de mettre les choux au four, de les laisser reposer pendant 20 minutes à la température de la pièce.

Faire cuire les choux pendant 35 minutes* dans un four préchauf- fé à 375° F. Ensuite, éteindre le four et laisser sécher les choux pendant 45 minutes dans le four avec la porte entrouverte.

* Le temps de cuisson peut varier, dé- pendant de la grosseur des choux.

Crème chantilly

10   onces de crème épaisse (35%), froide
1   c. à soupe de vanille
1/4   tasse de sucre à glacer

Verser la crème et la vanille dans un bol en acier inoxydable froid et battre à l'aide d'un fouet ou d'un batteur électrique jusqu'à ce que la crème devienne très ferme.

Plier soigneusement le sucre à glacer à la crème, à l'aide d'une cuillère ou d'une spatule.

Pour servir les profi- teroles, couper les choux horizontale- ment et les remplir de crème chantilly.

Ensuite couvrir les choux de glaçage au chocolat* et, si dé- siré, garnir de cho- colat râpé.

Sunday
aux cerises

(pour 4 personnes)

1   **boîte de cerises Bing, égouttées**
8   **boules de crème glacée à la**
       vanille
1/2 tasse de crème à 35%, fouettée
       quelques gouttes de grenadine

Placer une boule de crème glacée dans 4
coupes à dessert.
Mettre une rangée de cerises sur chaque boule
de crème glacée.
Ajouter une boule de crème glacée sur chaque
rangée de cerises.
Garnir avec la crème fouettée.
Disposer une cerise au centre de chacun des
Sundays et les arroser de quelques gouttes de
grenadine.
Servir immédiatement.

Surprise
à l'orange

(pour 4 personnes)

4	oranges
4	petites boules de sorbets à l'orange
3	blancs d'oeufs
3/4	tasse de sucre

Denteler et retirer le haut de chaque orange, à l'aide d'un couteau d'office. Mettre les capuchons de côté.

Evider les oranges. Jeter la chair ou utiliser pour préparer des jus.

Monter les blancs en pics mous. Ensuite, graduellement ajouter le sucre; battre constamment avec un batteur électrique jusqu'à ce que les oeufs soient montés en neige ferme. Mettre la meringue de côté.

Placer une boule de sorbet dans chacune des oranges évidées et garnir avec la meringue.

Mettre les surprises à l'orange sous le gril "broil" pendant 2 minutes. Décorer avec les capuchons d'oranges dentelés et servir.

Tarte au chocolat

5   oeufs, séparés
8   onces de sucre
4   onces de beurre doux, ramolli
4   onces de chocolat semi-sucré, râpé fin
4   onces de farine à pâtisserie

Préchauffer le four à 320ºF.

Mélanger les jaunes d'oeufs et le sucre dans un bol à mélanger en acier inoxydable. Battre le mélange avec un batteur électrique pendant 2 à 3 minutes ou jusqu'à ce que les ingrédients deviennent légers et crémeux.

Incorporer le chocolat et ensuite le beurre ramolli. Mélanger 1 à 2 minutes.

Graduellement saupoudrer le mélange de la farine bien mélanger à l'aide d'une spatule en caoutchou

Monter les blancs d'oeufs en neige ferme et les p dans le mélange de chocolat, tel qu'indiqué dans technique.

Verser le mélange dans un moule à gâteau à ress de 8'' de diamètre, qui a été préalablement beurre fariné.

Faire cuire la tarte au chocolat pendant 40 à minutes.

Servir la tarte nature, avec de la crème devonshire à 35%.

Technique
de la
Tarte au
chocolat

erser le sucre sur les jaunes
oeufs.

2. Mélanger avec un batteur électrique environ 3 minutes ou jusqu'à ce que le mélange devienne presque blanc.

e mélange devrait être épais et rémeux.

4. Ajouter le chocolat râpé et bien mélanger.

5. Ajouter le beurre ramolli et mélanger à nouveau.

Saupoudrer la farine sur le mélange n deux étapes et bien mélanger.

7. Monter les blancs d'oeufs avec un batteur électrique.

8. Prendre une tasse de blancs d'oeufs et l'ajouter à la pâte.

Bien mélanger.

10. Verser la pâte à tarte dans le reste des blancs d'oeufs.

11. Incorporer les mélanges en les pliant doucement à l'aide d'une spatule en caoutchouc; ne pas mélanger.

Technique de la Pâte sucrée

1. *Ingrédients requis pour préparer le dessert de la semaine, la tarte aux fraises.*

2. *Mélanger la farine et le sel dans un bol à mélange.*

3. *Faire un puits au centre de la farine.*

4. *Verser le sucre à glacer au centre du puits.*

5. *Mettez-y le beurre.*

6. *Mettez-y le shortening.*

7. *Versez la vanille.*

8. *A l'aide d'un couteau à pâte, incorporer 3/4 de la farine aux ingrédients dans le puits.*

9. *Légèrement fouetter les oeufs. Si vous employez des petits oeufs, ajouter 1 c. à soupe d'eau.*

10. *Verser les oeufs au centre du mélange.*

11. *Incorporer les oeufs au mélange.*

12. *Pincer la pâte avec le pouce et l'index jusqu'à ce que vous ayez formé une boule. Si vous trouvez la pâte trop sèche, ajouter 1 à 2 c. à soupe d'eau glacée et pincer de nouveau la pâte.*

13. *La pâte en forme de boule.*

14. *Pétrir la pâte.*

15. *Saupoudrer légèrement de farine la boule de pâte et l'envelopper d'un papier ciré. Placer la pâte au réfrigérateur 3 à 4 heures avant l'usage.*

16. *Couper en deux.*

17. *Fariner votre rouleau à pâte et votre table de travail. Rouler la pâte.*

18. *Tourner la pâte et rouler là de nouveau. N'exercer aucune pression sur votre rouleau à pâte.*

19. *Enrouler la pâte autour du rouleau à pâte.*

20. *Dérouler la pâte sur un moule à tarte de 9'' ou sur 4 moules à tartelettes allant au four.*

21. *Tailler le bord des moules.*

22. *Les moules taillés.*

23. *A l'aide d'une fourchette, piquer la pâte.*

24. *Badigeonner la pâte avec un oeuf battu. Faire cuire la pâte dans un four préchauffer à 400°F pendant 10 minutes.*

1

2

3

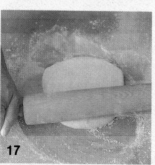
5

6

7

9

10

11

13

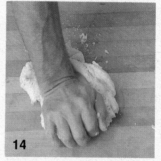
14

15

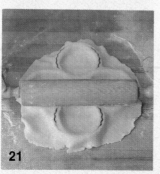
17

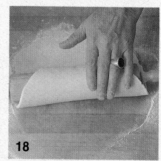
18

19

21

22

23

Tarte ou tartelettes aux fraises

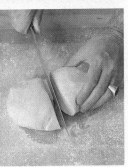

Donne 1 fond (9") de tarte ou 4 tartelettes

RECETTE EN TROIS PARTIES
Pâte sucrée
Donne 2 fonds de tarte de (9")

2 3/4 tasses de farine tout usage, tamisée
1 tasse de sucre à glacer
1/2 tasse de beurre doux, à la température de la pièce
1/4 c. à thé de sel
1/2 tasse de shortening à la température de la pièce
1 c. à thé de vanille
2 oeufs moyens à la température de la pièce

Préparer votre pâte tel qu'indiqué dans la technique de la page 6. Cette pâte se conserve 3 jours au réfrigérateur et 3 mois au congélateur, enveloppée d'un papier ciré.

Crème pâtissière
(2 1/2 tasses)

2 1/2 tasses de lait
1/2 tasse de sucre granulé
2 oeufs
2 1/2 c. à soupe de fécule de maïs
1 c. à thé de vanille

Fouetter le sucre, les oeufs, la fécule de maïs et la vanille dans un bol à mélanger jusqu'à ce que le mélange devienne blanc. Amener le lait au point d'ébullition dans une casserole. Verser la moitié du lait au mélange d'oeufs. Mélanger et verser le mélange dans le reste du lait contenu dans la casserole.

Amener le mélange au point d'ébullition et immédiatement retirer la casserole du feu. Verser la crème pâtissière dans un bol et réfrigérer. Cette crème se conserve 2 jours au réfrigérateur.

Verser la crème refroidie dans le fond de tarte ou dans les tartelettes cuites.

Garnir avec les fraises.

Garniture aux fraises
1 casseau de fraises, équeutées
2 c. à soupe de sucre granulé
2 c. à soupe de beurre non salé
jus de 1 1/2 oranges
jus de 1/2 citron
1 c. à soupe de Cointreau

Placer le sucre et le beurre dans une sauteuse à feu vif.

Remuer le mélange jusqu'à ce qu'il devienne couleur caramel.

Ajouter le jus d'orange et de citron; remuer constamment jusqu'à ce que le mélange épaississe.

Ajouter les fraises et les faire cuire 3 à 4 minutes.

Faire chauffer le Cointreau dans une très petite casserole ou dans une louche. Verser la liqueur dans la sauteuse et faire flamber.

Refroidir le mélange; ensuite, le disposer sur la crème pâtissière. Réfrigérer jusqu'au moment de servir.

Tarte Tatin

8	**pommes, pelées, évidées et émincées**
3	**c. à soupe de beurre**
1/3	**tasse de sucre**
1	**c. à soupe de farine**
	le jus d'un citron
1	**fond de pâte brisée**
1	**oeuf battu**

Caramel

1/2	**tasse de sucre**
4	**c. à soupe d'eau**

Préchauffer le four à 400ºF.

Mettre le beurre et le sucre dans une casserole. Faire fondre à feu moyen et ajouter les pommes.

Arroser les pommes avec le jus de citron et faire cuire 4 à 5 minutes, à feu moyen; faire attention de ne pas briser les pommes lorsque vous remuez.

Durant ce temps, préparer votre caramel. Verser le sucre et l'eau dans un poêlon et faire cuire jusqu'à ce que le mélange devienne caramel. Ensuite placer le poêlon dans un bol contenant de l'eau froide afin d'arrêter la cuisson.

Verser le caramel dans un plat à tarte légèrement beurré.

Verser les pommes sur le caramel et parsemer de la c soupe de farine.

Badigeonner le tour de l'ass te à tarte avec l'oeuf battu.

Recouvrir de la pâte et pres les bords de la pâte. Badige ner à nouveau avec l'oeuf ba

Faire cuire la tarte dans un de 400ºF pendant 45 minute

Refroidir, et démouler la t tatin sur un plat de service.

*Nous avons employé de la pâte letée. Vous pourriez également ployer votre recette préférée de feuilletée.

510

1. *Verser le sucre dans un poêlon.*

Technique de la Tarte Tatin

2. *Ajouter l'eau.*

3. *Faire cuire le mélange jusqu'à ce qu'il devienne caramelisé.*

4. *Verser le caramel dans un plat à tarte légèrement beurré.*

5. *Mettre le sucre et le beurre dans une casserole; faire fondre à feu moyen.*

6. *Ajouter les morceaux de pommes au mélange de beurre et sucre.*

7. *Ajouter le jus de citron.*

8. *Verser les pommes cuites dans l'assiette à tarte contenant le caramel. Saupoudrer d'une cuillerée à soupe de farine.*

9. *Badigeonner le tour de l'assiette avec un oeuf battu.*

10. *Couvrir les pommes de pâte feuilletée ou brisée.*

11. *Presser les bords de la pâte et badigeonner à nouveau avec l'oeuf battu. Faire cuire au four à 400ºF pendant 45 minutes.*

Tarte aux amandes

Donne 1 tarte de 9'' ou 4 tartelettes

PÂTE

(DONNE 2 FONDS DE TARTE DE 9'')

2 3/4	tasses de farine
1/2	tasse de shortening, à la température de la pièce
1/2	tasse de beurre, à la température de la pièce
1	tasse comble de sucre à glacer
1	c. à thé de vanille
2	oeufs à la température de la pièce

Placer la farine dans un bol à mélanger ou sur votre surface de travail. Faire un puits au centre de la farine.

Mettre le sucre à glacer, le beurre, le shortening et la vanille dans le puits.

A l'aide d'un couteau à pâte, incorporer 1/2 de la farine aux ingrédients dans le puits.

Légèrement fouetter les oeufs. Verser les oeufs au centre du mélange. Incorporer les oeufs au mélange.

Pincer la pâte avec le pouce et l'index jusqu'à ce que vous ayez formé une boule. Si vous trouvez la pâte trop sèche, ajouter 1 à 2 c. à soupe d'eau glacée et pincer de nouveau la pâte.

Pétrir la pâte. Saupoudrer légèrement de farine la boule de pâte et l'envelopper d'un papier ciré. Placer la pâte au réfrigérateur 3 à 4 heures avant l'usage.

Couper la pâte en deux.

Fariner votre rouleau à pâte et votre table de travail. Rouler la pâte.

Tourner la pâte et rouler la de nouveau. N'exercer aucune pression sur votre rouleau à pâte.

Enrouler la pâte autour du rouleau à pâte et dérouler la pâte sur un moule à tarte de 9'' ou sur 4 moules à tartelettes allant au four.

Tailler le bord des moules et à l'aide d'une fourchette, piquer la pâte. Mettre les moules de côté.

CRÈME AUX AMANDES

3/4	tasse de beurre
1/2	tasse comble de sucre
1	oeuf
1 1/2	tasse d'amandes hachées
1 1/2	c. à soupe de farine

Préchauffer le four à 375ºF.

Fouetter le beurre, le sucre et l'oeuf dans un bol à mélanger jusqu'à ce que le mélange devienne blanc.

Ajouter la farine et les amandes et bien incorporer.

Verser la crème aux amandes dans le(s) moule(s).

Faire cuire la tarte ou les tartelettes aux amandes au four 375ºF pendant 35 minutes.

Tarte aux pommes à la normandie

cette en
arties

Pâte sucrée pour tarts

fonds de tarte de 9"

3/4 tasses de farine tout usage tamisée
tasse de sucre à glacer
/2 tasse de beurre doux (non salé) à la température de la pièce
/2 tasse de shortening à la température de la pièce
c. à thé de vanille
oeufs moyens à la température de la pièce

Mélanger la farine et le sucre à glacer. Placer la farine et le sucre à glacer dans un bol, en cercle.
Placer le beurre, le shortening et la vanille au milieu de ce cercle, et couper le gras avec deux couteaux ou avec un appareil à pâtisserie pour couper le gras, jusqu'à ce que la farine soit absorbée.
Ajouter les oeufs.
Incorporer les oeufs au mélange en "pinçant" la pâte avec le pouce et l'index.
Rassembler la pâte en boule.
Si vous trouvez la pâte trop sèche, ajouter 1 ou 2 c. soupe d'eau glacée et pincer de nouveau jusqu'à ce que l'eau soit incorporée à la pâte.
Saupoudrer légèrement de farine la boule de pâte et l'envelopper d'un papier ciré.
Placer la pâte au réfrigérateur 3 à 4 heures avant usage.
Cuisson des fonds de tarte: 10 minutes au four, à 00°F.

Crème pâtissière et les pommes

pour 1 fond de tarte — (2 1/2 tasses de crème)

1 tasse de lait
1 c. à soupe d'eau
1 tasse de sucre
3 jaunes d'oeufs
1/4 tasse de farine tout usage tamisée
1 c. à thé de vanille
3 pommes
cannelle
cassonade

Porter le lait et l'eau au point d'ébullition à feu moyen dans une casserole moyenne.
Battre le sucre et les jaunes d'oeufs dans un bol avec une spatule, 3 à 4 minutes, jusqu'à ce que les oeufs deviennent mousseaux et presque blancs.
Incorporer la farine aux oeufs en remuant avec une spatule.
Ajouter la vanille au lait bouillant.
Verser graduellement la moitié du lait bouillant dans les oeufs, en remuant constamment avec une cuillère de bois.
Remettre la casserole contenant le lait sur le feu moyen-doux.
Verser graduellement le contenu du bol dans le reste du lait bouillant, en remuant constamment avec une cuillère de bois.
Remuer la crème constamment à feu moyen jusqu'à ce qu'elle devienne très épaisse.
Verser la crème dans un bol.
Laisser tiédir la crème et couvrir d'un papier ciré beurré.
Peler, évider et trancher les pommes en tranches 1/2" d'épaisseur.
Verser la crème tiède dans un fond de tarte. Couvrir la crème avec les pommes.
Saupoudrer les pommes avec la casserole et la cannelle.
Faire cuire au four préchauffer à 400° F pendant 30 minutes.

Tartelettes aux raisins

Pâte brisée

Préparer la recette de pâte brisée à la page 2.

Couper la recette en deux.

Rouler la pâte et la placer sur 4 moules à tartelettes.

Faire cuire dans un four préchauffé à 400°F pendant 12 minutes.

Crème pâtissière

2	tasses de lait, au point d'ébullition
6	jaunes d'oeufs
2/3	tasse de sucre
1	c. à thé de vanille
1/4	tasse de farine à pâtisserie
2	c. à soupe de beurre non salé
1	c. à soupe de rhum

Battre le sucre et les jaunes d'oeufs dans un bol avec une spatule, 3 à 4 minutes. Ajouter la vanille et battre jusqu'à ce que le mélange devienne presque blanc.

Incorporer la farine aux oeufs en remuant avec une spatule.

Verser graduellement la moitié du lait bouillant dans les oeufs, en remuant constamment avec une cuillère de bois.

Remettre la casserole contenant le lait sur le feu moyendoux.

Verser graduellement le contenu du bol dans le reste du lait bouillant, en remuant constamment avec une cuillère en bois.

Remuer la crème constamment à feu moyen jusqu'à ce qu'elle devienne très épaisse.

Incorporer le beurre et le rhum.

Verser la crème dans un bol.

Laisser refroidir, couvrir d'un papier ciré et réfrigérer.

Cette crème se conserve 48 heures au réfrigérateur.

Remplir les tartelettes cuites avec la crème pâtissière et mettre de côté.

Garniture aux raisins

1/2	lb. de raisins verts, sans pépins, lavés et équeutés
3	c. à soupe de sucre
2	c. à soupe d'eau
1	c. à soupe de grenadine

Amener l'eau, le sucre et la grenadine au point d'ébullition dans une casserole, à feu vif. Bien mélanger.

Ajouter les raisins et faire cuire 4 minutes, à feu vif.

A l'aide d'une cuillère à trous, enlever les raisins et les disposer sur la crème pâtissière.

Remettre la casserole sur le feu et faire cuire jusqu'à ce que le sirop devienne très épais.

Badigeonner les raisins avec le sirop. Laisser les tartelettes aux raisins refroidir avant de servir.

La pâte brisée française est délicieuse et facile à préparer. Elle peut être employée dans la préparation des quiches lorraine, des tartes et des tartelettes.

Technique de la pâte brisée

Ingrédients: 2 tasses de farine
1/3 tasse d'eau
1/4 c. à thé de sel
1/2 c. à soupe de sucre
1/4 lb. de beurre

2. Placer la farine dans un bol à mélanger.

(donne 2 croûtes à tarte de 9")

3. Ajouter le sel.

Ajouter le sucre.

5. Mélanger et faire un puits au centre du mélange.

6. Couper le beurre en petits morceaux et le placer dans le puits.

Couper le beurre avec un appareil à pâtisserie ou deux couteaux jusqu'à ce que la farine soit absorbée.

8. Verser l'eau dans le bol.

9. Pincer la pâte jusqu'à ce qu'elle forme une boule. Saupoudrer légèrement de farine la boule de pâte et l'envelopper d'un papier ciré. Placer la pâte au réfrigérateur 3 à 4 heures avant l'usage.

515

Vol-au-vent aux fraises

(pour 4 personnes)

4 vol-au-vent
1 casseau de fraises, lavées et équeutées
2 c. à soupe de sucre
2 c. à soupe de beurre doux
le jus d'1/2 orange
le jus d'1/4 de citron
2 c. à soupe de liqueur Tia Maria
1 recette de crème Chantilly

Placer le sucre et le beurre dans une sauteuse épaisse, à feu vif. Remuer le mélanger jusqu'à ce que les ingrédients deviennent de couleur caramel.

Ajouter le jus d'orange et de citron. Remuer constamment jusqu'à ce que le mélange épaississe.

Ajouter les fraises et faire cuire 3 à 4 minutes.

Faire chauffer la liqueur Tia Maria dans une petite casserole ou dans une louche. Verser la liqueur sur les fraises et faire flamber.

Retirer la sauteuse du feu.

Disposer les vol-au-vent dans un plat de service et placer une c. à thé de crème Chantilly au centre de chaque vol-au-vent.

Remplir les vol-au-vent avec le mélange de fraises et garnir avec la crème Chantilly.

Crème Chantilly

(donne: 2 tasses)

1 tasse de crème épaisse, froide
3 c. à soupe de sucre à glacer
1 c. à thé de vanille

Fouetter la crème et la vanille jusqu'à ce que la crème fouettée devienne ferme.

Incorporer soigneusement le sucre à glacer à la crème.

Ambrosia
à l'orange

(pour 4 personnes)

oranges, pelées
bananes, pelées
/2 tasse de coconut râpé
c. à soupe de sucre
c. à thé de grenadine
boules de crème glacée au citron

Placer les bananes, les segments d'orange et le coconut dans le bol à mélanger. Parsemer avec le sucre et la grenadine; laisser reposer environ 10 minutes.

Ensuite, placer une rangée de fruits marinés dans 4 coupes à dessert.

Ajouter une boule de crème glacée par coupe et garnir avec le reste des fruits.

Verser le liquide du bol à mélanger sur les fruits et décorer avec un peu de coconut frais.

Servir avec des doigts de dame.

Couper les bananes en tranches de 1/4'' d'épaisseur, en biais.

Segmenter les oranges et enlever la peau; laisser les tomber dans un bol à mélanger.

517

BREUVAGES

NOTES

Café Brûlot

(pour 5 personnes)

zeste d'1/2 orange, coupé
  en 4
2 bâtons de cannelle, brisés
  en petits morceaux
8 clous de girofle
1/4 tasse de cognac
7 ou 8 cubes de sucre
5 demi-tasses de café très
  fort*

Placer tous les ingrédients, sauf le café, dans un bol à l'épreuve du feu. Faire chauffer une c. à soupe de cognac supplémentaire et faire flamber. Verser ce cognac dans le bol.

Faire flamber le liquide dans le bol.

Laisser la flamme s'éteindre pendant 1 à 2 minutes et graduellement incorporer le café chaud avec une louche.

A l'aide d'une louche, verser le café brûlot dans les demi-tasses.

* une demi-tasse contient la moitié d'une tasse régulière et est employée pour servir du café très fort et très riche.

Les ingrédients ➤

Zabaione

(pour 4 personnes)

 3 oeufs
1 jaune d'oeuf
3 c. à soupe de sucre
1/2 tasse de vin blanc
3 c. à soupe de liqueur,
  tel Irish Mist

Mélanger le sucre, le jaune d'oeuf et les oeufs dans un bol en acier inoxydable.

Placer le bol sur une casserole remplie d'eau à peine bouillante.

Fouetter le mélange 3 à 4 minutes.

Ajouter le vin.

Continuer de fouetter vigoureusement jusqu'à ce que le mélange soit très épais.

Verser graduellement la liqueur dans le zabaione.

Servir immédiatement.

Les ingrédients ➤

Café espagnol

(pour 1 personne)

1 once de Cognac, Courvoisier
3 onces de café noir, chaud
1/2 once de cointreau
1 c. à soupe de crème fouettée
1/2 once de Tia Maria
sucre au goût
une petite quantité de jus de cit
préparé

Tremper une coupe dans le jus
citron et dans le sucre; le mélai
devrait enduire d'1/2'' le bord d
coupe.

Verser le Cognac, le café et
Cointreau dans la coupe.

Ensuite, napper le café avec
crème fouetter et verser le
Maria au centre de la crème.

Servir immédiatement.

Punch de Noël

(pour 1 personne)

1 1/2 onces de jus d'orange
1 1/2 onces de jus de citron
1 1/4 onces de rhum blanc ou brun
un soupçon de Grenadine
1 quartier d'orange
1 quartier de citron
1 cerise

Remplir partiellement un verre à punch avec de la glace concassée.

Verser le jus d'orange, le jus de citron et le rhum sur la glace.

Ajouter la grenadine.
Mélanger.

Garnir avec les quartiers de citron et d'orange et la cerise.

Verser un soupçon de rhum sur le dessus du punch et servir.

◄ *Les ingrédients*

522

Dans une sauce, ne jamais laisser mijoter la moutarde. On ajoute la moutarde immédiatement avant de servir pour éviter l'amertume.

Café liègeois

Sangria

(pour 4 personnes)

tasses de café noir
c. à soupe de crème glacée au café
c. à soupe de crème chantilly
(voir sem. no 14)
c. à soupe de glace concassée
verres

Placer les verres au réfrigérateur pendant 1 heure.

Mettre tous les ingrédients, sauf la crème chantilly, dans un bol et bien mélanger avec un fouet jusqu'à ce que le mélange devienne crémeux.

Verser le mélange dans les verres refroidis et ajouter 1 1/2 c. à soupe de crème chantilly sur chacun des cafés.

Servir les cafés liègeois immédiatement.

(pour 10 à 16 personnes)

3	bouteilles de vin rouge
1/2	tasse de brandy
	le jus de 3 oranges
	le jus de 2 citrons
1	citron, tranché
1	orange, tranchée
1	bouteille (26 onces) de club soda
8	tranches d'ananas

1/2 lb. de fraises, nettoyées et équeutées
cerises fraîches dénoyautées ou des cerises maraschino au goût
sucre au goût
cubes de glace

Couper les tranches de citron, d'orange et d'ananas en deux.

Placer tous les fruits dans un bol de service ou dans un pichet à sangria et les arroser de brandy. Laisser les fruits mariner pendant 1 heure.

Verser le vin, le jus de citron et le jus d'orange sur les ingrédients. Sucrer au goût et réfrigérer pendant 1 heure.

Au moment de servir, incorporer le club soda, les cubes de glace et bien mélanger.

NOTES

NOTES

NOTES

NOTES